JOANNA
CHMIELEWSKA

TRUDNY TRUP

Kochani!

Życzymy Wam spokojnych,
pełnych miłości, radości
i rodzinnych spotkań
Świąt Bożego Narodzenia

KRÓLOWA POLSKIEGO KRYMINAŁU

JOANNA

CHMIELEWSKA

TRUDNY TRUP

Projekt okładki: Andrzej Pągowski
Opracowanie graficzne: Magdalena Błażków – Kreacja Pro

Wydawnictwo Olesiejuk, an imprint of Firma Księgarska Olesiejuk
Spółka z ograniczoną odpowiedzialnością Sp.j, 2014
05-850 Ożarów Mazowiecki • ul. Poznańska 91
www.olesiejuk.pl • www.wydawnictwoolesiejuk.pl

ISBN SERII 978-83-274-2549-2
ISBN 978-83-274-2511-9

Dystrybucja:
ringier
axel springer

Ringier Axel Springer Polska Sp. z o.o.
02-672 Warszawa, ul. Domaniewska 52
www.ringieraxelspringer.pl
Książki można zamówić telefonicznie: 22 761 32 14
lub na stronie www.chmielewska.literia.pl

Druk: DRUK-INTRO S.A.

Co najmniej przez kilka miesięcy szukałam trupa.

Nie rozkopywałam grobów i ugorów, nie zwiedzałam kostnic, starych piwnic ani śmietników, nie gmerałam w gliniankach. Szukałam we własnym umyśle i w ludzkich plotkach, także w mediach, prezentujących wydarzenia okropne i krwawe w taki sposób, żeby przypadkiem jakieś niewłaściwe tajemnice na jaw nie wyszły. Nic mi nie pasowało, ponieważ nie mógł to być trup byle jaki, tylko taki więcej elitarny, żadne męty, żadne mafie, coś ten trup musiał sobą reprezentować, żeby mi się motywy zgodziły. Bo, oczywiście, musiał zostać zamordowany.

Trupa żądała ode mnie Martusia.

Martusia pracowała w telewizji. To ona miała szatański pomysł, któremu się poddałam, wchodząc na obcy sobie teren. Wspólnie pisałyśmy scenariusz w zasadzie kryminalny, nie pierwszy zresztą i zapewne nie ostatni, opiewający kulisy straszliwych intryg telewizyjnych, ona, z racji zawodu, koniecznie chciała to reżyserować, popierałam jej chęć z całej siły, no i brakowało nam trupa. Nikogo jakoś nie dawało się zabić na siłę. Co gorsza, na początku brakowało nam także motywu, a mordować takiego na przykład Stockingera całkiem bez powodu... Trochę głupio. Albo Deląga... Nie, wykluczone, Deląg nam musi przelecieć przez całą akcję, potrzebny co najmniej jeden piękny i młody, żeby mógł być lekkomyślny i żeby baby mogły się o niego zabijać, w przenośni, rzecz jasna, bo chociaż temat sam z siebie sensacyjny, to jednak uczuciowe elementy powinien zawierać...

Serial to miał być, emocjonujący całe społeczeństwo jeszcze bardziej niż „Niewolnica Isaura" i „Klan", pierwotnie raczej obyczajowy, stopniowo przeistaczany w kryminał, bez wątpienia pod moim wpływem, któremu Martusia poddawała się z pewną lubością. Wpływ zaś brał się stąd, że zbrodnie razem z ich motywami rozumiałam zupełnie nieźle, o wnętrznościach telewizji natomiast nie miałam zielonego pojęcia.

Okoliczności towarzyszące rozwijały nam się doskonale, intrygi męsko-damskie biegły same świńskim truchtem, znane Martusi intrygi służbowe jeszcze lepiej, w ostry galop wpadały, nawet motywy zbrodni zaczynały się nam już rysować, a mimo to z trupem był kłopot. Trupa, rzecz oczywista, Martusia domagała się ode mnie. Jestem w końcu kryminalistką czy nie?

Trup zaś, jak powszechnie wiadomo, dla każdego kryminału jest elementem niezbędnym i sama się przy nim upierałam.

Skąd ja jej wezmę tego trupa...?

Siedziałam we własnej kuchni, usiłując równocześnie robić korektę, pilnować makaronu w zupie, zbliżonej do kartoflanki z zacierkami, i jednym uchem słuchać radia, które przypadkiem mogło powiedzieć coś o jakimś użytecznym morderstwie. Zarazem czekałam na telefon od dziennikarza z któregoś periodyku, żeby zautoryzować jego wywiad ze mną, co w dziedzinie autoryzacji było metodą najprostszą i najmniej czasochłonną.

Telefon zadzwonił szczęśliwie w chwili, kiedy akurat przykręciłam gaz pod garnkiem i spadł mi z głowy przynajmniej makaron.

W słuchawce odezwała się Anita, moja dawna przyjaciółka z Danii, odbywająca właśnie podróż służbową ze Sztokholmu do Kopenhagi przez Warszawę, dziwnie może, ale tak jej wyszło, wpadła na bardzo krótko i koniecznie chciała się ze mną zobaczyć. Ja z nią też. Obie miałyśmy przerażająco mało czasu, ale parę chwil udało się gdzieś wepchnąć.

Umówiłyśmy się u niej w pokoju hotelowym z bardzo prozaicznego powodu. Musiała mianowicie umyć głowę. Myła ją sama, bo w kwestii własnej koafiury miała ustabilizowane poglądy i żaden fryzjer nie umiał jej sensownie uczesać, zupełnie jak mnie. Pod tym względem byłyśmy jednakowo upośledzone i rozumiałam ją świetnie. Wstrętne włosy, aczkolwiek skrajnie odmiennych gatunków, to jednak identycznie stawiające opór wszelkim zabiegom, i tylko lata doświadczeń własnych pozwalały osiągnąć jaki taki rezultat.

No więc u niej, bardzo dobrze. Odwaliłam wcześniej zaplanowane zajęcia i przyszłam do hotelu punktualnie.

Mając w pamięci proces tego mycia i kręcenia, spodziewałam się, że jakimś sposobem zostawiła drzwi otwarte, bo nie wiadomo było, w którym stadium mogła się akurat znajdować. Z głową pod kranem, ogłuszona suszarką albo co.

Owszem, zgadłam dobrze. Pchnęłam drzwi, otworzyły się. Weszłam. Nie zwróciłam uwagi na brak dźwięków, lejącej się wody czy wycia suszarki, ostatecznie Marriott miał prawo być dobrze izolowany akustycznie. Weszłam do pokoju.

No i tu spełniły się nagle moje najgorętsze pragnienia. Ten cholerny trup leżał prawie na środku.

Ani się o niego nie potknęłam, ani nie trafiłam na żaden szczególnie obrzydliwy widok. Najpierw zobaczyłam nogi, niewątpliwie męskie, zważywszy rodzaj i numer obuwia, bo spodnie w dzisiejszych czasach o niczym nie świadczą. Zatrzymałam się, zastanowiłam, poszłam dalej spokojnie, bo niby dlaczego u Anity nie miałby leżeć jakiś pijany facet, po czym ujrzałam górną część leżącego.

Z głowy została mu część przednia, znaczy twarz, ozdobiona małą plamką na środku czoła. Część tylna, jako całość, raczej nie miała prawa istnieć, ale nie po ciemieniu i potylicy człowieka się rozpoznaje. Po twarzy. Twarz, oprócz plamki, miała zastygły wyraz wściekłości i chyba głównie po tym go rozpoznałam.

Dobre parę minut spędziłam na przypominaniu sobie, skąd go znam. Stałam jak pień i wpatrywałam się w trupa, jakby to był najpiękniejszy widok na świecie, ukierunkowana wyłącznie na pamięć. Odezwała się wreszcie z oporem i niechęcią.

No tak, widywałam go przed laty w dwóch miejscach, raczej kontrastowych. Na wyścigach i w sądzie. Ściśle biorąc, na wyścigach widywałam go wielokrotnie, w sądzie spotkałam raz i też się wtedy przez chwilę zastanawiałam, skąd znam tę gębę. Nie wiem, co w tym sądzie robił, siedział na sali, na idiotycznej rozprawie bandzior kontra psychopata, gdzie nic nie miało żadnego sensu, a drugie dno sięgało niemal środka ziemi. Nie rozmawiałam z nim nigdy w życiu.

A teraz leżał tutaj, w pokoju hotelowym...

Na litość boską, gdzie Anita...?!!!

Panika we mnie strzeliła na myśl, że może leży gdzieś dalej albo siedzi w jakimś kącie z siekierą, ewentualnie spluwą w dłoni. Przy jej charakterze wszystko było możliwe.

Oderwałam oko od zwłok i rozejrzałam się. Anity nie zobaczyłam. Przeszłam ostrożnie do łazienki, okazała się pusta. Pusta, czysta, ludzką obecnością nietknięta, jakby po ostatnim sprzątaniu nikt w niej nawet rąk nie umył. Wróciłam do pokoju i zajrzałam do szafy, a potem nawet pod łóżko. Nigdzie nikogo nie było, tylko ten trup na środku.

Uspokoiłam się. Cokolwiek tu się stało, Anita żadnego szwanku nie doznała, a ofiarą na podłodze nie będę się zajmować, bo nie mam na to czasu. Nie daj Boże zawiadomię policję i już tu ugrzęznę na amen, tymczasem z ludźmi jestem umówiona, do banku muszę zdążyć przed zamknięciem, robotę jeszcze odwalić do jutrzejszego popołudnia, Anita... Rany boskie, gdzież ta Anita się podziała, porwali ją czy co? Nonsens, nie dałaby się porwać, poza tym kto porywa baby w naszym wieku?!

Chyba że była sprawczynią i teraz się ukrywa... Gdzie, do diabła, mam jej szukać?!

Recepcja. Może zostawiła dla mnie jakąś wiadomość w recepcji...

Bez głębszego namysłu zdecydowałam, że wyjdę, nikomu słowa nie mówiąc, a z trupem niech się kotłuje kto inny. Możliwe, iż nie była to decyzja rozumna, ale rozzłościłam się nagle, że upragnione zazwyczaj wydarzenia przytrafiają się w tak nieodpowiednich momentach, i jakąś część mojego jestestwa ogarnął zbuntowany protest. Do diabła z rozumem, ja nie mam czasu!

I rzeczywiście wyszłam.

Mignęło mi jeszcze w głowie, że śladów nie zostawiłam, bo mam na rękach rękawiczki, po czym coś mnie tknęło i spojrzałam od zewnątrz na drzwi.

Znajdował się na nich numer. 2328. Dwudzieste trzecie piętro. A Anita zajmowała numer 2228 na piętrze dwudziestym drugim. Szlag jasny żeby to trafił!

Co mnie podkusiło z tym dwudziestym trzecim piętrem, Bóg raczy wiedzieć. Te trzy dwójki z przodu pamiętałam przecież doskonale, po diabła w windzie przycisnęłam dwadzieścia trzy? I tu też, dwadzieścia osiem wlazło mi w oczy, a na dwadzieścia trzy z przodu nie zwróciłam żadnej uwagi. Zaćmienie umysłowe czy co?

Oczywiście, władowałam się do cudzego pokoju, gdzie w wysoce nieodpowiedniej chwili pojawił się upragniony trup. Nie była to chyba dekoracja, obliczona na efekt...? A jeśli nawet, z pewnością nie dla mnie, bo kto mógł przewidzieć, że przez pomyłkę nacisnę dwadzieścia trzy zamiast dwadzieścia dwa?

Uznawszy w ten sposób, że sprawa mnie nie dotyczy, zjechałam piętro niżej.

Anitę zastałam w sytuacji przewidzianej, zaczynała właśnie suszyć włosy. Naszej pośpiesznej konwersacji nikt postronny zapewne by nie zrozumiał, bo dla zaoszczędzenia czasu mówiłyśmy równocześnie, zarazem słuchając jedna drugiej. Kobiety to potrafią. Dałam jej obiecane kasety do przejrzenia i wykorzystania oraz teksty do tłumaczenia, odebrałam przesyłkę ze Szwecji, załatwiłyśmy mnóstwo spraw zawodowych i prywatnych i już trzeba było się żegnać. Zamierzałam powiadomić ją, że piętro wyżej leżą obce zwłoki, ale ugryzłam się w język, bo jakiś smętny szczątek rozsądku ostrzegł mnie przed niebezpieczeństwem. W razie czego jej może się coś wyrwać, a ja natychmiast stanę się podejrzana. Nie mam teraz na to czasu, żadnych głupstw!

Zdążyłam jeszcze pomyśleć, że o motywy może jakoś dopytam się później, a i tak wątpliwe jest, czy ten trup okaże się przydatny, bo facet za życia obracał się chyba w nieciekawej sferze, po czym wybiegłam z hotelu, starannie omijając drugie piętro z kasynem.

* * *

Martusia przyleciała do mnie nazajutrz w strasznych nerwach co najmniej o dwie godziny wcześniej niż była umówiona.

– No wiem, wiem, że jestem za wcześnie, ale przygonił mnie trup. Nic ci nie poradzę, mamy wreszcie trupa!

Mimo woli rzuciłam okiem na dorodne zwłoki kurczaka, którego zamierzałam właśnie wsunąć do pieca, bo ten zlekceważony trup w hotelu jakimś cudem całkowicie wyleciał mi z głowy. Marta też spojrzała na drób.

– Ale nie nadziałaś go na słodko? – spytała pośpiesznie i niespokojnie.

– Nie, na gorzko. To znaczy nie, na kwaśno. No, na wytrawnie!

– Całe szczęście. Będę to jadła?

– A co, uważasz, że pożrę go sama? To ten tu oto nadziewany trup cię przygonił? Miałaś przeczucie?

– Nie mów do mnie o trupie, jeżeli mam go jeść! Nie ten. Prawdziwy. Nasz. Daj mi coś, piwa, koniaku, whisky, najlepiej piwa, bo jestem wstrząśnięta. Zmarnowałam sobie życie.

– Nie ty pierwsza i nie ty ostatnia – pocieszyłam ją, wstawiając kurczaka do pieca i regulując płomień. – Piwo jest w lodówce, możesz wyjąć. Whisky też. Koniaku w lodówce nie trzymam.

– Nie, jednak wolę piwo.

Wyciągnęłam z kredensu szklanki i przyjrzałam się jej. Wyglądała prześlicznie, zmarnowanego życia nie było po niej widać. Zdenerwowanie owszem, ale ten stan przytrafiał się jej często, tyle że tym razem zaznaczał się silniej niż zwykle. Usiadłyśmy w pokoju.

– No więc mów. Co się stało?

– Wszystko. Straciłam faceta i chyba go już nie odzyskam, a poświęcać się nie będę, a na stratę też się nie zgadzam...

Przerwałam jej.

– Czekaj, chwileczkę. Bardzo cię przepraszam, ale nie wiem, którego masz na myśli. Dominik...?

– No, a któż by inny...?

O, cholera... Można powiedzieć, że opadły mi ręce. Jeśli Dominik wchodzi w paradę, z Martusi już pożytku wielkiego nie będzie. Diabli nadali, co za numer on znowu wywinął...?

– ...nie toleruje konkurencji – mówiła dalej nerwowo. – A ja go zostawiłam wczoraj wieczorem, on doskonale wie dlaczego, chociaż próbowałam się wyłgać czymkolwiek innym, i najgorsze, że nic nie powiedział, tylko był taki kamiennie wściekły. Nie, chyba raczej martwo-kamienny. Albo martwo-wściekły. I ja teraz jestem, rozumiesz, rozdarta na dwie nierówne połowy...

– Połowy są zawsze równe – mruknęłam, chociaż wcale nie byłam takiego zdania.

– Gówno prawda. Mnie rozdziera w takie dzioby. Strzępy. To nie jest równa linia. I to tak lata z jednej połowy na drugą, tu więcej albo tam więcej, to jak one mogą być równe? I te dziobate strzępy zmierzysz? I co ja mam zrobić, dzika namiętność na obie strony, jedna dla męża, druga dla żony...

– Wariatka.
– A czy ja mówię, że nie...?

W gruncie rzeczy rozumiałam ją doskonale. Niczego człowiek nie zrozumie lepiej niż tego, co odczuł na własnej skórze. Przeżył. Też miałam takie objawy i też mi chłop wszedł w paradę.

Przeleciało mi przez pamięć. Jego piękna, męska twarz, jego ręce, przeguby... Ciągnęło mnie do nich z szaleńczą siłą, dotknąć, ująć je w dłonie, przytulić do nich policzek... Skłonny był odpłacić mi wzajemnością, właściwie nawet odpłacił, chociaż trochę dziwnie...

Kasyno stanęło pomiędzy nami.

– Tu seks, a tam brzęk automatów – kontynuowała Marta rozgorączkowana, rozgoryczona, nieszczęśliwa i wściekła, z ust mi wręcz te słowa wyjmując. – Przez drzwi słychać. Tę parszywą kulkę widziałam jak żywą, wskakiwała w dwudziestkę, a dwudziestka była obstawiona maksymalnie, kornery, splity, numer, szarymi żetonami. One były moje, te szare...

Coś mi się w środku zrobiło, bo też najchętniej grywałam szarymi, i tak właśnie trafiłam kiedyś zero trzy razy pod rząd.

– I tu łóżko i jego twarz nade mną, no, symbolicznie, a tam te rzeczy. I co miałam zrobić...?

Wiedziałam doskonale, co powinna była zrobić, i równie dobrze wiedziałam, co ja bym zrobiła. Jakie tam bym zrobiłam. Straciłam faceta nieodwołalnie.

No dobrze, ale ona była młodsza ode mnie o przeszło dwadzieścia lat! I ja miałam już wówczas odchowane dzieci, a ona jeszcze nie miała ich wcale! A chciała mieć, chciała być normalną kobietą, żoną i matką...

– I dlatego mnie z nim wtedy nie było – dokończyła, zgnębiona ostatecznie.

Coś jeszcze przedtem powiedziała, ale nie usłyszałam, pogrążona przez moment we własnych wspomnieniach. Nie miałam jednakże najmniejszych wątpliwości, że mówiła świętą prawdę. Mężczyzny z hazardem nie da się pogodzić, albo miłość albo gra, kobieta na taki układ pójdzie, mężczyzna w żadnym wypadku! No, może jeden na parę milionów.

Przecknęłam się nagle.

– Zaraz, kiedy?

– Co kiedy?

– Kiedy cię nie było i gdzie?

– Jak to kiedy i gdzie, mówię, jak znaleźli tego trupa!

– Jakiego trupa?

– Tego, co z nim przyleciałam, mówię przecież!

– Chaotycznie dosyć. Myślałam, że mówisz o namiętnościach.

– Joanna, ty chora jesteś? – zatroskała się Martusia nagle. – Trup nam spada jak z nieba, a ty nawet i na taki dar losu nie zwracasz uwagi? Rozumiem, że ja, mnie nieszczęście spotkało, ale dlaczego ty?

– Bo mnie też spotkało, tylko wcześniej.

– No to już się zdążyłaś do niego przyzwyczaić. A ja mam na świeżo.

– Też się przyzwyczaisz. Możesz powiedzieć jakoś porządnie i po kolei? Nie o Dominiku i kasynie, bo te rzeczy mam w małym palcu, tylko o trupie.

– Kiedy to się wszystko wiąże. Dominik nie ma alibi, bo go zostawiłam, poleciałam do kasyna i wcale mnie z nim nie było.

Spróbowałam się zastanowić.

– Wtedy, kiedy go mordował...?

– Kto...?!

– Dominik... No nie, morderca. Sprawca.

Marta zgarnęła z kuchennego stołu dwie puszki piwa i szklankę.

– Wiesz co, usiądźmy może, bo ja wiem, że tobie na stojąco umysł nie działa. Ale w zasadzie tak, to znaczy możliwe, że tak, z tym że zdaje się, nie jest pewne, kiedy go mordował.

Zabrałam drugą szklankę, chociaż prawie już przestałam pić piwo ze względu na odchudzanie. Uznałam, że raz na parę tygodni nie powinno mi zaszkodzić. Usiadłyśmy wreszcie w pokoju, to znaczy ja usiadłam, a ona zwinęła się w kłębek w rogu kanapy i pojęczała sobie troszeczkę z twarzą w ozdobnej poduszce. Uniosła wreszcie głowę, żeby napić się piwa.

– Powiedz wszystko ściśle i od początku – zażądałam twardo.

– Tak naprawdę, miałam nadzieję, że ty się zajmiesz tym trupem, a ja będę mogła tonąć w boleściach własnych – westchnęła Martusia, głęboko rozżalona. – A ty tak...

– Zajmę się trupem, jak się dowiem, w czym dzieło, a ty sobie toń. Gdzie go w ogóle znalazłaś?

– To nie ja go znalazłam, ale w ogóle w Marriotcie.

– Co...?!

– W Marriotcie. A co...?

Pamięć mi nagle odblokowało i już wiedziałam, że temat nam się nieźle rozrośnie i z pewnością przekroczy zaplanowane ramy.

– Cholera – powiedziałam z ponurą troską. – To mój trup.

Martusia zakrztusiła się piwem i prychnęła na stół.

– Wiesz co, nie zaskakuj mnie tak, bo szkoda piwa. Jak mam to rozumieć, że twój? Zabiłaś kogoś dla dobra scenariusza? On nam pasuje?

– Myślałam, że to ty wiesz, czy nam pasuje, skoro z nim przyleciałaś, ale nie. Mam na myśli, że nie ja go rąbnęłam. I w ogóle się do niego przyznać nie mogę, chyba nawet podwójnie, ponadto wątpię, czy nam pasuje. Tym bardziej mów, skąd on do ciebie!

Marta spochmurniała, opuściła nogi na podłogę, usiadła normalnie, wylała z puszek resztę piwa i westchnęła ponownie.

– Szczerze mówiąc, wolałabym, żebyśmy go wymyśliły...

– Wymyślonego mam – przerwałam jej. – Kloszarda. Nie dam głowy, czy nie był nawet prawdziwy.

– Jakiego kloszarda?

– Paryskiego.

– I co on, ten paryski kloszard, robił?
– Nic. Leżał.
– Gdzie?
– Koło Tati'ego na Montmartrze. Gdzieś tam koło Clichy.
– Strasznie dużo mi to mówi. W Paryżu byłam raz w życiu. Powiedz porządniej!
Kloszard leżał na chodniku, przykryty od góry workiem, wyglądał jak kupa szmat, z której wystawały buty, i zainteresowałam się nim tylko dlatego, że parkowałam tuż obok. Siedziałam w samochodzie na miejscu pasażera, bo na miejsce kierowcy świeciło słońce, czekałam na własne dzieci i nie miałam co robić. Rzucałam na niego okiem, trochę zaciekawiona, czy śpi, czy też nie żyje. Wnioskując z doskonałej obojętności przechodniów, obejrzano by go bliżej dopiero, kiedy by się zaśmiardł, co w panującym upale powinno nastąpić dość rychło.
Powiedziałam o nim Martusi, która trzecią puszkę piwa uznała za niezbędną i poleciała po nią do lodówki. Rozważałyśmy przez chwilę przydatność kloszarda, obojętne, żywego czy martwego.
– W żadnym razie nie zgadzam się przenosić akcji do Paryża! – powiedziała Marta stanowczo. – To znaczy, łatwo zrozumiesz, że ja sama zgodziłabym się chętnie, ale te... zaraz, chciałam się wyrazić elegancko... ci finansowi decydenci na to nie pozwolą. A u nas jednak, co by o tym kraju nie myśleć, zwłoki z ulicy zbierają.
Kiwnęłam głową.
– No więc mów, wobec tego, o naszym krajowym trupie i niech ja się wreszcie dowiem, jaką głupotę wywinęłam tym razem. Nie, ty pierwsza, ja potem. Kiedy to w ogóle było?
– Dzisiaj. To znaczy wczoraj. Zaraz, które?
– Nie wiem które. Początek kiedy był.
– Nie wiem, co było początkiem i kiedy nastąpił. Masz na myśli zbrodnię czy moje osobiste turbulencje?
– Jedno i drugie, jeżeli się wiąże. Czy my się nigdy nie dogadamy?

– Jakoś nam to dzisiaj źle wychodzi, fakt – przyznała Martusia smętnie. – Nie wiem, czy się wiąże. Pozornie owszem, a de facto przysięgam ci na kolanach, że nikogo nie zabiłam. Dominik też nie, jestem pewna. On niezdatny. Chociaż... czy ja wiem? Taki był na mnie zły, że może z rozpędu...?

Uznałam, że muszę jej tu urządzić prawdziwe, rzetelne przesłuchanie. Przyniosłam z kuchni jeszcze jedno piwo, żółty serek i nóż, żeby chociaż przez chwilę nigdzie nie latać.

– Czekaj, po kolei. Kiedy porzuciłaś Dominika i poleciałaś do tego kasyna?

– Wczoraj o dziesiątej wieczorem. Może trochę po.

– A gdzie z nim w ogóle byłaś?

– W Marriotcie.

– Coście, do diabła, robili w Marriotcie?! Możesz to powiedzieć jakoś porządnie?

– O Boże, ja cierpię, a ty się czepiasz szczegółów! No dobrze już, dobrze. Miał przylecieć wczoraj producent ze Stanów, pertraktuje sprawę koprodukcji, znane osoby artystyczne, dokument, jestem w tym i chcę być, czekaliśmy na niego...

– Gdzie dokładnie?

– W knajpie, rzecz jasna. Od dziewiętnastej pięć, właśnie w Marriotcie, w tej poetycznej... no, jak jej tam... nie Balladyna, ale Słowacki... Lilia Weneda!

– Tuż obok wejścia do kasyna!

– Toteż właśnie, i z tego się wzięło całe nieszczęście...

– Zaraz. Tam trzeba zamawiać stolik!

– A czy ja mówię, że nie? Tycio zamówił.

Wiedziałam bardzo dobrze, kto to jest Tycio, noszący, rzecz jasna, normalne, ludzkie imię i nazwisko, ale zwany Tyciem, bo był wielki i gruby. Telewizyjna szycha, zaprzyjaźniona i z Martusią, i z Dominikiem.

– I żarł z wami tę kolację?

– Nawet zdaje się, że za nią zapłacił.

– A ten producent...?

– Też miał być i w ostatniej chwili przyszła wiadomość, że się spóźni o jeden dzień, dziś przyleci, a nie wczoraj.

– W ostatniej chwili? – zgorszyłam się. – To jakiś niepoważny dupek!

Martusia niecierpliwie pomachała ręką.

– Zawiadomił wcześniej, ale sekretarkę Tycia, a ona go nie mogła złapać i złapała dopiero Dominika na komórkę, już w knajpie. No więc zjedliśmy tę kolację sami, bo co można było zrobić innego?

– Tycio poszedł wcześniej, czy siedział do końca?

– No coś ty? Tycio by się oderwał od żarcia? Razem ich tam zostawiłam...

– Jeszcze lepiej – pochwaliłam i poleciałam jednak po kolejną puszkę piwa, nie przerywając przesłuchania, tyle że z kuchni musiałam głośniej wrzeszczeć. Przy sensacyjnym temacie jakoś szybko nam ten napój wychodził. – A kiedy znaleźli tego trupa i gdzie?

– Trupa, o ile wiem, znaleźli o bladym świcie, koło dziewiątej rano, ale czekaj, bo nie w tym rzecz. Pokój dla tego faceta był już nie tylko zarezerwowany, ale nawet zapłacony, na nasze zaproszenie przyjeżdża i telewizja płaci. A Dominik to telewizja, nie? Więc po tej kolacji Tyciowi nie chciało się go wlec do domu...

– Urżnął się w trupa?

– Urżnął się na samobójczo i przeciwko światu, ale nie w trupa. Męcząco.

Wiedziałam, co to znaczy, więc tylko kiwnęłam głową. Martusia wiedziała, że ja wiem, zatem tylko westchnęła.

– No i zwyczajnie wepchnął go do tego pokoju. Telewizja to telewizja, co im za różnica, kto tam mieszka. A ja miałam wyrzuty sumienia, wcale nie wiedziałam, że Dominik został w hotelu, wyszłam z kasyna wcześnie, koło trzeciej, i od rana zaczęłam go szukać. Przez Tycia. I poleciałam do tego cholernego hotelu koło dziesiątej, a ten jakiś padł trupem podobno przedtem. Co ty o tym wiesz?

– O mojej wiedzy za chwilę. A który to był pokój?

– Dwadzieścia trzy dwadzieścia siedem, na dwudziestym trzecim piętrze...

Jęknęłam i usiadłam. Oczywiście, musiał mieszkać tuż obok, specjalnie po to, żebym nie mogła ukryć tego czegoś, co popełniłam, co najmniej wykroczenia, a może nawet przestępstwa. Cholera. Ale może uda się uniewinnić Dominika beze mnie...? Wcale nie chcę poświęcać się dla niego!

– A kiedy właściwie pojechaliście do Lilii Wenedy na tę kolację? Prosto skąd?

– Ja z Woronicza. A Dominik z domu, podjechałam po niego i czekałam z kwadrans, już był zdenerwowany, jak wyszedł, i widać było, że świat go nie lubi, a ja robię za jedyną opokę. Możliwe, że ta opoka wywarła swój wpływ na kasyno...

– Wywarła – zapewniłam ją z mocą. – Czekaj, jeszcze... Kto może zaświadczyć, że on był w domu, bo wedle moich wyliczeń czekałaś tam na niego od wpół do siódmej. Może przyleciał, zziajany, pięć minut wcześniej?

Martusia poprzyglądała mi się chwilę.

– Pomysł wydaje mi się wręcz upiorny. Nie umiem sobie wyobrazić zziajanego Dominika. Szczególnie że tkwił w domu z żoną i dziećmi, co wiem na pewno, bo dzwonili do niego z pracy wszyscy w moich oczach prawie, na telefon i na komórkę, i rozmawiał na oba uszy. Byłam świadkiem, od strony dzwoniących.

Zrozumiałam, że była świadkiem telefonów do miejsca zamieszkania Dominika, gdzie go te telefony zastawały. Zatem musiał tam być...

– ...Żona też odbierała, a raz nawet dziecko – ciągnęła Martusia. – A ja miałam szczękościsk, co trudno zapomnieć, ale nie włączałam się w tę orgię, bo już z nim byłam umówiona. Dwadzieścia osób zaświadczy, że znajdował się w domu. Już nie jestem aż tak strasznie głupia, żeby nie wiedzieć, dlaczego pytasz.

– A gdzie Dominik był przedtem?

– U siebie w gabinecie. Miał malutkie spotkanko z ludźmi, takie dwugodzinne, do czwartej trwało. A jeszcze przedtem był na kolaudacji w licznym gronie.

Uspokoiłam się trochę, sytuacja bowiem wydała mi się jasna. Byłam tam tuż przed wizytą u Anity, potem zaś w ostatniej chwili zdążyłam do banku, który o siódmej zamykano. Zatem widziałam te zwłoki około szóstej, kiedy Dominik tkwił w domu. Nawet jeśli faceta ktoś rąbnął dwie godziny wcześniej, to też Dominik odpadał, znajdował się między ludźmi, sekcja powinna wykazać czas zgonu, a świadków jego poczynań istniało z pewnością zatrzęsienie.

– No to z głowy – orzekłam z ulgą. – Ten trup już tam leżał, kiedy z Tyciem żarliście kolację. Widziałam go na własne oczy. Dlaczego Dominik w ogóle miałby być podejrzany? Znał go czy co?

– W życiu go na oczy nie widział! Ale tam są drzwi pomiędzy tymi pokojami i one okazały się otwarte. Więc Dominika zrobili pierwszym podejrzanym, szczególnie że upierał się, że nic nie słyszał i nic nie wie. I chyba w jego pokoju coś znaleźli, ale nie wiem co. Czekaj no...!

Nagle dotarło do niej to, co powiedziałam.

– Zaraz, co ty mówisz? Że go widziałaś? Czy mnie się tylko przywidziało, że mówisz, że go widziałaś?

– Za dużo tych widzeń – skrytykowałam tekst. – Ale owszem, widziałam i w razie czego się wyprę, chyba żeby na Dominika padło, ale mowy nie ma, nie padnie.

– Skąd wiesz?

– Umiem liczyć.

– Bardzo cię za to podziwiam, bo ja nie.

– Nie szkodzi. Gliny też umieją. Skoro w chwili, kiedy tam byłam, on już leżał nieżywy, Dominik nie mógł go trzasnąć, a przedtem ma ludzkie alibi. Niemożliwe, żeby zdążył!

– A kiedy tam byłaś?

– Między szóstą a za kwadrans siódma. Widziałam go o szóstej.

Marta, ze szklanką piwa przy ustach, zaczęła machać rozpaczliwie ręką, co zaniepokoiło mnie na nowo. Przełknęła wreszcie.

– To na nic. Skąd on ci się w ogóle wziął nieżywy o szóstej? Im wyszło, że szlag go trafił między dziesiątą a pierwszą w nocy, jak Dominik już tam był. Sam. Beze mnie. Gdybym nie poszła do kasyna, byłby ze mną. O szóstej jeszcze żył.

– Kto żył?

– Trup.

– Kto tak powiedział?

– Sądzę, że lekarz, nie?

Przypomniałam sobie widok, jaki oglądałam w pokoju, wówczas sądziłam, że Anity. Żywy...? Ktoś zwariował, jakim cudem ten facet mógł być żywy?!

– Niemożliwe – zaprzeczyłam kategorycznie. – Nie był żywy. Nie miał prawa być żywy. Nikt bez głowy nie może być żywy.

– Jak to, bez głowy? – zdumiała się Martusia.

– No, bez połowy czerepu. Tylnej.

Marta prawie skamieniała.

– Joanna, o czym ty mówisz? Wymyślasz to teraz? Mnie wszystko jedno, w scenariuszu możemy mu odciąć nawet całą głowę, ale ten w hotelu miał ją w komplecie. Został uduszony i w głowę mu to wcale nie zaszkodziło!

– Jeśli powiesz, że nie zaszkodziło mu w ogóle w niczym, mogę się zdenerwować – ostrzegłam. – Coś mi tu nie gra przeraźliwie. Czyś ty tam była?

– No pewnie, że byłam, ale dopiero dzisiaj rano, przed dziesiątą, zaraz potem jak go znaleźli i właśnie rozkwitało całe zamieszanie...

– I widziałaś go?

– Kawałeczek, bo jeszcze leżał. Gdybym wiedziała, na co patrzę, zamknęłabym oczy przedtem. Ale akurat od głowy...

– Czekaj. Tylko spokój może nas uratować. Kontynuujmy przesłuchanie. Skąd patrzyłaś?

– Z pokoju Dominika. Ściśle biorąc, producenta. Drzwi już były otwarte. Ale Dominik widział go w całości. Słuchaj, ja tak nie mogę, też chcę coś zrozumieć!

– Zaraz. Patrzyłaś z pokoju Dominika i widziałaś go od strony głowy?

– Jak Boga kocham!

– Na podłodze leżał?

– Na podłodze.

– I głową w stronę Dominika?

– W tym momencie akurat w stronę mnie. Ale ogólnie owszem, w stronę pokoju Dominika.

– No to teraz właśnie ja przestałam cokolwiek rozumieć!

Żywo zaniepokojona Martusia popędziła do kuchni po następne piwo i dolała mi do szklanki. Nie reagowałam, podparłam brodę dłońmi, z łokciami na stole, co stanowiło pozycję szalenie uciążliwą i niewygodną, ponieważ stół był niski, i w milczeniu wpatrzyłam się w okno. Wszystko to razem stało się całkiem nie do pojęcia. Kiedy tam weszłam o szóstej, zwłoki leżały nogami w stronę pokoju Dominika, a głową przeciwnie. Jeśli Martusia widziała głowę, ktoś je musiał odwrócić, poza tym niemożliwe, żeby nie dostrzegła dodatków kolorystycznych, ozdabiających dywan... Co tam się stało, do diabła...?!

Marta próbowała mnie uruchomić.

– Joanna, ocknij się! Do tej pory odpowiadałam ci porządnie i uczciwie, ale już tracę cierpliwość! Co to wszystko ma znaczyć? Czy ja coś źle widziałam? Wydaj z siebie jakiś głos, na litość boską!

Odetchnęłam głęboko i oderwałam się od stołu. Teraz już musiałam opowiedzieć jej, jak to wyglądało z mojego punktu widzenia, bo do samodzielnego rozwikływania osobliwej zagadki nie czułam się zdolna. Kazałam jej usiąść spokojnie i przestać mnie rozpraszać szarpaniem za ramię, szczególnie że przy okazji rozchlapywała piwo.

– No to słuchaj. Było tak: zadzwoniła jedna taka moja przyjaciółka i poleciałam spotkać się z nią w Marriotcie...

Złożyłam jej dokładną relację. Siedziałyśmy potem przez długą chwilę w milczeniu, patrząc na siebie. Martusia odezwała się pierwsza.

– Ja byłam trzeźwa jak świnia. Mam na myśli dzisiaj. A ty?

– Jeszcze bardziej. Cały czas siedziałam za kółkiem. Nawet i w domu, wieczorem, niczego do ust nie wzięłam, poza herbatą. Ze względu na odchudzanie. Jakiekolwiek zwidy odpadają w przedbiegach.

– A to naprawdę pomaga? – zainteresowała się nagle. – No owszem, widzę, że schudłaś ładne parę kilo, już ci to mówiłam, to od czego tak? Od piwa?

– Od piwa. Odstawiłam prawie całkiem, a już broń Boże wieczorem. I od ostryg.

– Odstawiłaś...?

– Przeciwnie. Żarłam przez całe wakacje. No, nie przez całe, ale razem będzie trzy tygodnie. Białe wino, okazuje się, nie szkodzi, ale skoro teraz nie mam ostryg, nie czepiam się i białego wina. Zostaw te diety cud, załatwmy trupa!

– Do odbierania apetytu niezły. Tylko mnie tu wychodzą dwa trupy.

– Fatalna sprawa. Mnie też.

Rozważyłyśmy całą kwestię jeszcze raz, co przyniosło mi dużą ulgę, bo już myślałam, że zostawiłam własnemu losowi żywego i ciężko poszkodowanego faceta, który w rezultacie umarł przeze mnie. Gdybym wezwała do niego pomoc od razu, może by wyżył, a tu proszę, bez pomocy wytrzymał do pierwszej i cześć. Tymczasem nic podobnego, do pierwszej wytrzymał jakiś drugi, uduszony, z czaszką w nieskazitelnym stanie, o którym nie miałam najmniejszego pojęcia.

No dobrze, a gdzie, wobec tego, podział się tamten wcześniejszy...?

– Duża rzecz – oceniła Martusia z przejęciem, które przygłuszyło nieco jej cierpienia na tle Dominika. – Popatrz, mamy nawet jakiś wybór. Musimy się zdecydować, który nam bardziej pasuje.

– Możemy użyć obu – zaproponowałam po bardzo krótkim namyśle. – Nic tak nie ożywia akcji jak drugi trup.

– Ale tak raz za razem? Należałoby ich oddzielić. Rozwłóczyć w czasie.

– No pewnie, że ich rozwłóczymy! Pi razy oko jakieś osiem odcinków. Groza narasta i jest drugi. Kto się oderwie? Wszyscy będą oczekiwali trzeciego, ale trzeciego uratujemy, dzięki czemu sedno zbrodni wyjdzie na jaw.

– Byłoby może dobrze, gdybyśmy przedtem znalazły sedno zbrodni, co...?

– A jeszcze lepiej, gdybyśmy się czegoś dowiedziały o tych żywych trupach. Pardon, prawdziwych. Mam na myśli realia. Czy z Dominikiem doszłaś do jakiejś ugody?

Martusia sklęsła jakoś w sobie i zastanowiła się głęboko, po odrobinie popijając swoje zamyślenie piwem.

– Wiesz, chyba nie. Odegnał mnie od siebie moralnie. Chyba tym razem przestał mnie kochać na zawsze, przez to cholerne kasyno.

– Jeszcze ci nie przebaczył?

– I nie wiem, czy przebaczy kiedykolwiek... A w ogóle jak mi miał przebaczać, ty myśl logicznie, tu ludzie, tu gliny, tu zwłoki, a on przez moje kasyno nie ma alibi! Co mogłam zrobić w takich warunkach?

– Nic – przyznałam. – No, ewentualnie mogłaś płakać.

– Nie mogłam, miałam makijaż!

– Coś trzeba będzie wykombinować – zatroskałam się. – Jako podejrzany, zostanie poddany licznym przesłuchaniom, tylko ostatni debil nie odgadnie, dzięki zadawanym pytaniom, o co tu może chodzić. Więc się połapie oczywiście i mógłby nam wszystko powiedzieć, ale w tej sytuacji nie wiem...

– W duchy wierzysz. Histerii dostanie i odżegna się od tematu. A i pytać go będą ulgowo, bóstwo telewizyjne... Ale czekaj, zaraz, przecież ty też możesz być podejrzana! Możesz się przyznać do pierwszego trupa i też ci będą zadawać pytania...

– Martusia, kota masz? Zamkną mnie na wszelki wypadek i na czym będę pisać?

– Telewizja ci załatwi oddzielną celę i komputer! A co najmniej maszynę do pisania! I komórkę, będziemy mogły uzgadniać tekst na bieżąco!

Rozważyłam sprawę pośpiesznie, bo co do zamykania, wiedziałam, że więzienia są zagęszczone i nikt się tak bardzo nie rwie do wpychania tam nowych lokatorów. Ale znów, z drugiej strony, prokuratury unikają prawdziwych przestępców i jeśli już kogoś mają zamykać, to raczej uczciwych ludzi, którzy im niczym nie grożą. Czy ja im mogę czymś zagrozić...? Niczym, niestety, słowo pisane nie robi na nich żadnego wrażenia, a broni palnej nie posiadam. Błąd, należało kupić cokolwiek na bazarze u Ruskich...

– Nie – powiedziałam stanowczo. – Będę podejrzana tylko w razie ostatecznej potrzeby, teraz wolałabym bazować na Dominiku. Szczególnie, że mogę być podejrzana trochę przesadnie. Czekaj, zreasumujmy. Wygląda na to, że były dwa trupy w tym samym pokoju hotelowym, jeden wcześniej, bo wykluczam, żeby był żywy, a drugi później. Jeden miał rozwalony łeb, wedle mojej wiedzy pociskiem dum-dum, co to od jednej strony estetyczna dziurka, a od drugiej miazga, a drugiego uduszono. Á propos, gołymi rękami...?

– Nie, chyba nie. Czymś innym.

– Szkoda.

– Bo co?

– Bo duszenie gołymi rękami zostawia ślady nie do odparcia. Jak odciski palców albo ślady zębów...

– Przestań, dobrze? Na zębach już mam prawie żołądek!

– Cofnij go w głąb – poradziłam jej z lekkim roztargnieniem. – Ale trudno, nie, to nie. I jeden był martwy o szóstej, a drugi dopiero później, pewnie koło północy, sekcja wykaże. Jeden gdzieś znikł, skoro przy tobie była mowa tylko o drugim, i bardzo mnie ciekawi gdzie, bo go znałam...

– Ejże! – zainteresowała się Martusia gwałtownie. – No właśnie! Tego nie mówiłaś?

– Nie miałam czasu. To jest długa historia i później się nad nią zastanowimy. Nie znałam go osobiście, ale musiał być wmieszany w rozmaite dawne świństwa, te, za którymi teraz ciągną się ogony. Ty o tym pojęcia mieć nie możesz, bo do przedszkola wtedy chodziłaś, i bardzo dużo muszę ci wyjaśniać.

– Będziemy tego używały?

– Za nic! To wchodzi w zakres polityki. Odmawiam stanowczo.

– To, grzecznie mówiąc, po cholerę masz mi wyjaśniać?

– Bo mam straszne przeczucia – wyznałam smętnie, wzdychając. – To się może wiązać i bez historii się nie obejdzie...

I w tym momencie, jak na zamówienie, zadzwoniła Anita.

* * *

Dominik Martusi był silnie brodaty, ponieważ ogolonych nie lubiła. Znać go, znałam, ale raczej słabo, więcej o nim słyszałam i wiedziałam, niż stwierdzałam osobiście. Zapadła na niego jakoś całkiem nagle, żyjąc dość intensywnie, nie zauważałam upływu czasu i wyszło mi teraz, że trwa to już co najmniej pół roku, a może nawet ze trzy kwartały. Ponadto po drodze plątał się jeszcze niejaki Krzysiek, postać jakby stała, trwająca w tle lub też wskakująca w antrakty, tym dla mnie pamiętna, że w najdawniejszych czasach wcale nie miał brody i zapuścił ją specjalnie dla Martusi, co, mimo wszystko, nie przywiązało jej do niego zbyt żarliwie, a dodatkowo mieszały mi w umyśle marginesowe napomknienia o jakimś Bartku. Krzysiek, o ile mogłam sobie przypomnieć, upierał się przy trwałym związku małżeńskim, na który Martusia otrząsała się intensywnie.

Trochę mnie to dziwiło, bo chciała przecież mieć męża i dzieci. Jej pierwszy mąż, krótkotrwały, nie zdał egzaminu, rozwiodła się, ale poglądu na życie nie zmieniła. Dlaczego zatem nie Krzysiek?

Nie chciałam się wtrącać przesadnie, ale nawet i bez żadnego nacisku zdołałam pojąć, iż ów Krzysiek, między nami mówiąc bardzo przystojny i na oko sympatyczny facet, po pierwsze był zdania, że miejsce żony jest w domu, przy garnkach i pralce, a po drugie, po długich okresach łagodności, miewał wybuchy zgoła wulkaniczne, w czasie których zdolny był do wszystkiego. Kłopotliwe, owszem. Ponadto był zaborczy i patologicznie zazdrosny...

Liczne własne doświadczenia na tym tle pozwalały mi bez trudu zrozumieć, co dla kobiety pracującej zawodowo znaczy patologiczna zazdrość i w jakim stopniu potrafi zatruć życie, Krzyśka się zatem nie czepiałam.

W kwestii Dominika usilnie starałam się omijać temat i nie wtrącać się wcale, bo byłam mu stanowczo przeciwna i moje wtrącanie się niewątpliwie nabierałoby charakteru zbyt nachalnego. Pomijając już ten drobiazg, że Dominik był żonaty i miał dwoje dzieci, bo był źle żonaty i teoretycznie odseparowany, to babę-histeryczkę jeszcze jakoś zniosę, chłopa-histeryka w żadnym wypadku! Dominik zaś generalnie prezentował histeryczny stosunek do świata, bez względu na to, czy w grę wchodziła praca zawodowa, uczucia osobiste, pogląd na siebie samego czy jeszcze jakieś tam wyimaginowane problemy, które mnie by w życiu do głowy nie przyszły. Zaczynać płakać w łóżku z kobietą, przerywając pożądane ekscesy erotyczne, tylko dlatego, że życie jest brutalne i nic nie trwa wiecznie...? Albo że wuj miał przeczucia, iż umrze na raka i fakt, umarł, chociaż nie na raka, tylko dlatego, że nieszczęśliwie zleciał z wysokiej drabiny i zabił się na miejscu. Kto, do diabła, kazał mu w zaawansowanym wieku włazić na dach i grzebać w rynnie...? I nie wiadomo właściwie, nad czym tu płakać, nad samym zejściem jako takim czy też nad ulotnością przeczuć? Czy nad rynną, w końcu niedogrzebaną...?

Zważywszy, iż na nietrwałość świata i niesprawdzalność przeczuć, szczególnie cudzych, nie mamy wpływu i nic się na to nie da poradzić, moja dusza zawsze z szaloną energią protestowała przeciwko łzawym rozpatrywaniom tak przygnębiających tematów i z Dominikiem nie wytrzymałabym jednego dnia. Chyba nawet pół byłoby za dużo.

W dodatku, wedle mojego rozeznania, Dominik tylko pozwalał się kochać. Nie zawsze i nie bez przerwy, wyłącznie wtedy, kiedy mu pasowało. Martusia w nerwach miała czekać na właściwe chwile i być do dyspozycji, przy czym nigdy z góry nie było wiadomo, co ma nastąpić. Płomienne wybuchy uczuć natury łóżkowej czy depresyjne szlochy na łonie, za kapłankę powinna była robić, klęcząc przed bóstwem i pilnie bacząc na każde drgnienie nastroju, a nadawała się do tej roli jak ja na arcybiskupa Canterbury. Dominik zawodowo, w pracy, w życiu zewnętrznym można powiedzieć, nie przejawiał żadnych patologicznych skłonności, normalny człowiek, wewnętrznie natomiast był pępkiem świata. I ten pępek Martusia miała otulać puchem łabędzim...

W kwestii puchu łabędziego posiadałam własne zdanie, pochodzące z praktyki. Chciałam go kiedyś zdobyć. Po pierwsze strasznie śmierdział, a po drugie wiatr mi go wyrwał z ręki. Wiatr miał rację.

Siłę i wagę rozterek, cierpień, rozpaczy i wszelkich innych mąk Martusi rozumiałam doskonale, oceniałam właściwie i oglądałam na własnej kanapie. Sensu w nich nie było za grosz, ale uczucia plują i kichają na sens. Usiłowałam przedrzeć się w rejony wyższe, dotrzeć jakoś do jej szarych komórek i wstrzyknąć w ten cały interes odrobinę racjonalizmu, ruszyć egoizm, bezskutecznie. Myśleć nawet myślała, dlaczego nie, ale co innego umysł, a co innego cała reszta.

Chyba raczej nie lubiłam Dominika prywatnie. Służbowo mi nie przeszkadzał.

Jakiś Bartek był mi ogólnie znany. Dostałam go chyba z rok temu od moich dawnych kumpli, ponieważ potrzebne było szczególne opracowanie graficzne czegoś tam, on zaś był nie tylko znakomitym scenografem, ale w ogóle dekoratorem i grafikiem. Swoje zrobił bardzo dobrze, a o jego kontakcie z telewizją dowiedziałam się dopiero znacznie później. Dzięki temu jednakże przy napomykaniu miałam przynajmniej pojęcie, o kogo chodzi. Napomykanie robiło wrażenie jakby nieco pocieszające.

Teraz, niestety, nastąpiło coś okropnego, trup się wymieszał z Dominikiem i w ogóle nie było wiadomo, co z tym fantem zrobić.

* * *

Telefon od Anity spadł mi jak z nieba.

Zdążyła zadzwonić z Kopenhagi, natychmiast po wylądowaniu, zanim jeszcze z lotniska dotarła do domu. Wieści dostarczyła sensacyjnych.

Młodsza była ode mnie zaledwie o dwa lata, stanowiłyśmy zatem to samo pokolenie i odpowiednie czasy jednakowo miałyśmy w pamięci. Ona jednakże, z racji zawodu, miała dostęp do nieco innych dziedzin niż ja i dysponowała rozmaitymi szczegółami od drugiej strony, mnie nieznanej. I odwrotnie. Akta prokuratora poniewierały się po moim własnym domu, ona zaś musiała docierać do nich z największym trudem, a i to nie zawsze jej się udawało. Za to, w przeciwieństwie do mnie, świetnie orientowała się w polityce.

– Taki Ptaszyński Konstanty – rzekła bez wstępów. – Póki stoję, bo właśnie most podnoszą, druga ręka mi niepotrzebna. Mówi ci to coś?

W kwestii mostu mówiło mi wszystko, doskonale wiedziałam, gdzie ona stoi i dlaczego go podnoszą, najzwyczajniej w świecie jechała z Amager do śródmieścia i pomiędzy wyspami przepływał jakiś statek. Byłam jednakże pewna, że ma na myśli Ptaszyńskiego, nie zaś kopenhaski układ komunikacyjny.

Nie musiałam się zastanawiać ani przez chwilę, pamięć rozbłysła mi nagle istną eksplozją.

– Mówi cholernie dużo – odparłam natychmiast, zarazem usiłując przypomnieć sobie, jak długo trwa otwieranie i zamykanie mostu, a zatem, ile czasu mamy na rozmowę. – Słodki Kocio w przeszłości, nazwisko też znałam, ale nie kojarzyłam z ksywą. Padł trupem nad twoją głową.

– A, to już wiesz! – ucieszyła się Anita. – Jesteś pewna, że trupem? Całkowitym?

– Gruntownie i dokładnie.

– Tak mi się właśnie wydawało. Czy on miał karę śmierci? Bo do tego nie dotarłam.

– Miał. Prawomocną. Teoretycznie i na piśmie została wykonana.

– A praktycznie?

– Wręcz przeciwnie. Nie zadawaj głupich pytań, bo most zamkną. Skoro widziałaś go żywego...

– Odwrotnie, sama mnie upewniłaś, że martwego. Teraz, nie wtedy. Za to, skoro nie została wykonana, wiem dlaczego i kto się nim zaopiekował. I kto i dlaczego rąbnął go teraz.

Gwałtownymi gestami kazałam Marcie podnieść drugą słuchawkę. Uczyniła to i prawie przestała oddychać.

– Dlaczego, zgaduję – powiedziałam do Anity. – Kto?

– Niestety, motyw jeden, ale sprawców wchodzi w grę kilku. Muszę trochę posprawdzać i połapać ludzi. No, nie tu... Spokojnie, dopiero dochodzi do pionu.

W oczach miałam ten most i wiedziałam doskonale, że to jeszcze potrwa.

– A jak na niego trafiłaś? Bo ja przez pomyłkę.

– Ja prawie też. Guzik w windzie się świecił i zdawało mi się, że to dwudzieste drugie piętro, więc zajęłam się lustrem. Zdjęcia mi przedtem robili, chciałam sprawdzić, jak wyglądam i co mi się tam mogło gdzieś spaskudzić. Dopiero jak stanęła, zobaczyłam, że to dwudzieste trzecie i zanim co, drzwi się otworzyły. Dwóch go trzymało naprzeciwko i taki ładny żywy obraz z tego wyszedł, oni na zewnątrz, ja w środku, patrzyliśmy na siebie z przyjemnym wyrazem twarzy. Ale ja już przycisnęłam dwudzieste drugie. O cholera, przepływa...

– To mów szybciej. Trzymających poznałaś?

– Obce twarze z młodego pokolenia. Ale ty wiesz, że ja jestem wścibska. Spróbowałam podpatrywać, zmienili windę i zjechali tą do garażu. Zrobiony był zresztą na pijanego albo takiego po mordobiciu.

– O której to było?

– Jak wróciłam. Czekaj... Trochę po wpół do dwunastej, może za dwadzieścia dwunasta. Też zjechałam, chyba sama rozumiesz, wyjazd z garażu jest jeden.

– I co?

– Zaczynają zamykać... W grę wchodzą dwa samochody, peugeot srebrny metalik, WXF 169 T, albo furgonetka z zamazanymi szybami, chyba mercedes, ale głowy nie dam, WGW 528 X. Ciemnozielona.

Marta, mimo oszołomienia kompletnego, przytomnie chwyciła ze stołu długopis i zaczęła zapisywać na jakimś papierze.

– Jeśli potrzymali go tam dłużej i coś wyjechało później, to ja już o tym nie wiem, bo nie czekałam – ciągnęła Anita. – Albo wcześniej, mogli zdążyć przede mną, chociaż wątpię. Ty też go znałaś z twarzy?

– Oczywiście. Mało się zmienił, trochę zmarszczek i tyle. Nawet nie wyłysiał.

– Powinien był zapuścić brodę – zaopiniowała filozoficznie Anita – i ufarbować te włoski. Chociaż może nie robiło mu różnicy, czy go ktoś pozna po śmierci.

– Rozbestwił się, tyle lat bezkarności...

– I tacy protektorzy... Ale czekaj, to jeszcze nie wszystko. Rano znaleźli w pokoju nade mną kogoś innego, pytali mnie, może trochę bezskutecznie, bo miałam jeszcze parę spraw i chciałam zdążyć na samolot. Tego drugiego przypomniałam sobie po drodze i mam z nim kłopot, nazwisko mi wyleciało... Zamknęli, już to wszystko rusza. Możliwe, że więcej widziałam... Muszę jechać, zadzwonię później, cześć!

Odłożyłam słuchawkę, Martusia również.

– Co to było? – spytała, jakby w lekkim popłochu. – Nie słyszałam początku. Czy to były właśnie te wydarzenia historyczne? Możesz je jakoś uściślić?

Kiwnęłam głową w zadumie.

– Trochę mogę. Ten Konstanty Ptaszyński...

– Zaraz. Jaki Konstanty Ptaszyński?

Uświadomiłam sobie, że to były pierwsze słowa Anity, te właśnie, które do Marty nie dotarły, więc powtórzyłam jej wszystko.

– I on co? – spytała z przejęciem.

– I był to bandzior. Prawdziwy. Znałam go niejako dwustronnie...

– Dziwne chyba miałaś jakieś znajomości...?

– Różnie. Z twarzy go znałam, bo bywał na wyścigach, ktoś raz powiedział o nim „Słodki Kocio", nawet nie wiem kto, i tyle. Oddzielnie znałam jego akta, ale nie kojarzyłam, że ten Ptaszyński i Słodki Kocio to jedna i ta sama osoba, teraz mi to Anita podsunęła. Ptaszyńskiego, jeszcze w jego bardzo wczesnej młodości, dwadzieścia lat miał może, złapali i skazali na parę lat za rozbój, potem wyszedł i znów go złapali, to już była recydywa, więc dostał karę śmierci za sześć zabójstw, tyle zdołali udowodnić, ale wiadomo było, że miał więcej, za napady, rabunki różne i najważniejsze: rabunek mienia państwowego.

– Zwariowałaś? Rabunek mienia miał być ważniejszy niż sześć zbrodni?!

– To nie ja zwariowałam, tylko ówczesny Kodeks karny i rozmaite przepisy prawne. Tak było. Kara śmierci za mięso i głupie parę lat... no, kilkanaście... za zabicie paru osób dla paru groszy. Mienie państwowe natomiast to miała być święta krowa nietykalna. A on się szarpnął na transport bankowy i jakiś nadgorliwy gliniarz go złapał, ściśle biorąc, to było paru gliniarzy, bo wtedy jeszcze zwykła milicja traktowała swoje obowiązki poważnie. Reszta sprawców uciekła, a on się zapierał, że ich wcale nie zna, tak tylko przypadkiem do nich dołączył, dla rozrywki. Potem, po przedstawieniu dowodów, zmienił zdanie i mieli to być różni z ulicy, których wziął jeden raz do pomocy i też ich nie zna...

– Co ty mi tu za idiotyzmy opowiadasz? – zgorszyła się Martusia.

– Cytuję ci akta sądowe. Nie, pardon, nie cytuję, streszczam.

– Nie mogę tego słuchać tak z marszu! Mamy jeszcze piwo...?

Poszła po nową puszkę, usiadła. Kontynuowałam udzielanie informacji.

– No więc nikogo nie wydał, został skazany, z tym że sprawa po pierwszym hałasie przycichła i toczyła się bez reklamy, bo prasę trzymała przy pysku cenzura. Telewizję jeszcze bardziej. Wyrok na papierze wykonano. W naturze nie.

– Skąd wiesz?

– Osobiście znałam wtedy prokuratorów...

Przypomniało mi się to, bo wydarzenia okropne albo bardzo dziwne zapadają w pamięć nawet, jeśli się o nich wcale nie myśli. Z prokuratorem, który rzekomo asystował przy wykonaniu owego wyroku, jeszcze tego samego dnia grałam w brydża. Nie był to wypadek szczególny, grywaliśmy wówczas w brydża prawie codziennie, ale po tak wątpliwej rozrywce raczej wymówiłby się od gry. Prokuratora, który naprawdę uczestniczył w podobnym akcie ostatecznym, widziałam na własne oczy przy innej okazji, nie nadawał się nie tylko do gry w brydża, ale w ogóle do niczego. Odzyskał odrobinę równowagi dopiero po półlitrze czystej, nie upił się wcale, choć zapewne bardzo chciał, do ust nie wziął żadnego pożywienia i kropnął się spać.

– I takie objawy ci wystarczyły? – zainteresowała się Martusia podejrzliwie.

– Nie musiały. Ale wtedy, przy tym brydżu, padały żartobliwe uwagi. Obaj profesjonaliści rozumieli się w pół słowa...

– Obaj...?

– No to mówię ci przecież, że prywatnie i towarzysko otaczali mnie prokuratorzy! A już taka głupia nie byłam, żeby ich nie zrozumieć, bo ogólnie wiedziałam, w czym rzecz. Potem się zresztą spytałam tego mojego w cztery oczy i kazał mi siedzieć cicho, no i w rezultacie wydłubałam z niego prawdę. Właściwie teraz się dopiero upewniłam, że to była prawda, bo Słodkiego Kocia na wyścigach widywałam już po wykonaniu wyroku na Ptaszyńskim.

Martusia myślała intensywnie, robiąc przy tym wrażenie nieco zdenerwowanej i popijając piwo.

– No czekaj. No dobrze. Rozumiem. Powiesili go na niby i on sobie spokojnie został przy życiu. Po co to było i komu?

– Dawne UB. Nie całe, część. I rozmaite inne takie swołocze, nie wiem dokładnie jakie, tej grupy społecznej, można powiedzieć, bliżej nie znałam. To już prędzej Anita. Otóż oni właśnie uczestniczyli w tym napadzie na transport forsy, w rozmaitych rabunkach też, Ptaszyńskiego mieli za pomagiera wszechstronnego...

– Taka złota rączka...?

– Coś w tym guście. Ale to miało szerszy zakres, bo później dopadły mnie różne dziwne zjawiska na tle przemytu. Jeden raz widziałam jedno zdjęcie, na którym znajdowała się znajoma morda, ale wtedy właśnie jeszcze nie kojarzyłam i rozumiałam, że był to Słodki Kocio z wyścigów. Występował jako prowokator, rozumiesz, ten co załatwia sprawę i nigdy nie udaje się go złapać.

– Odwrotnie niż przedtem...?

– Otóż to. Inne czasy nastały. No i coś mi się widzi, że teraz się zrobił cholernie niewygodny, możliwe, że forsa mu wyszła i poszedł na szantaż...

– I teraz przestań mi już snuć te historyczne wydarzenia, bo za dużo zaczynam się domyślać – przerwała mi Martusia stanowczo. – Przypominam ci delikatnie, że piszemy serial kameralny i nasz trup też miał być kameralny. Motywy uczuciowe!

– Jakie znowu uczuciowe, sama twierdziłaś, że służbowe bardziej prawdopodobne!

– Wyrzucą mnie z pracy...

– To na pewno – zgodziłam się. – Szczególnie, że tu nam się pcha trup, leżący na motywach politycznych...

– Zapierałaś się, że polityki nie dotkniesz!

– I nie dotknę. Nie znoszę pijawek. Ale musimy rozważyć motywy autentyczne, bo może dadzą się przekształcić w uczuciowe albo co. A wydarzenia konkretne da się zużyć, względnie nas jakoś natchną...

– Szmal z tego mieli? – upewniła się Martusia po króciutkim namyśle.

– Jak wąż ogon. Wyłącznie.

– No to z polityką możemy sobie dać spokój i na forsie się oprzeć. Czekaj, a ten drugi?

Rozumiałam, że pyta o drugiego trupa, i westchnęłam z żalem.

– Drugiego nie znam, ale Anicie coś tam lata po głowie. Musimy zaczekać, niech dojedzie do domu. Może sobie przypomni więcej.

– No to opowiedz jeszcze raz tę część historyczną, ale już tak na spokojnie i ze szczegółami...

Nic dziwnego, że w rezultacie o kurczaku udało nam się zapomnieć i upiekł się doskonale. Był cudownie piękny, trochę za długo siedział w piecu, ale pod przykryciem, więc nie wysechł. Mimo strasznych przeżyć uczuciowych Martusia jakoś nie straciła apetytu...

* * *

Dominik, aczkolwiek trudny charakterologicznie, to jednak był inteligentny. Na odpracowanie swojego przestępstwa i powrót do kontaktów bezpośrednich Martusia poświęciła resztę dnia, aż wreszcie udało jej się osiągnąć rezultat wieczorem. A i to wyłącznie dzięki temu, że jej ukochany amant uczuł potrzebę zwierzeń na kochającym i bezkrytycznym łonie.

Przyleciała do mnie następnego dnia, wczesnym popołudniem.

– Połowa czasu została zmarnowana na korektę mojej rozwichrzonej osobowości – oznajmiła. – A druga połowa na jego straszne doznania wewnętrzne. Zniosłam wszystko, bo po pierwsze, osobowość mam odporną, po drugie, jego straszne przeżycia wewnętrzne dotyczyły naszego trupa, a po trzecie, resztę czasu zużyliśmy racjonalnie. Więc znów mnie kocha, chociaż z zastrzeżeniami, a ja, nic ci na to nie poradzę, dziko na niego lecę. Chcę żyć z nim, a nie bez niego, mój organizm się przy tym upiera.

Pokiwałam głową dosyć smętnie i odeszłam od komputera. Do obgadania miałyśmy dużo, z reguły Martusia bywała u mnie, bo to ja miałam całe oprzyrządowanie pisarskie, a nie wszystko udawało się uzgodnić przez telefon, teraz jednak wachlarz tematów wyraźnie się rozszerzył. Nie na plotki zazwyczaj przylatywała, tylko do konkretnej roboty i szło nam nieźle, bruździł zaś właściwie wyłącznie Dominik. Wyglądało na to, że tym razem nabruździ obficiej.

– Ciekawe, skąd wzięłaś resztę czasu po dwóch połowach, które z natury rzeczy powinny stanowić całość – rzekłam zgryźliwie.

– Szczęśliwi godzin nie liczą – odparła na to ni w pięć, ni w jedenaście. – Przez dziesięć minut byłam całkiem szczęśliwa, ale przedtem i potem już chyba nie. Coś mi nie gra i mam złe przeczucia. Przyniosłam piwo.

– I gdzie je masz? Bo nie widzę, żebyś coś trzymała w rękach. Wypiłaś na schodach?

– Nie, zostawiłam w samochodzie. Przez pomyłkę. Jak nam zabraknie, to skoczę. Skoczyć...?

– Nie, jeszcze jest w lodówce. Usiądź wreszcie!

– Zaraz. Przyniosłam prawdziwy plan pomieszczeń. Chciałaś przecież?

– Pewnie, że chciałam...

Przypomniałam sobie o szklankach i poszłam po nie do kuchni. Martusia rozkładała swoje mienie na kanapie i stole, wyciągając je z wora, który stanowił połączenie dużej damskiej torebki z czymś w rodzaju jeszcze większej aktówki. Dokopała się w końcu kilku poszukiwanych kartek i zaczęła resztę chować z powrotem.

– Jak coś zostawisz, to zginie – ostrzegłam ją.

– Toteż bardzo się staram zabrać wszystko. To też moje...? Nie, pokwitowanie DHL-u, to twoje chyba...?

– Moje. Niepotrzebne, bo już doszło, możesz wyrzucić, jeśli chcesz.

– Dziękuję ci bardzo za pozwolenie, ty naprawdę masz ugodowy charakter. Może jeszcze coś wyrzucić? Widzę tu duże szanse...

– Martusia, uspokój się, bo mnie zdenerwujesz. Siadaj na tyłku, masz tu piwo i jazda! Zaczynamy konferencję. Uczucia prywatne zostawiamy na deser.

Marta westchnęła, odepchnęła wór i wreszcie usiadła spokojnie.

– No dobrze, to co wolisz? Wszystkie kolejne pytania, odpowiedzi, spostrzeżenia, jęki i komentarze Dominika czy od razu całość tak, jak mi się ułożyła po wnikliwym rozważeniu?

– Miałaś kiedy wnikliwie rozważyć? – spytałam podejrzliwie.

– Miałam całą resztę nocy i dzień dzisiejszy. Z dwojga złego wolałam rozważać zbrodnie niż współżycie z Dominikiem. Mniej przygnębiające.

– Zatem wal całość. Nawet razem z wnioskami. W razie potrzeby podyskutujemy...

Otóż Dominik możliwość posądzenia go, jakoby ostatniej nocy udusił obcego człowieka w Marriotcie, potraktował jak osobistą obrazę i krwawą drwinę. Człowiek nazywał się podobno zupełnie zwyczajnie, Antoni Lipczak, Dominik w życiu go na oczy nie widział i nie miał o nim żadnego pojęcia. Do pokoju hotelowego został doprowadzony i wepchnięty przez Tycia tuż po jedenastej, nieszczęśliwy bezdennie, a przy tym zły na Martę i na resztę świata tak, że ogłuchł na wszelkie dźwięki, zwróciłby może uwagę, gdyby ktoś obok grał na trąbie, ale nic poniżej do niego nie docierało, przez chwilę oglądał włączony telewizor, nie rozumiejąc, co widzi, przez drugą chwilę, zdaniem Marty, pokwilił sobie w kącie, wreszcie zajrzał do minibarku, coś tam znalazł i w środku nocy udało mu się zasnąć.

Obudził się o poranku, może była dziewiąta, zdążył się umyć i zadzwonić po kawę, kiedy nagle bocznymi drzwiami wdarło się do niego dwóch facetów. Łączyły go te drzwi z pokojem obok, ale czy były przedtem zamknięte, czy otwarte cały czas, pojęcia nie ma, bo nie próbował, nic go nie obchodziły. Z owego pokoju obok owszem, jakieś odgłosy w ostatnich chwilach dobiegały, ale po pierwsze, słabe, a po drugie, pod prysznicem i tak nic nie słyszał. Faceci byli nawet grzeczni, tylko od razu zaczęli zadawać idiotyczne pytania i bardzo się upierali przy otrzymywaniu odpowiedzi. Ponadto pokazali mu przedmiot, małą, wąską, zwyczajną zapalniczkę w skórzanej pochewce, i chcieli wiedzieć, skąd ją ma. Znikąd nie ma, nie jego, też jej nigdy na oczy nie widział! Podobno znalazła się w jego pokoju na dywanie, obok szafki z telefonem, i przez to parszywe małe ścierwko stał się znienacka pierwszym podejrzanym.

Po czym kazali mu obejrzeć nieboszczyka i na tę właśnie chwilę trafiła Marta, której nadejście chyba przeoczono, bo do pokoju Dominika weszła bez niczyich protestów. Od Tycia wiedziała, że on tam został i jeszcze powinien być. Nie wyrzucono jej, zapewne też przez jakieś niedopatrzenie, dzięki czemu była świadkiem nader podchwytliwego przesłuchiwania Dominika, który zrobił się już znacznie mniej zły, a za to znacznie więcej ogłuszony i jakby zrezygnowany. Na widok Marty uświadomił sobie, że to przez nią brakuje mu alibi, i ponura wściekłość wybuchła w nim na nowo, dzięki czemu z kolei zrobił złe wrażenie na władzy śledczej.

– Mnie potraktował tak, że przez chwilę naprawdę nie wiedziałam, skoczyć z okna czy dać mu w mordę – powiedziała posępnie, przerywając na chwilę składną opowieść. – Ale zainteresowali się mną, więc musiałam jakoś odzyskać człowieczeństwo...

– Człowiek to brzmi dumnie – podtrzymałam ją na duchu. – Wal dalej! Co z nieboszczykiem? Obrabowali go?

– Nie wiem. I zdaje się, że nikt tam tego nie był pewien. Portfel mu został, Dominik widział, grzebali w nim i znaleźli gotówkę i karty kredytowe, ale mógł mieć coś więcej, co mu zabrano...

– Walizkę z dolarami?

– A diabli wiedzą. Gdyby był jubilerem i woził ze sobą diamenty...

– Ale nie był?

– Nie.

– A czym był?

– Przypadkiem wiem – powiedziała Marta z satysfakcją. – Podsłuchałam. Jakimś pośrednikiem, ale nie jestem pewna w czym. W czymś niejasnym, czego nie dosłyszałam albo nie zrozumiałam. Wyszło mi, że tak jakby w kontaktach międzyludzkich. Jakiś pośrednik. Mediator. Negocjator. Coś w tym rodzaju.

– To by się zgadzało z informacjami od Anity – mruknęłam.

– Z tych strzępów, które jeszcze udało mi się wydrzeć z Dominika – podjęła Martusia – i z tego, co sama usłyszałam od pokojówki, wiem, że strasznie pytali o rezerwację i godzinę przybycia gościa do tego pokoju i coś im źle wychodziło, bo raz im się wydawało, że przyjechał i zajął pokój o drugiej, raz, że o piątej, a jedna osoba z recepcji twierdziła, że dopiero po dziewiątej wieczorem. W dodatku ktoś z obsługi upierał się, że to w ogóle nie on. Ale to te strzępy, więc za ścisłość ci nie gwarantuję.

W oczach miałam Słodkiego Kocia z roztrzaskanym łbem, mogłam zatem zrozumieć komplikacje z tożsamością nieboszczyka. Widocznie jakoś się ukradkiem zamienili.

– Nie szkodzi. Potrafisz opisać, jak on wyglądał?

– Nie. Widziałam go tylko od czubka głowy. Ale Dominik z obrzydzeniem stwierdził, że ogólnie średni. Włosy średnio ciemne, łysiejący od czoła, średniego wzrostu, średniej tuszy...

– A skąd on w ogóle był?

– Podobno ze Szczecina. Adresu nie podejrzałam i nie podsłuchałam. Dominik też nie.

Pozwoliłam sobie okazać lekkie niezadowolenie.

– I nie połapałaś się, czy on tam mieszkał w tym hotelu od rana, czy pokój stał pusty przez pół dnia, czy nie mieszkał tam tuż przedtem ktoś inny...?

– Nie i właśnie oni wszyscy też nie byli pewni. Na moje oko będą silnie maglować personel. Ale Joanna, zastanów się, przecież dla nas to wszystko jedno! Możemy sobie wymyślić, co nam się podoba...

– Możemy, ale znacznie łatwiej w oparciu o realia. Poza tym ciekawi mnie to opóźnione zejście Słodkiego Kocia i uważam, że mechanizmy szantażu, które on z pewnością znał znacznie lepiej niż my obie razem wzięte, doskonale dadzą się zastosować do naszej afery telewizyjnej. A oprócz tego... zaraz, chwileczkę! A pierwszy trup? Ten mój? Była o nim mowa?

Martusia, zaskoczona, wstrzymała szklankę z piwem w połowie drogi do ust.

– A wiesz, że nie. Ani słowa! Czekaj, to interesujące! Z przesłuchania Dominika wynikło, że policja o tych pierwszych zwłokach nie ma najmniejszego pojęcia! On też nic o nich nie wiedział!

– Po prostu cudownie – zaopiniowałam ze smętną goryczą. – Nie ma zatem nikogo, kto by im doniósł o dodatkowej rozrywce? Chyba że ja i Anita? Mamy, znaczy, wspólną słodką tajemnicę? Ale fart!

– No i co ci się nie podoba? – zdziwiła się Martusia. – Słodki Kocio i słodka tajemnica, wszystko się zgadza.

– Ty się puknij, Martusia, gdzie zdołasz. Ukrycie informacji o zbrodni jest uporczywie karalne, w każdym kodeksie. Coś mi się widzi, że ukrywam i będę musiała porządnie się zastanowić, jakie łgarstwo mnie uratuje. Sądzę, że wyłącznie przeraźliwa głupota...

– O, jeśli o to chodzi, nie ma sprawy! – pocieszyła mnie Martusia natychmiast. – Oni wszystkie kobiety uważają za idiotki, a dodatkowo, o ile wiem, jesteś blondynką z natury...?

– Jestem i jeśli będzie to ze mnie biło w rozmowie z glinami, nie zgłaszam żadnych obiekcji...

Udało nam się wreszcie wrócić do spraw ściśle zawodowych i nawet dojść do jakichś twórczych wniosków. Oba trupy były nad wyraz przydatne, chociaż ten pierwszy nastręczał trudności. W kwestii prawdziwych dziejów Słodkiego Kocia moja pamięć potrzebowała wsparcia, którym Martusia nie mogła mi służyć, Anitę zaś znałam zbyt dobrze, żeby się spodziewać telefonu od niej tak od razu. Jego śmiertelne zejście właściwie nie zostało oficjalnie stwierdzone, przyczyniając mi lekkiego niepokoju, co nie przeszkadzało jednakże użyć go i dopasować zwłoki do scenariusza.

Prawie. Nie do końca. W paradę wszedł Dominik. Z komórką przy uchu Martusia zmieniła się na twarzy i świat jej się nagle skurczył do jednej dziedziny i jednej istoty ludzkiej. Na pytanie, co się stało, odpowiedziała mi, że nie wie, nie może i musi, tak sprzeczne potrzeby uwzględniłam czym prędzej i przestałam truć tekstem. Wyleciała ode mnie jak do pożaru.

Co ten Dominik zdołał wykombinować, nie siliłam się odgadnąć. Wielką przyjemność sprawiła mi myśl, że to nie ja się w nim zakochałam i nie moje wnętrze szarpie się w dzikich rozterkach. Odszarpało swoje kiedyś i teraz już by chyba nie dało sobie rady z tym świństwem...

* * *

Uzgodniwszy, mimo przeszkód, z Martusią, że jednak nie będziemy się ograniczać do pełnej jedności miejsca, a tym bardziej akcji, nie wspominając już o czasie, zuchwale poszłyśmy w koszty.

– No i cóż takiego, najwyżej wyrzucimy później część tekstu albo przeniesiemy sceny w miejsce znajome – powiedziałam do niej z irytacją przez telefon, starannie omijając temat Dominika. – Chociażby do stajni. Stajnię mamy w planach, możemy jej użyć dwa razy.

– No, wiesz, sejf bankowy w stajni to może już trochę za bardzo nietypowe – zaprotestowała w pierwszej chwili.

– Z sejfu zrobimy skrytkę pod żłobem. A pożar trzeba pokazać, bo to ma być widowisko, a nie drętwe gadanie!

– A nie mógłby się zakraść zwyczajnie i wygrzebać te taśmy ze żłobu? Mówiłaś, że w stajniach nie ma psów i nikt nie będzie szczekał!

– Ale w tym boksie może być kozioł. Sałagaj miał kozła, żył w przyjaźni z koniem. Z rogami. Kozioł, znaczy, z rogami, nie koń. Więc on się boi kozła i woli spalić.

– Oszalałaś, mamy spalić żywe zwierzęta...?!

– Zwierzęta uratujemy wszystkie co do jednego i w ogóle nie może się to sfajczyć do imentu, pożar ugasimy, bo taśmy należy ocalić... A w ogóle kota masz? Przecież stajnia to ostateczność, on podpala jego willę, też bez skutku, bo pokażemy, jak Łukasz tuż przedtem wynosi taśmy...

– Czekaj, zaraz! Przed trupem czy po trupie?

– Po oczywiście. Po pierwszym, widz już ma sensację...

– To nie Łukasz wynosi, to Marek!

Zakłopotałam się na malutki momencik, bo okazało się, że mylę bohaterów naszego serialu. No nic, uporządkuję ich sobie później...

– Wszystko jedno! W ogóle nie pokażemy, kto wynosi. A w ten sposób, rozumiesz, zostają na nim ślady tego podpalania i widzi je przypadkowy człowiek, i już mamy namiar na drugiego trupa...

– Ale przecież nie możemy ich tak ścieśniać, jednego za drugim!

– Skąd, po drodze będzie dużo! Ja streszczam. A właśnie po drugim trupie dojdziemy do sprawcy, a przedtem już wszystko będzie wyglądało beznadziejnie, rozumiesz, niech się widz zdenerwuje, podejrzenia padają na niewinnego i w ogóle straszne rzeczy!

Martusi się to spodobało, pochwaliła mnie z ogniem, zdolnym wywołać ten zaplanowany pożar, ale wciąż usiłowała myśleć praktycznie.

– To nam wszystko cholernie podroży, teatr nie przewiduje...

Przerwałam jej, od razu rozzłoszczona.

– Co teatr, jaki teatr, ty odchromol się ode mnie z tym teatrem telewizji! Wszystkie sceny w jednym pokoju, nawet widoku za oknem nie można zobaczyć, takie rzeczy działają klaustrofobicznie! Ja czegoś podobnego nie będę pisać, potrzebuję przestrzeni! Każdy człowiek potrzebuje przestrzeni, z wyjątkiem myszy pod miotłą!

– Dlaczego myszy pod miotłą?

– Ona chyba lubi zacisznie. Proszę bardzo, możemy napisać dialog dwóch myszy pod miotłą, ale wątpię, czy starczy na serial. I jeśli jedna drugą rąbnie, nie będzie już miała z kim gadać. Monolog...?

– O Boże...! Przestań mnie straszyć, dobrze?

– Więc sama widzisz. A wydarzenia podejrzane, zagadkowe i do tego przestępcze interesują wszystkich, od maglarki do biskupa, chociaż biskup się nie przyzna. Będzie oglądał ukradkiem.

– Ale będzie...?

– Otóż to! A jeszcze ci bonzowie z telewizji poczytają w scenariuszu sami o sobie i każdy dozna ulgi, że nie on chował, nie on kradł i nie on podpalał. A jeśli on, nie wychodzi na jaw i ma z głowy, a za to może liczyć na tę waszą tajemniczą oglądalność!

– Tu masz rację, podsuniemy im tekst na przynętę, ale zastanów się, na końcu wyjdą koszty! Wystraszą ich tak, że nawet nie zaczną czytać!

– Ostatnią stronę chwilowo zgubisz – poradziłam beztrosko. – Ewentualnie możesz coś sfałszować, przeoczysz jakąś pozycję albo co.

Marta zastanawiała się przez chwilę.

– No owszem, to jest możliwe. Sfałszuję... Zwariowałaś, jakie sfałszuję, to mowy nie ma! Ale mogę zrobić kosztorys alternatywny, oszczędnościowy...

– Ta droższa wersja zginie! – ucieszyłam się.

– Chwilowo się gdzieś zapodzieje – skorygowała Martusia. – A skoro tak, to pisz! No dobrze, idziemy na całość!

Potrzebny mi się zatem okazał dom do podpalenia, bo, jak zwykle, musiałam sobie znaleźć jakieś realia. Udałam się na rekonesans. Odruchowo zupełnie, wręcz, można powiedzieć, bezwiednie, pomyślałam o siedzibach dawnych prominentów, niewidzialną siecią powiązanych z nieboszczykiem Słodkim Kociem Ptaszyńskim. Czy może o sługach i pomagierach prominentów, bo, wedle mojej wiedzy, osobiście bali się z nim kontaktować, delegowali zaufany personel. Z dawnych akt i nieco późniejszych okruchów informacji mniej więcej wiedziałam, gdzie mieszkali kiedyś, a nawet gdzie mieszkają obecnie. Mgliste to było dosyć i należało może zadzwonić w tej sprawie do Anity, ale przecież szukać ich naprawdę i świadomie wcale nie zamierzałam.

Pomijając już to, że nie zamierzałam także nikogo podpalać. Po prostu teren, dostęp, jakieś zabezpieczenia czy cokolwiek innego, mogły mi nasunąć twórcze pomysły.

Minęły czasy, kiedy upierałam się przy detalach i koniecznie musiałam osobiście błąkać się nocą po jeziorze lub też przełazić przez żywopłoty w czasie gradobicia, potrafiłam sobie mniej więcej wyobrazić rozmaite warunki atmosferyczne z doświadczenia, na penetrację udałam się zatem w biały dzień. Ponadto wcale jeszcze nie zostało ustalone, że złoczyńca musi podpalać w nocy, może nam wyjdzie, że dzień będzie bardziej przydatny? W ciemnościach ogień widać od razu, w żywym słońcu najwyżej trochę dymu i nikt zbyt szybko nie pcha się z hydrantem...

Dawna enklawa pracowników MSW, cały, skupiony w sobie kawałek dzielnicy, nie pasował mi kompletnie. Właśnie przez ciasnotę. Diabli wiedzą, jakie ci ludzie mieli mieszkania, ale patrząc od zewnątrz, tulili się do siebie niczym jaskiniowcy, ściśnięci jakoś, jakby im to zbicie w kupę zapewniało poczucie bezpieczeństwa. Albo może ideologia nimi kierowała, stłoczona masa, metr od masy już odludzie, a jednostka na odludziu musi być podejrzana. To już nawet ten cały Kocio Ptaszyński dysponował wokół domu większym luzem!

Co do poczucia bezpieczeństwa niewątpliwie mieli rację, do podpalania nie nadawali się wcale. Musiałam przypomnieć sobie, gdzie też znaleźli miejsce na wille, kiedy zmiana ustroju pozwoliła im ujawnić posiadane bogactwo. Plątało mi się po głowie parę adresów, nie bardzo dokładnych, i zdążyłam ugrzęznąć w korku przy Bartyckiej, zanim wreszcie zdołałam oprzytomnieć. Czort ich bierz z obecnymi miejscami zamieszkania, na jaki plaster mi potrzebni, nie szukam przecież złoczyńców, tylko odpowiedniego obiektu, a kto w nim mieszka, co mi za różnica? Niech sobie mieszka na zdrowie, nic mu złego nie zrobimy!

Pojechałam dalej okrężną drogą, żeby ominąć ten korek, i znalazłam nawet kilka pasujących budowli. Najbardziej przypadł mi do gustu dom, przed którym parkowała akurat furgonetka, przynależna, sądząc z napisów reklamowych, do czegoś telewizyjno-komputerowego, czego nie zrozumiałam, bo zatrącało o elektronikę i nic mnie nie obchodziło. Człowiek wynosił z niej jakieś pakunki i wnosił je do domu, musiałam przeczekać pojazd z przeciwka, miałam zatem czas przyjrzeć się walorom obiektu.

Pasować, pasował, ale miał jedną wadę, mianowicie był murowany. Podpalać drewniane, to małe piwo, z murowanym bywają kłopoty, cegła sama z siebie nie chce się palić i trzeba jej dokładać strasznie dużo rozmaitych materiałów łatwopalnych, a czasem nawet wybuchowych. No nic, możemy przecież wymyślić wnętrze z samych tworzyw sztucznych albo jeszcze lepiej, z tworzyw sztucznych przemieszanych z antykami, wykonanymi, jak wiadomo, z drewna idealnie wysuszonego...

Zastanawiając się nad więźbą dachową i ewentualnie drewnianymi stropami, co należałoby uzasadnić może wiekiem budynku, pojechałam dalej i prawie nie zwróciłam uwagi na nazwę ulicy. Zapamiętałam tylko, że jest jakaś roślinna. W oczach utrwalałam sobie jeszcze rozmieszczenie okien, bo może podpalacz wrzuci coś górą, pochodnię na przykład, względnie ognistą strzałę, oraz ogrodzenie, solidne, trudne do sforsowania, za to niezłe do ukrycia rozmaitych pułapek i alarmów...

Zanim przez Siekierki wróciłam do miasta, zdążyłam wyobrazić sobie tysiąc najróżniejszych idiotyzmów, umeblować cały ten dom od piwnic po strych i zastanowić się, po co w ogóle mamy go podpalać. A, prawda, złoczyńca chce zniszczyć dokumenty, świadczące o jego przestępczej przeszłości... Nie, jeszcze nie tak, zasugerowałam się Ptaszyńskim, nie dokumenty, tylko taśmy, świadczące i tak dalej...

Doskonale, miejsce znalazłam, mogę kontynuować...

Usiadłszy przy komputerze, zorientowałam się, że chała z miętą, nie warto mówić, co mogę kontynuować, bo i tak wszyscy to słowo doskonale znają, bez Marty nie zrobię nic. Na telewizji, jako takiej, znam się niczym kura na pieprzu, ubeckie dokumenty wlazły mi w paradę, nie mogę się od nich odczepić, a kompromitujące materiały telewizyjne wyglądają zupełnie inaczej. I treść odmienna, i forma... I diabli wiedzą, czego naprawdę mogą dotyczyć, trafię przypadkiem w środek tarczy i Martę rzeczywiście wyrzucą z pracy. Niedobrze.

Zaczęłam szukać Martusi.

Gdzie ona mogła być? Może znów w Krakowie, dokąd uporczywie jeździła, dezorganizując mi twórczość? Zdawałam sobie sprawę, że pracuje równocześnie w dwóch telewizjach, jeśli tak można powiedzieć, warszawskiej i krakowskiej, jeździ zatem służbowo, a nie dla draki, ale co z tego? Jej nieobecność przeszkadzała mi bez względu na przyczyny i zaniepokoiłam się myślą, że gdyby na przykład cholerny Dominik miał w Krakowie jakieś interesy, ona by tam utkwiła na dłużej. A ja zostałabym na lodzie, jak ofiara losu...

W końcu, do diabła, razem piszemy ten cholerny scenariusz czy nie...?!

Wszystkimi jej komplikacjami uczuciowo-podróżniczymi zdążyłam sobie pomieszać w umyśle, wypukując numer i słuchając najpierw wycia, a potem głupiego gadania w słuchawce. „Po sygnale zostaw wiadomość"...

Zostawiłam.

– Gdzie jesteś, do diabła, czego wyłączasz tę zarazę, odezwij się! – wywarczałam. – Jest piątek, siedemnasta dwadzieścia!

Po czym, po długim wahaniu, zadzwoniłam do Dominika, też na komórkę, bo nie miałam pojęcia, gdzie on się może znajdować. W końcu znałam go, bywał u mnie w domu, wprawdzie służbowo, ale co za różnica...

Dominik mnie nie kochał ani też nie czuł się kochany przeze mnie, rozmawiał zatem normalnie, miło i sympatycznie, nie prezentując żadnych wybryków uczuciowych.

– Ona chyba właśnie jedzie – powiadomił mnie życzliwie. – Była w Krakowie i dziś ma wrócić.

– Czym jedzie? Samochodem czy pociągiem?

– Samochodem. Właściwie to już powinna dojechać, bo miała wyjechać koło trzeciej... Wyłączyła komórkę.

W jego głosie drgnął cień jakiejś podejrzliwej obawy, więc uspokoiłam go od razu.

– Sądzę, że rzeczywiście dojeżdża i ma gliny koło siebie. Nie może rozmawiać. Nawet zgaduję, gdzie tkwi, pewnie koło Piaseczna. O tej porze tam jest najśmieszniej.

Dominik wiedział o tym równie dobrze jak ja. Prawie widziałam przez słuchawkę, jak kiwnął głową ze zrozumieniem. Wyłączyłam się.

Nie było we mnie najmniejszego cienia żadnej obłudy ani łgarstwa, przypuszczenia wyraziłam z kryształowo czystym sumieniem. Zdążyłam sobie szybko obliczyć, z Krakowa do Warszawy jedzie się trzy do czterech godzin katowicką autostradą, zależy to od korków oraz ilości porozstawianych na trasie radiowozów, mogła mieć niefart i dopiero teraz przebić się skrótem przez Magdalenkę i Piaseczno, czyli właśnie wjeżdża w Puławską. Wszystko się zgadza, zaraz pewnie do mnie zadzwoni.

Jedyne, co się zgodziło, to fakt, że istotnie zadzwoniła po kwadransie.

– No? – spytała niecierpliwie. – Już jestem!

– Wiem od Dominika... – zaczęłam.

– Ty się nie wygłupiaj, ja cię proszę, i nie szukaj mnie przez Dominika! – przerwała mi natychmiast z wielkim niepokojem. – Wszystko, tylko nie Dominik!

– Przepadło. Już cię szukałam.

– To zgadłam. Zdążyłam. Ale on nie ma prawa wiedzieć, gdzie jestem!

– A gdzie jesteś?

– W Krakowie, w „Forum". W kasynie, jak się łatwo domyślisz...

Prawie jej pozazdrościłam.

– No możesz sobie być, ale mnie tu jesteś potrzebna – powiedziałam, nie kryjąc oburzenia i urazy. – Kiedy masz zamiar wrócić? W Warszawie też są kasyna! I mnie na przykład łatwiej dostępne niż krakowskie!

– Dzisiaj wrócę. Albo jutro o świcie. No, na pewno stąd wyjdę, jak zamkną kasyno, nie będę tego przed tobą ukrywać. Co pół godziny sprawdzam komórkę, kto mi się tam na niej plącze...

Wyłączała, to mogłam doskonale zrozumieć, akurat te głupie piski człowiekowi przy grze potrzebne... Poza tym pogoda piękna, księżyc świeci, nad ranem szosy puste i gliny nie stoją, przeleci w trzy godziny.

– A o której zamykają? – spytałam podejrzliwie.

– Teoretycznie o piątej.

– Wyjdź wcześniej – poradziłam po krótkim namyśle. – Bo o szóstej już się zaczyna ruch i mogą łapać.

– Dobrze, tylko wiesz, niech się Dominik nie dowie. Jakby mnie szukał u ciebie, to powiedz, że już jestem, tylko... czekaj... co ja mogłam zrobić z komórką...?

– Wyłączyłaś. Na mieście. I potem zapomniałaś włączyć.

– I może jestem u ciebie cały czas?

– I co, siedzisz w wychodku i zamek się zaciął? I będziesz tak siedziała do rana? Żaden debil w to nie uwierzy. Natomiast z drugiej strony powinnaś siedzieć u mnie, bo mam tu kłopoty. Te kompromitujące taśmy, rozumiesz, ja nie mogę sama pisać o czymś, na czym się nie znam do tego stopnia!

– To ja u ciebie będę zaraz, jak tylko się na chwilę zdrzemnę. Na Woronicza jestem umówiona dopiero o czwartej, zdążymy bardzo dużo!

– Zadzwoń do Dominika i sama mu zełżyj, że dojechałaś...

– Do Dominika nie mogę, bo on będzie chciał natychmiast się ze mną zobaczyć. On już zerwał ze mną na zawsze, a teraz mu na nowo odbiło. Nie, zełgam, że zapomniałam z powrotem włączyć komórkę i tak czekałam na jego telefon. Ale w Warszawie jestem koniecznie!

Widać było jak na dłoni, że interesuje ją w tej chwili tylko jedna rzecz na świecie, niecierpliwość strzelała ze słuchawki. Podzielałam jej uczucia w pełni, westchnęłam ciężko i zrezygnowałam z natychmiastowego porozumienia.

Do Dominika żadnych głupot wygłaszać nie musiałam, bo nie dzwonił. Najprawdopodobniej zajął się sobą i własnymi urojeniami, albo nawet może pracą. Ostatecznie, do roboty miał dużo...

Wróciłam do tekstu, obmyślając na razie kwestię szantażu, rozmaite ludzkie właściwości bowiem znane mi były znacznie lepiej niż jakieś tam techniczno-elektroniczne dyrdymały...

* * *

– Włożyłam perukę – powiadomiła mnie tajemniczo Martusia, wkraczając w progi mojego domu o dziesiątej piętnaście rano. – Czarną.

– Skąd, na litość boską, wzięłaś czarną perukę? – spytałam ze zdumieniem, spoglądając na jej własne jasne włosy.

– Pożyczyłam z rekwizytorni. I muszę oddać.

– Jeśli jej nie zgubiłaś, nie widzę problemu. Bo co?

– Rozumiem, że twoje pytanie ma zakres ogólny – stwierdziła, wchodząc za mną do kuchni i biorąc mi z ręki puszkę zimnego piwa, po które od razu sięgnęłam do lodówki. – Bo się bałam, że w kasynie trafię na jakiegoś znajomego kretyna, więc na wszelki wypadek chciałam być do Bydgoszczy. Do Torunia, do Kutna, nawet do Świnoujścia!

To od Alicji pośrednio nauczyła się tych osobliwych określeń, a bezpośrednio ode mnie. Kiedyś, dawno temu, powiedziałam, przebierając się w obce ciuchy, że chcę być nie do poznania, na co obecna przy tym moja przyjaciółka Alicja mruknęła zgodnie: „Dobrze, bądź do Bydgoszczy". Tym sposobem Bogu ducha winien Poznań wziął niejako na swoje barki kwestię zmiany wyglądu zewnętrznego.

– I co? – zaciekawiłam się, wyjmując z kredensu szklanki.

– Rewelacja! Słuchaj, sama siebie nie poznałam! Spojrzałam przypadkiem w lustro i aż mi dech zaparło! Przez chwilę nie mogłam zrozumieć, skąd się tu wzięła ta obca baba i gdzie wobec tego jestem ja!

– Bardzo dobrze, ale czy ty nie popadasz w przesadę? Nie możesz przecież na stałe ukrywać przed nim, że grasz? I on ci chyba tak ogólnie nie zabrania?

– No wiesz...! Zabrania kategorycznie! To znaczy, nie to, żeby zabraniał akurat gry, zabrania wszystkiego, co może go przebić. Nie może znieść niczego, co byłoby dla mnie ważniejsze niż on, a nawet równie ważne. Wszystkie uczucia dla niego, cały ogień na Laleczkę!

– To tego nikt nie wytrzyma. Nie stójmy tu w progu, ciasno, a ja nie umiem rozmawiać na stojąco. Chodź do pokoju.

– Zaraz, czekaj, pozbędę się wdzianka...

Rozsądnie usiadłam od razu przy komputerze. Marta nie wybierała sobie miejsca zbyt starannie, świadoma, że będzie je wielokrotnie zmieniać.

– Ogólnie mogę robić, co mi się spodoba – wyjaśniła z lekkim rozgoryczeniem, otwierając puszkę – ale nie z jego szkodą. To znaczy, rozumiesz, on się nie zgadza być na drugim miejscu. Jest zazdrosny o wszystko, jak o gacha, no może nie całkiem, trochę inaczej, ale chyba jeszcze gorzej. A ja zełgałam. Mogłam wracać wcześniej, ale skręciłam do „Forum", bo mnie zassało, bo chciałam pograć, ciągnęło mnie i już, i co ja ci na to poradzę!

– Nic. Ani mnie, ani sobie, ani Dominikowi. Siła wyższa i oczywiście kamień obrazy.

– Jeszcze jaki! Już by mi na pewno nie przebaczył. A mnie na nim zależy okropnie i też nic na to nie poradzę. Mówiłam ci, to tak szarpie na dwie strony.

– Mnie tego mówić nie musisz. Dzwoniłaś do niego rano?

– On dzwonił. A ja zaraz potem oddzwoniłam, że właśnie dopiero teraz zobaczyłam, że mam wyłączone, i dziwiłam się, że nikt nie dzwoni i tak dalej. Okazuje się, że też wieczorem wyłączył komórkę, bo zdenerwował się na mnie. Ty wiesz, nie, nie wiesz, nie zdążyłam ci powiedzieć, on ze mną zerwał na zawsze po tym trupie, ale potem coś w nim się załamało i okazuje się, że beze mnie nie ma życia. Musi mieć damską klatkę piersiową do płakania i moja nadaje się najlepiej. Klatka, mam na myśli. Czy nie sądzisz, że ja z nim zwariuję?

– To już ty sama powinnaś wiedzieć najlepiej...

– Z tego, co ja wiem, owszem.

– Popieram to zdanie – rzekłam bezlitośnie. – Ale zanim co, póki jeszcze psychiatra z kaftanem za tobą nie lata, bierzemy się za robotę. Mam obiekt i teraz co?

– Serca nie masz... No dobrze, jedziemy! Jak tam jest w tekście, trochę wcześniej...?

Obejrzałam wydruki, dałam jej tekst na piśmie i znalazłam właściwe strony na ekranie. Wspólnymi siłami udało nam się całą akcję bardzo ładnie posunąć do przodu. Element niezbędny, trup, leżał nam pod nosem i trzeba było już tylko upanierować go okolicznościami towarzyszącymi.

Na szantaż zgodziłyśmy się obie bez chwili namysłu, aczkolwiek wcześniej brałyśmy pod uwagę motywy uczuciowe, dążenie po trupach do stanowiska, a nawet zwykły rabunek.

– Jestem pewna, że w naturze też go rąbnęli przez szantaż – rzekłam z lekkim zakłopotaniem, przerywając pukanie w klawiaturę i mając na myśli Kocia Ptaszyńskiego. – I powiem ci, że bardzo mi się myli czas przeszły z teraźniejszym. Wcale nie wiem, czy nie wchodzą w siebie.

– Te czasy?

– Te czasy. Przedawnienie... Ale czekaj, mają być taśmy. Przedawnienie przedawnieniem, a kompromitacja zostaje...

Martusia przesiadła się bliżej mnie.

– Możesz to powiedzieć jakoś tak, żebym ja też zrozumiała?

– Spróbuję. Napad na bank na Jasnej. Słyszałaś o czymś takim?

– Nie.

Zastanowiłam się i policzyłam lata.

– No owszem, rozumiem, to było przed twoim urodzeniem, ale i tak się dziwię. Sprawa niejakiej Gorgonowej rozgrywała się przed moim urodzeniem, a jednak o niej słyszałam mnóstwo, mimo że wcale nie pracowałam w żadnych mediach. Więc sama widzisz... Zatuszowali ją dokładnie i gruntownie.

– Czekaj, niech ja nadążam. Gorgonową czy bank?

– Bank oczywiście. To był taki nasz prywatny napad stulecia, nie pamiętam, ile osób padło, ale co najmniej dwie, a możliwe, że trzy. Pozabijano strażników. Nie wiem też, ile forsy zgarnęli, ale zdaje się, że prawdy na ten temat nigdy nie ogłoszono. Sprawcy znikli jak sen jaki złoty...

– Ja dziękuję. Mogę mieć sny z jakiegoś innego metalu?

– Możesz. Bandziory to byli jakoby, ci sprawcy. Po latach, zakulisowo i mętnie, dowiedziałam się, że zorganizowali ten dowcip faceci z UB, a osobisty udział brał nasz trup.

– Który...?! Mamy dwa...!

– Ten pierwszy. Znaczy, ten mój. I Anity. I teraz mam pytanie. Jak myślisz, czy mogły się zachować jakieś taśmy, zdjęcia, cokolwiek, z tamtych czasów? Sprzed trzydziestu sześciu lat?

Martusia podniosła się z fotelika, przeszła trochę nerwowo pół mojego mieszkania, wylała resztkę piwa z puszki i przyniosła z lodówki nową. Widać było, że cały czas intensywnie myśli.

– Wiesz, ja już bym chyba wolała tego kloszarda z Montmartru – rzekła w końcu z niesmakiem, zatrzymując się wreszcie przy moim biurku. – Myślisz, że ktoś ten napad kręcił?

– Pojęcia nie mam i nie było o tym mowy, ale w tamtych czasach istniało coś takiego jak kronika filmowa. Istnieli jeszcze prawdziwi dziennikarze, szczególnie jeden, zapomniałam, jak się nazywał, ale latał z kamerą po mieście i łapał różne rzeczy. Mógł trafić przypadkiem. Pierwszy lepszy gówniarz mógł mieć przy sobie aparat fotograficzny...

– I tak by sobie pstrykał, zamiast coś zrobić...?

– Puknij się, co miał robić? Strzelanina pod bankiem, trup się gęsto ściele, a gówniarz ma coś robić...! Jeśli łeb wystawił i pstrykał z ukrycia, to i tak chwała mu za to! Ludzie się po bramach chowali! Ponadto sami mogli filmować z ukrycia, podstępnie, jedni przeciwko drugim, tam ogólna wrogość panowała. Wszystko jest możliwe i załóżmy, że było.

– To mogło zostać w archiwum – przerwała mi, ożywiając się stopniowo. – Kazali zniszczyć już dawno, ale rozumiesz, ktoś tam zniszczył coś innego, specjalnie, albo pomylił numer, i ten nasz zawładnął szczątkami...

– Palili akta i co popadło – podchwyciłam. – A szczątki, otóż to, zostały! I możemy się na tym oprzeć!

– Zaszantażował ich, nie wiem kogo...

– Wszystko jedno!

– I wykończyli go, żeby mu odebrać! I zamknąć gębę! Zaraz – zreflektowała się nagle – a jeśli on tego nie miał przy sobie?

– Toteż właśnie dlatego musimy podpalać! – przypomniałam jej z triumfem.

Kiwnąwszy kilkakrotnie głową, Martusia uruchomiła pamięć.

– Czekaj, zaraz, trzydzieści sześć lat... Ale przecież sama mówiłaś, że i później robili te rozmaite przekręty, nie? Bo zwracam ci uwagę, że musimy brać pod uwagę wiek, to nie mogą być stare próchna, takiemu nad grobem już nie zależy!

– Przeciwnie, takiemu nad grobem zależy patologicznie. Na władzy. Umrze, a władzę jeszcze chce zachować i jest to zjawisko odwieczne, którego ja osobiście nie rozumiem, ale mam pewność, że istnieje. Niemniej jednak masz rację, z próchnem won, nawet starszawy piernik powinien być przyjemny do oglądania. Policzmy sobie...

Z wielką starannością i dla pewności na papierze wyliczyłyśmy, ile też lat mogliby mieć obecnie przestępcy z ostatnich chwil minionego ustroju. Ptaszyński, jego datę urodzenia przypomniałam sobie z akt, liczył w chwili zejścia zaledwie sześćdziesiąt jeden wiosen, nawet emerytura mu jeszcze nie przysługiwała, różni inni mogli dobiegać pięćdziesiątki, a co zdolniejsi, dziedziczący styl życia po tatusiach, czterdziestki nie osiągnęli. Sam kwiat. Na dobrą sprawę mogłyśmy przebierać jak w ulęgałkach.

Tyle że, niestety, w żaden sposób nie mogłam zagwarantować, iż inicjatorzy i sprawcy napadu na bank przeszli do pracy w telewizji. Chyba nawet było to mocno wątpliwe, a pisałyśmy wszak serial o machinacjach telewizyjnych!

– To ja cię proszę, może nie opierajmy się na tym napadzie stulecia? – poprosiła Martusia trochę niepewnie. – Coś z późniejszych czasów też nam się nada.

Przerwałam pisanie w pół zdania i zastanowiłam się.

– Kto w tym naszym całym rządzie, w partiach, w sejmie, czy gdzieś tam, jest najstarszy? – spytałam z namysłem. – W telewizji też może być. Orientujesz się?

– Wiekowo mogłabym może jakoś ich ustawić, ale to co? Do czego nam oni? Ma to być szlachetna postać czy przestępca?

– Przestępca zakamuflowany. Ten właśnie z tamtych, co to tego, rozumiesz. Udało mu się zostać w cieniu, a teraz pół miasta wymorduje, żeby nie wyszło na jaw, że z Ptaszyńskim-podwładnym złoczyństwa przemytnicze wykonywał...

Cud istny, że prychnięcie piwem Martusi ominęło jakoś drukarkę. Złoczyństwa przemytnicze spodobały jej się wręcz do szaleństwa, przez długą chwilę nie mogła się uspokoić.

– No i cóż takiego, skrót myślowy, wielkie rzeczy – powiedziałam z irytacją. – Co ja ci tu mam łopatologię stosować!

– Uwielbiam twoje skróty myślowe! Złoczyństwa przemytnicze, zapamiętam to sobie...

– Nie muszą być koniecznie przemytnicze – zezwoliłam łaskawie. – Czekaj, bo ja myślę o takim... jakże on się nazywał? Telewizyjne bóstwo, powinnaś wiedzieć, Szczepański chyba...? Był taki?

– Był. Zgadza się.

– No i on właśnie po perskich dywanach w butach chodził...

– Gdyby chodził bez butów, zostałby, jak sądzę, dokładniej zapamiętany?

– Rzecz w tym, że w zabłoconych. Uwielbiał podobno. Im większy gnój miał na tych kopytach, tym większe szczęście z niego biło, może nawet specjalnie w różne gówna wdeptywał, żeby mieć pokarm dla dywanów...

– Joanna, przestań! Zadławisz mnie, przełknąć nie mam kiedy!

– Nie przełykaj chwilowo. Czekaj, nie o niego mi chodzi. Znana postać i chyba go już diabli wzięli, więc na co nam, ale pętał się koło niego taki cichutki piesek, jak mu było, Pętak...? Płucko...? Pyłek...?

– Kwiatowy! – zawyła Martusia.

– Ty młoda jesteś, nie masz osobistego stosunku do czasów – powiedziałam z niezadowoleniem. – Ten Pucek... nie, to imię dla psa, zbyt szlachetne... Może Pupek... No, wszystko jedno, ale młodszy był wtedy, taki niewidzialny i niesłyszalny, skromna gnidka, a skąd wiesz, czy on nie zmienił nazwiska i teraz we władzach telewizyjnych nie siedzi? Nawet nie na świeczniku, tylko jako doradca, wtedy też robił za coś w rodzaju doradcy, nikt nawet o nim nie wie, a gorszy niż ten, jak on się nazywał, ojciec Józef, szara eminencja kardynała Richelieu, i tak samo się rzuca w oczy...

Rozterka Martusi wręcz zabrzęczała w powietrzu.

– Pasuje, owszem, ale słuchaj, co my piszemy? Utwór historyczny czy współczesny? Kardynał Richelieu to dla mnie za dużo, opanuj się, ja cię proszę!

– Lubię historię – powiedziałam stanowczo.

– To sobie lub, ale nie do tego stopnia! Z drugiej strony to doradztwo się zgadza, sama podejrzewam takie uszne podszepty...

– Istnieją podszepty nie uszne?

Do tematu mogłyśmy wrócić dopiero po bardzo długiej chwili, kiedy anatomia przestała nam już wchodzić w paradę. Cały dowcip leżał w tym, że myślało nam się albo zbyt szybko, albo wcale, a przy zbyt szybko słowa nie nadążały.

Nie jest wykluczone, że udało nam się stworzyć nowy język, nieistniejący na świecie, który, niestety, nie został utrwalony, ponieważ w pośpiechu umknął nam z pamięci.

– No dobrze – powiedziała wreszcie Marta. – I na co nam ten Pipek? On może nawet jest prawdziwy, ale co z nim zrobimy?

W tym momencie odezwał się brzęczyk w domofonie.

– Kto to? – spytała Marta.

– Nie mam pojęcia – odparłam, idąc do przedpokoju i zwalniając zamek. – Nie chodzi o to, żeby koniecznie z nim. Ale jakaś podobna postać jest naszym przestępcą, zaraz, zapomniałam, Łukasz czy Marek...?

Ktoś wszedł do domu, usłyszałam szczęknięcie. Z reguły nie zadawałam głupich pytań w rodzaju: „kto tam?", ponieważ, niewiadomo dlaczego, dzwonili do mnie wszyscy. Dzieci i goście sąsiadów, listonosz, pracownicy administracji, właściwie każdy, i dawno przestało mnie interesować, kto do kogo idzie.

– Oszalałaś, zbrodniarza jeszcze nie mamy – zaprotestowała z oburzeniem Marta. – Do tej pory stawiałyśmy na, zaraz, co to miało być, a, na mściwą miłość! Poza tym, oni obaj za młodzi! Ale powiem ci, że ten szantaż bardziej mi się podoba. Poważniej wygląda.

– No to szukaj Płucka...

U drzwi odezwał się gong. Otworzyłam, również bez żadnych pytań, nastawiona na uprzejmą informację, że numer dwadzieścia cztery znajduje się w oficynie i ten ktoś niepotrzebnie leciał na trzecie piętro. Otworzyłam i prawie skamieniałam.

Stał przede mną facet-szał. Po męsku piękny, elegancko ubrany, wiekiem do mnie zbliżony, ale co z tego, za moimi plecami znajdowała się Martusia, o dwadzieścia lat ode mnie młodsza, której jakieś słowa zamarły na ustach, aczkolwiek osobnik za drzwiami nie miał żadnej brody, ogolony był normalnie. Nie blondyn, ciemnowłosy. Oblicze przyozdabiał uprzejmym uśmiechem.

O, żadne takie! W życiu się więcej nie dam narwać, sam Apollo Belwederski mógł mi się kłaniać w progu, obojętne w jakim stroju, a choćby nawet i bez. Co nie przeszkadzało potraktować go życzliwie.

– Pan do kogo? – spytałam grzecznie.

Za sobą usłyszałam coś pośredniego między świśnięciem a jękiem. Odwróciłam się.

– No i czego? – spytałam z urazą. – Przecież nie ma brody?

– Ale mógłby zapuścić, nie? – odparła natychmiast Martusia.

Odruchowo zupełnie obie utkwiłyśmy w nim wzrok prawdopodobnie pytający. Facet jakby nie słyszał.

– Do pani Joanny Chmielewskiej – odpowiedział na moje pierwsze pytanie.

Nie zamierzałam się ukrywać.

– To ja. Słucham pana.

– Podinspektor policji, Cezary Błoński. Służę legitymacją.

Popatrzyłam na zaprezentowany mi dokument bez wielkiego skupienia, bo i tak nigdy nie widziałam prawdziwej legitymacji policyjnej. Mógł mi pokazać cokolwiek. Kiwnęłam głową i czekałam na ciąg dalszy.

– Czy mógłbym zająć pani chwilę czasu i trochę porozmawiać?

– Z policją zawsze. Uparcie was kocham, chociaż coraz bardziej bez wzajemności. I nawet pomimo tych wszystkich idiotyzmów, które popełniacie, niekoniecznie z własnej winy. Proszę bardzo.

Wszedł za mną do pokoju, zawahał się jakby odrobinę i spojrzał na Martusię.

– Ja też się mogę przedstawić – oznajmiła pośpiesznie. – A poza tym co? Mam wyjść?

– Niech pan się od razu pozbędzie złudzeń – ostrzegłam życzliwie, zanim zdążył odpowiedzieć. – Ja i tak jej wszystko powiem, jak tylko pan wyjdzie. Jesteśmy akurat ściśle powiązane wspólną pracą o podłożu kryminalnym i wszystko, co pan powie, może się dla nas okazać bezcenne.

Gadatliwy nie był, to pewne. Złożył coś w rodzaju lekkiego, przyzwalającego ukłonu i usiadł, odczekawszy, aż my obie też usiądziemy. Znaczy, dobrze wychowany. Wyraz twarzy miał ciągle ten sam, uprzejmy uśmiech i nic więcej.

– Znała pani niejakiego Konstantego Ptaszyńskiego? – zaczął bez żadnych wstępnych ozdobników i zaczekał na odpowiedź.

– Nie wiem – odparłam bez namysłu, skrywając podejrzane gorąco, jakie ogarnęło mnie błyskawicznie, na szczęście w środku, a nie na zewnątrz. – Powinnam chyba powiedzieć, że tak, ale to by nie była sama prawda. W życiu z nim nie rozmawiałam i znałam go jakby podwójnie. Oddzielnie nazwisko i oddzielnie człowieka.

– Może to pani wyjaśnić dokładniej?

– Bardzo chętnie. Człowieka znałam z twarzy, z wyścigów, i przypadkiem usłyszałam, że mówią o nim Słodki Kocio. Nic mnie to nie obchodziło, a widywałam go tam, na tych wyścigach, nie systematycznie, a za to przez parę lat. Z drugiej strony znałam dość dokładnie Konstantego Ptaszyńskiego, przestępcę, z akt prokuratora, i nie miałam pojęcia, że to jest jeden i ten sam człowiek.

– Teraz pani to wie. Skąd?

O, do licha! Od Anity. To ona wywołała we mnie skojarzenie. Mam ją wrobić, czy zacząć coś kręcić...?

Zdecydowałam się mówić prawdę i zawahałam się, bo ta prawda też wyglądała jakoś dziwnie. Nie Anita przecież powiedziała mi, że Ptaszyński to Słodki Kocio, tylko we mnie samej coś zaskoczyło. Powiązały mi się rozmaite elementy i właściwie jednoosobowość tych dwóch facetów stała się moim osobistym wnioskiem. A jeżeli się mylę...? I jego zwłok w hotelu przecież nie było...?

Znalazłam wreszcie właściwe słowo.

– Zgadłam. Można powiedzieć, w olśnieniu. Bardzo niedawno.

Niezmiernie piękny Cezary zastanawiał się przez chwilę.

– A kiedy czytała pani akta prokuratora?

– Co najmniej dwadzieścia lat temu.

– I w owym czasie widywała pani Ptaszyńskiego?

– W owym czasie i nieco później. Na wyścigach bywał przez kilka lat, a rozumie pan chyba, że nie poświęciłam kilku lat na tę jedną lekturę.

– Widywała go pani tylko na wyścigach?

– Raz go widziałam w sądzie. Ale wciąż jeszcze nie kojarzyłam gęby z nazwiskiem.

Podinspektor Błoński odrobinę jakby rozszerzył uprzejmy uśmiech. Najwidoczniej spodobała mu się moja wizyta w sądzie.

– Przypomina pani sobie, co to była za sprawa?

– Owszem, pamiętam. Idiotyczna pyskówka, która stanowiła, albo miała stanowić, przykrywkę dla jakichś rozgrywek partyjnych, wszystko tam było uchylane i omijane, sensu nie miało za grosz, przynajmniej na oko, a o co chodziło naprawdę, nigdy nie potrafiłam zrozumieć.

– Ale pamięta pani może, kiedy to było? Ewentualnie nazwiska stron?

Nagle poczułam się zainteresowana do głębi. Ciekawa rzecz, czyżby teraz miały wyjść na jaw stare, krew w żyłach mrożące tajemnice? Dawno już machnęłam na nie ręką i niemal przestałam wierzyć w ich istnienie, a tu okazuje się, że przetrwały aż do teraźniejszości. Piknęło mi lekko gdzieś tam, w zakamarkach charakteru, a wewnętrzne gorąco zelżało.

Martusia usiłowała siedzieć tak, jakby jej wcale nie było. Podniosłam się z fotela.

– Jeśli zaczeka pan chwilę, odpowiem panu całkiem dokładnie, tylko muszę znaleźć kalendarzyk z właściwego roku. Wiem, gdzie jest. Momencik.

Prawie wszystkie kalendarzyki Domu Książki od czterdziestu paru lat przechowywałam starannie i trzymałam w jednym określonym miejscu, nawet ułożone mniej więcej w kolejności. Lubiłam je i wciąż jeszcze stanowiły dla mnie źródło rozmaitej wiedzy. Stęknąwszy zaledwie raz, wyciągnęłam pudło i postawiłam na tapczanie.

Nie upłynęły trzy minuty, a już znalazłam właściwy.

– Proszę bardzo – powiedziałam z satysfakcją, wracając na fotel. – Dziewiątego października osiemdziesiątego drugiego roku o jedenastej trzydzieści, sala numer trzysta sześćdziesiąt cztery. To była właśnie ta rozprawa. Ciągnęła się dłużej, ale ja na nią więcej nie poszłam, bo wydała mi się idiotyczna nie do zniesienia. Wtedy właśnie widziałam tego faceta, który dla mnie nazywał się Słodki Kocio. Miano z wyścigów. Znam też nazwisko jednej ze stron, Bożydar Górniak, tego drugiego nie pamiętam. Wypłosz może albo Chudzielec... coś takiego nędznego, nazwisko mam na myśli.

– Pana Bożydara Górniaka pani dobrze znała?

Przestałam robić za słodką idiotkę. Odłożyłam kalendarzyk i przyjrzałam się pięknemu Cezaremu z politowaniem.

– Skoro pan tu jest i zadaje mi te pytania – zauważyłam dość cierpko – wie pan doskonale, że niejaki Bożydar Górniak przez ładnych parę lat był moim tak zwanym partnerem życiowym i o mało za niego za mąż nie wyszłam. Pohamowały mnie wyłącznie przepisy mieszkaniowe.

Wcale się nawet nie zakłopotał. Śmiało mógł występować jako posąg z kamienia.

– Wnioskuję z tego, że znała go pani raczej dobrze. Czy może mi pani podać jego adres? Nie oficjalny, tylko prawdziwy.

Zdziwiłam się trochę.

– W jakim sensie? Znam tylko ten dawny...

– Nie, rzecz w tym, że pod dawnym, a zarazem obecnym adresem w ogóle się nie pojawia. Przebywa gdzie indziej. Gdzie?

– A, że przebywa gdzie indziej, to wiem, ale nie mam pojęcia gdzie. Gdzieś poza Warszawą. Od lat go nie widziałam. Jedyne, co panu mogę podać, to nazwisko, adres i telefon osoby, która wie. Możliwe, że istnieje więcej osób, które wiedzą, ale ja znam tylko jedną.

– Bardzo proszę.

Wyciągnęłam z kolei notes i bez najmniejszego wahania wrobiłam osobę. Osobie to nic absolutnie nie mogło zaszkodzić, a myśl, że dzięki niej osiągną Bożydara i uczepią się go w jakikolwiek sposób, sprawiała mi jadowitą radość. Nigdy nie zdołałam odegrać się na nim za udręki, jakich mi przyczyniał, a prawdę mówiąc, to jego właśnie straciłam przez hazard.

Kamienny wizerunek męskiej urody zapisał sobie starannie wszystkie dane i odrobinę zredukował uprzejmy uśmiech. W trakcie tych naszych czynności służbowych ruszyła się Martusia.

– Czy to będzie bardzo nietaktownie, jeśli ja sobie wezmę jeszcze jedno piwo? – spytała cichutko.

– Nie będzie, możesz wziąć – przyzwoliłam.

– A może pan też...?

– Nie, dziękuję – odparł podinspektor i z góry byłam pewna, że odmówi. Jest na służbie i kropli wody do ust nie weźmie, a co tu mówić o normalnych napojach. Ponadto, gdybym się nie wyrwała z odpowiedzią pierwsza, może by i Marcie zabronił.

Zdążyła wrócić z puszką, zanim padło następne pytanie.

– Czy pamięta pani może jakichś przyjaciół albo bliskich znajomych pana Górniaka?

– Nigdy ich nie znałam, więc raczej mi trudno pamiętać – odparłam nieco zgryźliwie. – Pan Górniak był zawsze wściekle tajemniczy, a ja wściekle taktowna, ale tyle wiem, że Ptaszyńskiego znał. Napomykał o nim bardzo mętnie.

– Co mówił?

Przyjrzałam mu się krytycznie.

– Pan zna osobiście pana Górniaka?

Zaskoczenie i dezaprobatę wyraził uniesieniem brwi o jakieś pół milimetra.

– Przepraszam panią bardzo, ale to ja tu...

– Wiem, to pan tu zadaje pytania, a ja mam tylko odpowiadać. Proszę bardzo, chociaż znajdujemy się na terenie prywatnym. Ale rzecz w tym, że jeśli pan go nie zna, będę musiała ględzić obszerniej i strasznie dużo wyjaśniać, jeśli natomiast pan go zna, zrozumie mnie pan w pół słowa. Dlatego pytam.

– Wolę, żeby pani odpowiadała obszerniej.

Westchnęłam ciężko.

– No to odcierpi pan swoje. Pan Górniak w ogóle nie mówił. On tylko napomykał, dawał do zrozumienia, nasuwał wątpliwości, odpowiedzi udzielał pytaniami i różne inne podobne sztuki stosował. Należało sobie dedukować, a w dodatku nigdy nie potwierdzał słuszności tych dedukcji. Gdyby pan go zapytał na przykład, jak się piecze chleb, on by pana zapytał nawzajem, czy pan wie, jak wygląda żyto. Ewentualnie kukurydza, z kukurydzy też się robi mąkę. Gdyby pan pokazał palcem jakiegoś człowieka i spytał, czy on go zna, dowiedziałby się pan, że ogólnie na świecie zna się wzajemnie mnóstwo ludzi. I tak dalej. Ja byłam zdolna dziewczynka i nauczyłam się w końcu coś z tego rozumieć, ale ile się namęczyłam, ludzkie słowo nie opisze. A jeśli mu się coś nie podobało, słowa nie mówił, tylko patrzył w dal i miał nieodgadniony wyraz twarzy. Jeszcze bardziej niż pan, pan ma przynajmniej odgadniony.

Gdzieś tam z tyłu za moim ramieniem Martusia cichutko jęknęła. Podinspektor zmienił układ oblicza, grzeczny uśmiech zastąpił wyrazem grzecznego zainteresowania. Gdyby miał lustro przed sobą, nie wyszłoby mu lepiej, musiał chyba długo ćwiczyć.

– Co pani chce przez to powiedzieć?

– Proste, przyszedł pan przecież, żeby mnie przesłuchać, nie? Może jestem podejrzana? Na wszelki wypadek woli pan, żebym się nie połapała, o co tu w ogóle może chodzić, nie wie pan, co ja wiem, natomiast wie pan, że ja nie wiem, co pan wie, i przede wszystkim nie chce pan, żebym wiedziała, czego pan nie wie, więc okiem pan nie mrugnie, choćbym panu wyjawiła, że właśnie bomba cyka pod łóżkiem prezydenta. Zatem wyraz twarzy ma pan odgadniony. To miałam na myśli.

– Wolałbym więcej usłyszeć o wyrazie twarzy pana Górniaka.

– Niekiedy miewał nieodgadniony myląco. A co do Ptaszyńskiego, to minęli się na korytarzu sądowym i Ptaszyński popatrzył na niego z dziką nienawiścią, a Bożydar udawał, że go wcale nie widzi. Więc zapytałam, czy go zna, na co odpowiedział, że możliwe. Musiał w nim szaleć jakiś pożar uczuć, skoro wyraził się tak jasno. Później, w długim i skomplikowanym gadaniu, dorozumiałam się, że Ptaszyński to bandzior, z tym że ani razu nie padło jego nazwisko, dla mnie uparcie był to Słodki Kocio z wyścigów i takiego określenia używałam. Za to pan Górniak wywlókł ze mnie wszystko o Słodkim Kociu, co robił, co grał, wygrywał czy przegrywał, z kim rozmawiał bodaj przez chwilę, gdzie się pętał i tak dalej. Przyszło mu to z łatwością, bo o wyścigach rozmawiałam bardzo chętnie i w tamtych czasach pamiętałam każdy szczegół. Teraz już nie. Też chcę piwa. Denerwujące chwile wspominam i coś mnie musi podtrzymać na duchu.

Sięgnęłam po puszkę piwa Martusi i dolałam do swojej szklanki. Przez Bożydara od razu zrobiłam się zła, chociaż od lat już o nim w ogóle nie myślałam.

– Pan Górniak często bywał w Warszawie, chociaż nie odwiedzał swojego mieszkania – rzekł beznamiętnym tonem piękny Cezary, nie protestując przeciwko napojowi. Pewnie miał nadzieję, że się tym piwem upiję i powiem coś więcej. Optymista, nie wiem, jak miałam się upić jedną puszką, a tym bardziej połową. – Jak często i gdzie się zatrzymywał?

– Nie mam zielonego pojęcia. Od osoby, którą tu pan sobie zapisał, słyszałam, że raczej rzadko. A zatrzymywać się mógł wszędzie. W pełni był zdolny do tego, żeby sypiać na przykład na działkach. Nawet w zimie. Był odporny na wybryki temperatury.

Coś w tym kamiennym posągu pojawiło się takiego, co można by uznać za lekką zmianę. Nie w nim samym nawet, a w atmosferze, niewidoczne dla oka, wyczuwalne jednakże dla czujnej duszy. Jakby się zaczął śpieszyć do zapisanej osoby. Mimo to następne pytanie zadał równie spokojnie, jak poprzednie.

– A czy znała pani Stefana Trupskiego?

Nawet przez ułamek sekundy nie musiałam się zastanawiać. Takiego nazwiska nie mogłabym zapomnieć.

– Z całą pewnością nie. Pierwsze słyszę.

– Może znów nie kojarzy pani nazwiska z osobą...?

– A, to możliwe. Skąd na przykład mam wiedzieć, czy przypadkiem facet w stacji benzynowej nie nazywał się Trupski? Albo szewc, który mi fleki przybijał? Albo jakiś z kasyna? Musiałby mi pan fotografię pokazać.

Bezwiednie zupełnie użyłam czasu przeszłego. Żadna myśl we mnie nie zakwitła, ale przez Słodkiego Kocia wydawało mi się jakoś, że uparcie rozmawiamy o przeszłości. Piękny podinspektor nie skorygował mnie. Ten jakiś jego niedostrzegalny pośpiech wciąż dawało się wyczuć, ale do kieszeni sięgnął ruchem umiarkowanym. Wyjął kilka zdjęć i pokazał mi jedno.

Nie, tej twarzy nie znałam. Idealnie przeciętna, skojarzyła mi się z opisem Martusi, wziętym od Dominika, proporcjonalnie okrągła, bez znaków szczególnych, mogłam ją nawet widzieć i kompletnie nie zwrócić uwagi. O znajomości w ogóle nie było co gadać.

Pokręciłam głową.

– Bardzo mi przykro. Obce wszystko, i nazwisko, i gęba.

– A kiedy pani była ostatnio w hotelu Marriott? – spytał na to uprzejmie, odbierając mi zdjęcie, które Martusia też zdążyła obejrzeć.

Cholera. To jednak dochodzimy do trupa. Martusia za mną wypuściła z siebie powietrze z jakimś takim podmuchem, który poczułam na szyi. Kamienny posąg pozornie nie zwracał na nią żadnej uwagi, jakby stanowiła u mnie ruchomą dekorację mieszkania. Ozdobny wiatraczek wentylacyjny albo co.

Postanowiłam trzymać się, jak długo zdołam, i nie pomagać mu wcale.

– We wtorek, zaraz, którego to...? – przechyliłam się i spojrzałam na kalendarz – dziewiętnastego, o godzinie osiemnastej... nie, trochę przed osiemnastą.

– I co pani tam robiła?

– Spotkałam się z niejaką Anitą Larsen, moją przyjaciółką.

– I nikogo znajomego pani tam nie widziała, nawet przelotnie?

Pomilczałam sobie troszeczkę. Marta za moim ramieniem przestała oddychać.

– Zaraz, proszę pana, nie w takim galopie – rzekłam wreszcie. – Zaoszczędzę panu głupkowatej odpowiedzi, że owszem, widziałam Anitę, ale muszę się zastanowić...

O tak, z pewnością musiałam się zastanowić. Piękny Cezary obudził we mnie ducha przekory, pień emocjonalny, nie człowiek, z przyjemnością ograniczyłabym się do idealnie ścisłych odpowiedzi na jego pytania, z czego zyskałby to, co pokrywa rozmaite południowe wyspy, mianowicie ptasie guano. Pod przysięgą mogłam zeznać, że nikt znajomy i żywy w oko mi nie wpadł, a pytał wszak zapewne o żywych znajomych, nie o martwych...? Ponadto Słodkiego Kocia miałam prawo nie poznać i krótko odpowiedzieć, że nie. I niechby się wypchał trocinami i kryształem w drobnym proszku.

Nie wspominając już o tym, że w tym pokoju mogło mnie w ogóle nie być. Nikt mnie tam nie widział. Wyprzeć się i cześć, tak jak w pierwszej chwili postanowiłam, wyjątkowo i raz w życiu kierując się rozsądkiem.

Nie pozwoliły mi na to dwa drobiazgi. Jeden, to cholerny Dominik, wmieszany w ten cały interes niepotrzebnie, myląco i zupełnie kretyńsko, a drugi, to te dwa numery samochodów, podane mi przez Anitę. W gruncie rzeczy nie lubię przestępców, szczególnie wysoko postawionych, a może, ukrywając informację, ułatwię im życie? Po czym odwdzięczą mi się jakimś świństwem, włamaniem, kradzieżą samochodu albo zgoła rozbiciem łba...

Wahałam się jeszcze przez chwilę. Praworządność z wielkim wysiłkiem przeważyła.

– Ciekawa jestem, co mi grozi za nieujawnienie trupa? Pozwoli pan, że sięgnę po kodeks? Karny to chyba powinien być...

Już się podnosiłam, kiedy mnie powstrzymał.

– Niech się pani nie fatyguje. Jeśli jest pani pewna, że nie zostało popełnione zabójstwo...

– Przeciwnie, jestem pewna, że zostało popełnione.

Podinspektor patrzył na mnie wzrokiem kamiennie pytającym z naciskiem, który mógł obniżyć szczyty Alp.

– No to teraz już chyba nie ma siły, musisz mu wszystko powiedzieć – nie wytrzymała wreszcie Marta. – Przecież on był nieżywy i cały czas jest o nim gadanie...

Zdenerwowałam się.

– No pewnie, że mu w końcu wszystko powiem, ale chciałam najpierw zobaczyć, o co mnie jeszcze zapyta i jak dojdzie do sedna rzeczy! No dobrze, usłyszeć, ty nie bądź taka drobiazgowa!

– Przecież nic nie mówię...?

– Ale myślisz!

– Nie myślę! – zapewniła Marta z wielką mocą. – Tego się po mnie nie spodziewaj! W takiej chwili...!

– No to pan major myśli.

– Skąd wiesz, że major? Mówił co innego! Pod coś tam!

– Nauczyłam się trochę tej nowej nomenklatury, podinspektor to major albo podpułkownik. Podpułkownik by tu osobiście nie przychodził, oni są na ogół grubi i nieruchawi. Major brzmi przyjemniej.

– Wszyscy...?

– Co wszyscy?

– Są grubi i nieruchawi?

Błysnęło mi wspomnienie.

– No nie, nie wszyscy. Jeden był nieduży i chudziutki, a jeden bardzo przystojny i o...! Brodaty!

– Jest do niego jakiś dostęp...?

– Na co ci, starszy ode mnie!

– No dobrze, to się jeszcze zastanowię...

Kamień w ludzkiej, urodziwej postaci przeczekiwał to wszystko, jakby był głuchy. Idealnie spokojnym głosem powtórzył pytanie, czy widziałam kogoś znajomego.

– Otóż właśnie zbił mnie pan z pantałyku – powiedziałam z irytacją. – Chciałam o tym w ogóle nie mówić, bo głupio mnie pan pyta, a ja się może naraziłam kodeksowi. A, zaraz, może wpadłam w histerię? Histeria jest dozwolona.

– W każdym razie nie jest karalna...

– No więc dobrze, wpadłam. A jeszcze do tego pan mi nie uwierzy, bo go przecież wywieźli. A nie, zaraz, Marta świadkiem! No i Anita... No dobrze, widziałam. Ptaszyńskiego.

– Co Ptaszyńskiego? Widziała pani Ptaszyńskiego?

– Widziałam. Ale ciągle jeszcze myślałam, że jest to Słodki Kocio.

– Gdzie go pani widziała?

– W pokoju dwa tysiące trzysta dwadzieścia osiem – wyznałam ponuro. – Dokładnie nad moją przyjaciółką Anitą.

– I co robił?

– Nic. Leżał.

Nawet i teraz okiem cholernik nie mrugnął, brwią nie ruszył.

– W jakim sensie leżał? Gdzie leżał? Spał? Zechce pani powiedzieć to dokładniej.

Wciąż miałam okropną ochotę zrobić mu na przekór i cykać ścisłymi odpowiedziami, możliwie krótkimi, ale bałam się, że Marta znów nie wytrzyma.

– No dobrze, leżał na podłodze i był nieżywy.

– Proszę...?

– No wyraźnie chyba mówię, nie? Chociaż niechętnie. Leżał na podłodze i był nieżywy.

– Kiedy go pani widziała na tej podłodze? O osiemnastej?

– Trochę przed.

– Widziała go pani nieżywego przed osiemnastą?!

– Jak w pysk dał. Równiutko za piętnaście szósta, bo tak byłam umówiona z Anitą, a ja jestem punktualna. Do pokoju dwa tysiące trzysta dwadzieścia osiem weszłam przez pomyłkę i on tam leżał, moim zdaniem zastrzelony, na wznak, martwy kompletnie. Twarz było widać i przyjrzałam się dokładnie.

Teraz wreszcie odrobinę go ruszyło. W granitowy posąg wstąpiło życie i cień jakichś ludzkich uczuć. Zdumienie, zaskoczenie, zainteresowanie, wszystkiego tyle co kot napłakał, ale jednak dało się zauważyć.

Kazał mi powtórzyć wszystko jeszcze raz, upewniając się kilkakrotnie co do godziny. Musiałam sprecyzować objawy martwoty, co skłoniło Martusię do skoku po kolejne piwo. Major Cezary Piękny przestał się śpieszyć, nieżywego Ptaszyńskiego uczepił się jak rzep psiego ogona. Poszłam na całość, Anita, ostatecznie, miała duńskie obywatelstwo i nic jej nie mogli zrobić, a nie wątpiłam, że duńskiej policji o spotkaniu z nieboszczykiem chętnie opowie. Ten tam jakiś Stefan Trupski poszedł w zapomnienie.

– Wywieźli go stamtąd – kontynuowałam. – To wiem od Anity, powiedziała przez telefon. Około wpół do dwunastej, tak mówiła, dwóch silnych go zabrało, symulując opiekę nad przyjacielem na bani albo pobitym. Anita lubi dużo wiedzieć, to dziennikarka, zjechała na dół i widziała wyjeżdżające z garażu dwa samochody, nie razem, oddzielnie, mamy zapisane numery. Martusia, gdzie to zapisałaś?

No i zaczęło się. Papierów na moim stole leżało mnóstwo, bardziej był to stół do pracy niż dla gości. Musiałyśmy obejrzeć każdy świstek, żeby wreszcie stwierdzić, iż upragniona informacja znalazła się na poleceniu przelewu na konto agencji ubezpieczeniowej, którego dokonałam przez telefon, więc papier mi został, pomiędzy nowym numerem telefonu

Marty Klubowicz a tłumaczami Dickensa z lat 49 i 71. Podałam mu, zapisał sobie na wszelki wypadek, ostrzeżony, iż komunikat może nie mieć sensu. Intuicja Anity czasem się sprawdza, a czasem nie.

Następnie pozastanawiał się chwilę, zmieniwszy wyraz twarzy o tyle, że odrobineczkę zmarszczył brwi.

– Jest pani pewna tego wszystkiego? – spytał w końcu.

– Granitowo.

– Dlaczego pani od razu kogoś nie zawiadomiła?

– No to przecież mówiłam panu! Śpieszyłam się cholernie... A, nie, przepraszam, wpadłam w histerię i nie uwierzyłam własnym oczom... Jeszcze się nad tym zastanowię, bo może się tylko śmiertelnie przestraszyłam. A potem ten cały Ptaszyński wyleciał mi z głowy, pracą się zajęłam! I nie była to taka świetlana postać, żebym miałam pogrążyć się w nieutulonym żalu na dwie doby! I jeszcze powiem panu więcej...

Pomyślałam, że skoro Marta akurat tu jest, moglibyśmy załatwić za jednym zamachem także i drugiego trupa, a przy okazji alibi Dominika. Niech on mi wreszcie spadnie z głowy. A w ogóle dowiedzieć się czegoś...

– ...pod warunkiem że pan też coś powie – ciągnęłam. – Kto to był, ten drugi trup, odnaleziony rano?

Cezary Piękny milczał chwilę, w środku zapewne miał wahanie, ale postarał się go nie ujawnić.

– Owszem, powiem – zdecydował się. – Niejaki Antoni Lipczak.

– Tyle wiemy – skrzywiłam się i chciałam rozbudować pytanie, ale przerwał mi błyskawicznie.

– Skąd?!

– O, masz...! – jęknęła Martusia. – Słuchaj, ja całego warsztatu pracy w celi nie zmieszczę...!

Zlekceważyłam jej obawy bezlitośnie.

– Widziała go tu obecna świadkini – wskazałam Martę – i nic nie mogłyśmy zrozumieć, bo zalęgły się nam z tego dwa trupy. Co ma piernik do wiatraka? W tym samym pokoju, tego samego dnia...

Nasz rozmówca-kamień znów mi przerwał, nad wyraz uprzejmie.

– Jest to dość skomplikowana sprawa, a informacje pań są bardzo cenne, ponieważ w pierwszej chwili zaistniało podejrzenie, że to Ptaszyński zabił Lipczaka. Skoro jednak Ptaszyński stracił życie wcześniej...

– Z całą absolutną pewnością i mogę na to przysięgać w dowolnym miejscu, i na wszystko, co pan chce – powiedziałam z naciskiem, bo urwał, patrząc na mnie pytająco. – Czas zejścia nieznanego mi Lipczaka lekarz stwierdził dość kategorycznie, to przypadkiem wiemy, Ptaszyński zatem odpada, a przy okazji odpada gość z pokoju obok, którego obie doskonale znamy. Martusia, wyjaśnij panu.

Resztę czasu pan major poświęcił maglowaniu Martusi, która powiedziała wszystko, omijając tylko starannie swoje perturbacje uczuciowe. Rzuciła mu na pastwę Tycia, który miał zaświadczyć, iż Dominik żadnych skłonności zbrodniczych nie przejawiał, a jeśli w owej chwili jakiekolwiek, to tylko w stosunku do niej. Podinspektor Błoński robił wrażenie, że rozumie, co się do niego mówi, po czym pożegnał nas wreszcie, równie kamienny, jak w chwili powitania. Tajemniczy głos w duszy informował mnie, że teraz poleciał łapać osobę, która zbliżyłaby go do Bożydara.

– No wiesz! – powiedziała Marta, ochłonąwszy nieco i przygarnąwszy do łona następną puszkę piwa, jaką jej przyniosłam po zamknięciu drzwi. – Ale Czaruś...! Ja wiedziałam, że wizyty u ciebie przebiegają czasem rozrywkowo, nie sądziłam jednak, że do tego stopnia! Co to w ogóle było?! Produkt sztuczny? Oni wszyscy tacy...?!

– Najwidoczniej żadna z nas nie była w jego typie – odparłam z westchnieniem. – Może lubi tylko młode, tłuste brunetki.

– Fu! – prychnęła Martusia z przekonaniem.

– *De gustibus non est disputandum*. Może garbate...? Albo Horpyny...?

– Swoją drogą chłopak jak brzytwa, ale wał. Przeciwpowodziowy.

– Martusia, nie wyrażaj się. My się lepiej zastanówmy, co nam to daje. Wykryło się mnóstwo i miejmy z tego jakiś pożytek zawodowy!

Usiadłam znów przy komputerze, Marta przyniosła sobie stare krzesło turystyczne, nieco wyższe niż fotelik, żeby móc mi patrzeć na ręce. Obie zaprzątnięte byłyśmy jeszcze wizytą pana majora.

Niby wszystko było w porządku, przyleciał do mnie, bo dowiedział się, że byłam w Marriotcie, żadna sztuka, obsługa mnie tam znała. Możliwe jednak, że przyleciałby i bez tego ze względu na Bożydara. Bożydar musiał zajmować się tym Ptaszyńskim bardziej, niż kiedyś sądziłam, znał rozmaite układy, niewątpliwie znał i jego protektorów, gdyby teraz Słodki Kocio któryś tam raz w swojej karierze okazał się zabójcą, przez Bożydara chcieliby do niego dotrzeć. Tymczasem chała, Słodki Kocio padł trupem wcześniej...

Namieszałam im chyba tą informacją nieziemsko...

Dziwne było, że powiedział nam o Lipczaku. Nie dla naszej przyjemności, to pewne. Musiał chyba myśleć, że obie łżemy, coś o nim słyszałyśmy, wiadomość nami wstrząśnie i jakaś prawda nam się wyrwie. Ponadto koncepcja mu się zawaliła i może sam był trochę rozdygotany, z wierzchu nic, a w środku wulkan, informacja zaś była o tyle nieszkodliwa, że nazwisko ofiary nie stanowiło tajemnicy, znał je cały personel hotelowy. Mogłyśmy się tego dowiedzieć nawet przez telefon.

Co oni zrobili ze zwłokami Słodkiego Kocia...?

– No! – pogoniła niecierpliwie Martusia. – Wyciągajmy jakieś wnioski! Będziemy go podrywać?

– Kogo...?! – przeraziłam się, bo oczyma duszy widziałam właśnie szczątki Słodkiego Kocia, rozpuszczane w kwasie solnym i zalewane betonem, a zarazem jego samego, jak jeszcze był żywy. Przez moment wydawało mi się, że ona proponuje mi jakąś makabrę albo też pętlą czasową wróciła przeszłość.

– No, tego. Czarusia kamiennego. Gdyby zapuścił brodę, ja się piszę.

– Ja nie. Za nic w świecie. Jego też musiały szkolić służby specjalne, nie chcę więcej takich. Jeśli już koniecznie chcesz wiedzieć, oni nawet w łóżku pilnują, żeby nic po sobie nie pokazać!

– Nie żartuj! – zaniepokoiła się Martusia. – Skąd wiesz?

– Z doświadczenia.

– To jak on się, taki ten jakiś, zachowuje? Jak przyuczony robot?

– Mniej więcej. Wymierza sobie, co i kiedy, i oddech reguluje naukowo.

Martę zainteresowało to nadzwyczajnie, szczególnie ta naukowa regulacja oddechu. Dotychczas miała w życiu do czynienia z prawdziwymi ludźmi i taki sztuczny ją zaciekawił, na szczęście nie do tego stopnia, żeby miała wylecieć z mojego domu i gonić podinspektora po ulicy. Uspokoiłam ją wreszcie przypomnieniem, że piszemy scenariusz kryminalny, a nie dzieło o seksie.

– No dobrze, to na czym stanęłyśmy, jak nam Czaruś przeszkodził?

– Na szantażu, primo. A secundo, na Pipku telewizyjnym. Tertio zaś mamy superatę w postaci Lipczaka. Niepotrzebnie zdenerwowali nim Dominika...

– Dominika mi teraz nie wytykaj, muszę skupić umysł, a nie uczucia. Czekaj, ale mówisz, że on nam coś dał, ten przyuczony robot?

Przyuczony robot utwierdził mnie w mniemaniu, iż Słodki Kocio poszedł na szantaż, zagroził komuś z elitarnej mafii i został rąbnięty. Słusznie Anita napomknęła o nowym pokoleniu, starsze podlegało kiedyś właśnie Ptaszyńskiemu, to on trzymał w ręku rozmaitych goryli i płatnych zabójców. Nowym zaczął dysponować ktoś inny. Kogo Słodki Kocio tak ostro sobie namierzył, nie miałam pojęcia, ale możliwości było zatrzęsienie, biznesmeni, bankowcy, sfery rządowe, cały sejm, ministerstwa... Najbardziej ucieszyłaby mnie Agencja Rolna, z którą od paru lat miałam na pieńku i która czaiła się na potężny szmal, ale moje pobożne życzenie niekoniecznie musiało się spełnić. Chociaż o równie wielkiej forsie przy kimś innym nie słyszałam...

Estetycznie uduszony Lipczak pasował mi tu jak pięść do nosa. Chyba że on właśnie załatwił Kocia, po czym zleceniodawca pozbył się go, żeby się nie narażać na kolejny szantaż. Lipczak, według opisu Dominika, wyglądał nijako, zgadzałoby się, płatny morderca nie ma prawa rzucać się w oczy. Równie dobrze mógł być przypadkowym świadkiem, którego należało usunąć, ale tu jakieś powiązania musiałyby istnieć. Obsługa hotelowa uważała go za gościa, jeśli Słodki Kocio znalazł się w jego pokoju, coś o nim musiał wiedzieć, niemożliwe przecież, żeby tyle przypadków padło na jeden pokój hotelowy! Ewentualnie może długi z kasyna, ci troglodyci od egzekwowania należności, Słodki Kocio, ich mocodawcy i protektorzy to przecież ta sama mafia!

A że korzenie grzęzną w przeszłości, świadczy poszukiwanie Bożydara.

Powiedziałam to wszystko Martusi, która słuchała z wielką uwagą. Po czym westchnęła ciężko.

– I ty mówisz, że nie chcesz się wdawać w politykę...! No dobrze już, dobrze. To teraz musimy to przekształcić w rozgrywki telewizyjne. Pamiętasz może przypadkiem, że piszemy scenariusz o kulisach telewizji?

Pamiętałam doskonale i wszystko mi zaczęło pasować.

– No i zgadza się, Pałka mamy. Teraz ten Pałek jest dyrektorem na przykład programu drugiego...

– Dlaczego akurat drugiego? – zaciekawiła się Martusia.

– Bo mi się ciągle narażają. Co innego piszą w programie, co innego nadają, w innych godzinach, i wiecznie głupią ze mnie robią...

– Ale w dwójce jest Nina Terentiew. Z Niny Terentiew robimy zbrodniarkę...?!!!

– Nie, nie, z niej akurat nie... No coś ty, Płucka mamy, a nie żadną Ninę Terentiew! Ona w ogóle za młoda, gdzie jej do tamtych czasów! Ale ten jakiś, zaraz, coś słyszałam, jak mu tam... Boguś Chrabota...?

– Oszalałaś, to Polsat!

– No to co? W Polsacie nie mogą robić kantów? Też mi się narazili.

Martusia zaczęła rwać włosy z głowy.

– Opamiętaj się, co ci zawinił Boguś Chrabota, to przyzwoity facet, na litość boską, telewizja to nie jest mafia sycylijska! To w ogóle nie jest gniazdo przestępców! To jest normalna instytucja!

– Zgadza się, wszystkie normalne instytucje stanowią obecnie gniazda przestępców. Nie upieram się przy Polsacie, chociaż robią głupią kołomyję z godzinami programów. Jak on się nazywał, ten Płucek, w życiu sobie nie przypomnę...

– Ja nie wiem, co było kiedyś – powiedziała Martusia, zdenerwowana. – Ale nie możesz teraz Płucka dopasowywać do wszystkich! Albo wszystkich do Płucka! Nikt nie robi ordynarnych kantów...!

– Tylko subtelne...?

– Jakie subtelne...?! To w ogóle nie kanty...!!!

– Iiiii tam – zaprzeczyłam gniewnie. – To po cholerę my piszemy ten serial, na co nam instytucja, która nie robi kantów... Ale jak to nie robi, jakie tam nie robi, jeśli nie robi, skąd im się bierze taki idiotyczny program?! Te jakieś tok szoły, jakieś dno pseudorozrywkowe, jakieś teleturnieje, od których się wątpia skręcają...

– Przecież nie wszystkie!!!

– No nie, skąd, kilka jest sensownych, już nie mówię o poważnych, „Miliard w rozumie", ale chociażby „Va banque" albo Sznuk... coś trzeba przy tym umieć i wiedzieć, komuś może przyjść do łba, że warto chodzić do szkoły albo przynajmniej czytać książki, a nie tylko upajać się mordobiciem. Ewentualnie „Milionerzy"... Chociaż Hubert Urbański tak mąci, że ja mu w końcu zrobię coś złego!

– Prywatnie czy publicznie? – zainteresowała się Martusia gwałtownie.

– Prywatnie nie, szkoda by go było, to sympatyczny chłopiec. Ale publicznie chętnie. Chyba w końcu zacznę do nich dzwonić, może uda mi się wystąpić i wtedy poodpowiadam mu na jego pytania... I sama ich trochę pozadaję. Bardzo żałuję, że nie przewidzieli tam stanowiska osoby trzeciej, komentatora, bo poszłabym na to z przyjemnością, na dwie strony. Tu Hubert, a tu ofiara... Facetka, z wykształcenia podobno humanistka, która w życiu nie słyszała słowa „wolumen"...? Albo ten, co nie wiedział, czy kary koń to biały, czy czarny...?! Ominęła go informacja, że karawan ciągną kare konie...?!!! To może one białe w czerwone kropki...?!

– Dlaczego w czerwone kropki?

– Spadkobiercy się cieszą i tym sposobem objawiają swoją radość z zejścia spadkodawcy... Już nie wymagam, żeby taki wiedział, że kare konie są na ogół silniejsze niż gniade, o białych nie mówiąc, nie bez powodu nie latają na wyścigach białe konie! Ani srokate!!! Ale kobiety powinny mieć skojarzenia, im ciemniejsze włosy, tym silniejsze i gęstsze, to brunetki miewają grzywę jak tarpan, blondynki muszą sobie wiechcie przyczepiać... Było trochę do szkoły pochodzić, a nie wyłącznie na wagary!

– I w szkole by im o tych włosach...

– Głupia jesteś, połowa tam jest zwykłej szkolnej wiedzy, a reszta życiowe. Owszem, przydatne, ja tam odpowiadać nie pójdę za skarby świata, bo jak mnie spytają o sport albo współczesne zespoły muzyczne, leżę martwym bykiem, ale paru osobom może przyjdzie do głowy, żeby zainteresować się czymś więcej niż, jak im tam, randki w ciemno, ninje czy jak to się nazywa, ogólny pogrom ręczny i miły użytek z broni palnej!

– Oglądalność...

– Do diabła z oglądalnością! I potem się wszyscy dziwią, skąd dwunastoletnim chłopaczkom biorą się takie świetne pomysły, tu babcię rąbnąć, tu kolegę...

Martusia zdenerwowała się bardzo.

– Słuchaj, nie postanowiłyśmy teraz naprawiać świata! I sama chciałaś trupa!

– Ale pokażemy, że jest to czyn niewłaściwy, nie zaś chwalebny! Poza tym sam na siebie zbrodnię ściągnął. I zabójca zostanie ukarany!

– Wiesz, ja tak nie mogę... Ja w ogóle tego cholernego piwa nie piję, tylko tu u ciebie! Takich rozmów na sucho toczyć nie da rady, przez ten scenariusz wpadnę w alkoholizm!

– W piwoholizm – poprawiłam. – Do towarzystwa będziesz miała całą Skandynawię.

– Duża pociecha... Mimo to uprzejmie cię proszę o trochę opamiętania. Wojna o tę cholerną oglądalność, owszem, ale to przecież jest zaspokajanie gustów społeczeństwa!

– Przysięgam na kolanach, że społeczeństwo ceniłam wyżej – powiedziałam ponuro. – *Errare humanum est*. Ponadto gusty społeczeństwa należy kształtować, a nie lecieć na łatwizny. Jakoś trzeba pokazać, że sama oglądalność jest szkodliwa i powoduje demoralizację...

– Czyją...?!

– Telewizji, rzecz jasna...

– Joanna, ja chcę zrobić serial dla ludzi! A nie dokumentację dla sądu!!!

Opamiętałam się zgodnie z jej życzeniem. Przyniosłam puszkę piwa także i dla siebie. Westchnęłam smętnie.

– Co usiłuję rozpętać jakąś rozróbę na tle „wielkie świństwo", ktoś mi rzuca kłody pod nogi. Przecież nie pójdę kandydować na prezydenta ani nie wylecę z transparentem na ulicę. Te transparenty są cholernie ciężkie. No dobrze, poprzestaniemy na intrygach prywatnych, w tym uczuciowych, bo to też ludzkie, a jeśli przestępstwa, to z dawnych czasów. Że też, cholera, nie mogę sobie tego Palka przypomnieć...

Martusia odetchnęła z wyraźną ulgą.

– Nie ma znaczenia, jakoś go nazwiemy. Szantażysta... Ale czekaj, kto go właściwie zabija? Mordercę musimy wytypować od początku!

– No to przecież już była mowa... Nie, zaraz, coś mi tu wychodzi odwrotnie...

Zdołałyśmy jakoś odzyskać równowagę twórczą i usiadłyśmy do zaniedbanego tekstu. Okazało się, że piękny Cezary, zamiast pomóc, bardzo zaszkodził. Rzeczywistość weszła w paradę i w rezultacie udało nam się tylko ustalić elementy kluczowe. Płucek trwał na stanowisku albo jako ofiara, albo jako morderca, nie byłyśmy jeszcze pewne jego roli, materiały archiwalne, czyli dowody rzeczowe, musiały zostać w podpalonym budynku, a Lipczak wystąpił jako przypadkowy świadek. Nie był żadnym Lipczakiem, rzecz jasna, tylko jednym z naszych bohaterów, przy czym kłótnia, którego aktora wykończyć, zajęła nam resztę czasu.

– Czyli – upewniła się Martusia – współcześnie mamy drobne przekręty, a kanty zbrodnicze pochodzą z dawnych czasów...

* * *

Nie słyszałam telefonu, ponieważ znienacka postanowiłam umyć głowę i szum wody wszystko zagłuszał. Kiedy wreszcie opuściłam łazienkę, okazało się, że na komórce mam komunikat „połączenie nieodebrane", a sekretarka na stacjonarnym mruga. Przytyknęłam w nią. Wśród jakiegoś dziwnego charkotu i wycia, bo moje telefony od pewnego czasu nawalały w niezrozumiały sposób, dobiegły słowa, z których wywnioskowałam, że ktoś do mnie zaraz przyjdzie. Głos był damski i wydało mi się, że rozpoznałam Martusię.

Zaraz to zaraz, proszę bardzo. Ostatecznie, pracowałam w domu i nigdzie mnie nie niosło, szczególnie z mokrą głową. Na wszelki wypadek jednakże zaczęłam ją suszyć, co było nader uciążliwe, bo od suszarki ręce mi drętwiały.

Nie dosuszyłam do końca. Martusia zadzwoniła ponownie, na komórkę, którą przytomnie wzięłam do łazienki i mogłam odebrać.

– Gdzie jesteś?! – krzyknęła nerwowo.

– W łazience – odparłam zgodnie z prawdą.

– Wyjdź natychmiast! Zaraz przychodzę! Już jestem pod twoją bramą!

Rzeczywiście, brzęczyk odezwał się po dwóch minutach. Pootwierałam wszystkie drzwi i wróciłam do suszarki. Wyłączyłam ją, usłyszawszy tupanie Marty w progu.

– Na litość boską, czy to ty podpaliłaś ten dom? – wydyszała niespokojnie, zamykając drzwi za sobą. – Zmywasz teraz ślady?

– Jaki dom?

– Ten nasz! Ten do scenariusza!

Zdumiała mnie śmiertelnie.

– Oszalałaś? Niczego nie podpalałam, jeszcze nawet w streszczeniach nie doszłam do sceny podpalania! Ja tego nie robię, ja to piszę! Czy coś się spaliło? – zaniepokoiłam się nagle.

– Właśnie się pali, Kajtek pojechał z kamerą...

– To bardzo dobrze, będziemy miały obraz...

Martusia przerwała mi, machając ręką, oderwała się od klamki, wbiegła do kuchni i runęła ku lodówce.

– Masz tu gdzieś małpkę whisky... Mogę...? Wszystko jedno, muszę! Zdenerwowałam się, ty się ubieraj i jedziemy! Naprawdę nie podpaliłaś? Rusz się, prędzej!

Ogłuszona nieco, ale bardzo zainteresowana wydarzeniem, spróbowałam spełnić jej polecenie. O niedosuszonej głowie przypomniałam sobie, kiedy bluzka nie chciała mi przejść przez zakrętki. W pośpiechu wyciągnęłam drugą, z większym dekoltem, do diabła z uczesaniem, do diabła z oczkiem w rajstopach, Marta nie pozwoliła mi rozkręcić włosów.

– Nie ma czasu! Zasłoń czymś! Jedziemy!

– Zaraz, czekaj, zostaw ten kapelusz, nie wejdzie! Dlaczego właściwie tak się śpieszymy?! Gdzie się pali...?!

– Tu gdzieś blisko, taka ulica od żywopłotu, Bukszpanowa albo Bluszczowa...

Zatrzymałam się w rozpędzie z apaszką w ręku.

– Zdecyduj się na coś – zażądałam surowo. – To są dwie różne strony miasta. Mam jechać jak do pożaru, niech przynajmniej wiem dokąd! I skąd wiesz, że jeszcze się pali? Może tam już tylko zgliszcza?

– Jakie tam zgliszcza, przed chwilą wybuchło! Czekaj, zaraz się dowiem... To znaczy, nie czekaj, wychodzimy! Złapię Kajtka...

Apaszka była wielka, owinęłam nią całą głowę. Chwyciłam torebkę, niepewna, czy nie powyjmowałam z niej wczoraj wszystkich potrzebnych rzeczy, szukając zaginionej zapalniczki, klucze wszelkie miałam w kieszeni kurtki, mimo oporu Marty zamknęłam mieszkanie. Byłyśmy już prawie na parterze, kiedy dodzwoniła się do Kajtka.

– To nie Kajtek...? A, Pawełek... Ma zajęte obie ręce...? Nie szkodzi, gdzie wy jesteście?! Jaka to ulica...? Jaka...? Bluszczańska... To cześć!

– Bluszczańska – poinformowała mnie, chowając komórkę. – To już wiesz, gdzie to jest?

– Jezus Mario – powiedziałam ze zgrozą, opuszczając bramę.

Nazwę ulicy przypomniałam sobie natychmiast. To tam właśnie znalazłam budynek, który mniej więcej pasował do naszego scenariusza i doskonale nadawał się do podpalania, pod warunkiem że od środka. Umeblowałam go antykami! Zdążyłam nawet opisać go Marcie, nie podając adresu! Rany boskie!

– Skąd w ogóle o tym wiesz?! – wrzasnęłam rozdzierająco, zapalając silnik.

– Pawełek doniósł. Planuje reportażyk ze straży pożarnej i był tam u nich, akurat dostali alarm, że się pali na tej Bluszczańskiej, więc zadzwonił natychmiast. Kajtek złapał kamerę i pojechał, a ja za nim do ciebie. Podobno tam coś wybuchło. Słuchaj, czy to nie jest ten dom, o którym mówiłaś...?

– Zdaje się, że ten.

– I to naprawdę nie ty...?

Udało mi się nie wplątać w korek przy Bartyckiej i pojechać ku Bluszczańskiej wprost, pokonując przerażające wertepy, bo ten odcinek ulicy istniał wyłącznie teoretycznie, na planie miasta, a nie w naturze.

– Nie – odpowiedziałam Martusi dopiero po chwili. – Ale widocznie mam instynkt, jak każde zwierzę niższego rzędu. Kto tam mieszkał?

– Nie wiem. Dowiemy się na miejscu. Jeśli byle kto i jeśli nawet nie ty podpaliłaś, to też nam się przyda, nie? Wykorzystamy taśmy Kajtka, wmontuje się kawałki, może już nie trzeba będzie podpalać przy kręceniu i wyjdzie taniej...

Zamieszanie na tej Bluszczańskiej panowało okropne, nie dopuścili nas w ogóle w pobliże pożaru, chociaż Martusia machała legitymacją służbową. Na ile zdołałam się zorientować, palił się rzeczywiście wytypowany przeze mnie budynek, z tym że straż pożarna najgorsze miała już za sobą, ogień dogasał. Zaparkowałam na wjeździe do ogródków działkowych za jakimś stojącym już tam samochodem i kazałam Marcie udać się w tłum w celu zbierania plotek. Sama się do kontaktów międzyludzkich nie bardzo nadawałam, wyglądałam w tej apaszce, jakbym miała rogi i wszyscy wpatrywali się w moją głowę, tracąc wątek sensacyjnych opowieści. Zostałam w samochodzie, zastanawiając się posępnie, czy aby na pewno nie miałam z tym pożarem nic wspólnego, niedopałek papierosa, jakaś iskra albo co, ale nie, niemożliwe, byłam tu parę dni temu i nawet nie wysiadałam. Siłą woli tego przecież nie podpaliłam, szczególnie że wcale mi nie zależało.

Ponadto wytypowałam więcej domów, nie tylko ten jeden...

Do samochodu przede mną podszedł jakiś facet, wsiadł i odjechał. Usiłowałam z tych widoków na odległość zapamiętać możliwie dużo, przyjrzałam się zatem także i facetowi. Dość wysoki, nie gruby, nie łysy, z kitką ciemnych włosów z tyłu, a zatem zacofany, bo już ostatnio weszło w modę normalne męskie strzyżenie, z wąsami, z nosem wyraźnie garbatym w środku, co dostrzegłam dokładnie, bo najdłużej oglądałam go z profilu. W skórzanej brązowej kurteczce. Samochód marki toyota, identyczny jak mój poprzedni i takiego samego koloru, w ostatniej chwili zapisałam nawet jego numer, żeby w scenariuszu zmienić na przykład tylko jedną cyfrę i już mieć pełne prawdopodobieństwo. Uporczywe posługiwanie się realiami weszło mi w nałóg. Podjechałam na jego miejsce, żeby mieć lepszą widoczność na wszystko.

I nagle uświadomiłam sobie, że coś mi pika w jakichś zakamarkach pamięci wzrokowej. Ten garbek na nosie, nietypowy, tworzący specyficzną linię z nastroszonymi niżej wąsami... Czy ja tego przypadkiem już gdzieś nie widziałam...? Widziałam, gwarantowane, musiałam widzieć, tylko gdzie i kiedy? Chyba niedawno...?

Nie mogłam sobie przypomnieć.

Martusia wróciła po dość długim czasie razem z Pawełkiem, któremu skończyły się kasety, a więcej nie miał. Miał za to rozmaite informacje.

– Pożar wziął się stąd, że w środku coś wybuchło – oznajmił. – Na piętrze. To stwierdzili od pierwszego kopa. Rozpirzyły się trzy pokoje, jeden całkiem, a dwa częściowo, sfajczyły się drobiazgi palne, a umeblowanie w proszku...

– Antyki! – wyrwało mi się ze współczuciem.

– Skąd pani wie?

– Znikąd nie wiem, tak wymyśliłam. Suche drewno dobrze się pali.

– Chyba się zgadza, ze szczątków wynika, że faktycznie, umeblowany był antykami. Przemieszanymi z nowoczesnością, głównie szkło i aluminium, a może stal chromowana. Nie ma go w ogóle.

– Kogo?

– Właściciela. Żona tam lata i rwie włosy z głowy. Ale sejf ocalał, ognioodporny, wyleciał ze ściany w jednym kawałku, okopcony, a i tak nie daje się otworzyć. Ona w nerwach cała, bo szmal w papierach w nim leżał i prawdziwe diamenty, biżuteria znaczy, diamenty palą się pierwszorzędnie, papier jeszcze lepiej i ona teraz nie wie, ocalało czy nie. Szyfr nie działa, coś tam się pewnie rozłączyło, awaryjne otwieranie kluczami mieli, ale ona nie ma kluczy. Mąż na mieście, nie wiadomo gdzie, szuka go przez komórkę.

– Skąd pan to wie?

– Od strażaków. Podsłuchałem, między sobą mówili, a mnie słabo przeganiali, bo nawet im się podobało, że kręcę. Do reportażu jak znalazł!

– Sejf nakręciłeś? – spytała żywo Martusia. – Ten okopcony?

– Kajtek nakręcił, bo mnie się kaseta skończyła na zwalonym balkonie. Chociaż sejf poleciał wcześniej... Strumień wody puścili i poszło, naruszony był. Ten balkon.

– Co tam jeszcze ludzie mówili? – spytałam niecierpliwie.

– Różnie – odpowiedziała mi Martusia z wielkim ożywieniem. – Wątków mamy tysiąc. Dzieci się bawiły petardami. Ktoś bombę podłożył, bo to łobuz i świnia. Sam podłożył, żeby pozbyć się żony...

– A gdzie ta żona była, jak wybuchło?

– W kuchni na parterze. Rozmawiała przez komórkę z przyjaciółką, rąbnęło, rzuciło ją pod lodówkę, zaczęła krzyczeć, że pożar, przyjaciółka przytomnie rozłączyła się z nią i natychmiast zadzwoniła do straży pożarnej. Inni ludzie też dzwonili...

– Gdyby chciał się pozbyć żony, powinien podłożyć w kuchni...

– Dla pewności podłożyłabym w kilku miejscach.

– Może nie miał tylu bomb – uczynił przypuszczenie Pawełek. – Mimo pracy w telewizji, nie mam rozeznania, skąd się bierze bomby i za ile. Chyba że sam produkuje, hobby takie.

– A w ogóle w żonę wątpię – podjęła Martusia. – Całkiem atrakcyjna blondynka, taka z drugiego rzutu. Już odnowiona. Czekaj, to nie wszystko. Włamywacz chciał się dostać do sejfu, okraść go i przesadził z wybuchem. Facet miał tajne papiery, ktoś chciał je spalić, żeby ślad nie został. Miał wroga osobistego, strasznie się kłócili, słychać było przez okno. Instalacja gazowa nawaliła, ale to był pogląd odosobniony, bo skąd gaz na piętrze, gaz, według opinii społecznej, wali od dołu. Mafia go namierzyła przez zemstę za mnóstwo różnych rzeczy, bardzo szeroki wachlarz suponowali. Coś jeszcze...? Nie, chyba więcej nie usłyszałam.

– I tak nieźle – pochwaliłam. – Wybór mamy, że hej, coś się dopasuje.

– A, jeszcze! Jakiś tu bywał, teraz też przyszedł, patrzył, wcale nie pomagał i uciekł. To jest opinia jednej baby, bardzo upartej. Miała przenikliwy głos, więc się wyróżniała. Uciekł w tę stronę, ku tobie.

Zgodziłam się i na tę wersję. Proszę bardzo, facet z garbatym nosem. Zaczął mi nawet bardzo dobrze pasować do zaplanowanego tekstu. Gdzie ja go, do diabła, przedtem widziałam...? Wątpliwości, czy szukać podobnego aktora, czy też nie zawracać sobie głowy aparycją, na razie dałam spokój.

– A kto to w ogóle jest, ten jakiś, co tam mieszka? – spytałam Pawełka.

– Jakiś ekonomista – odparł bez namysłu. – Doradca wszędzie. No, w każdym razie w paru instytucjach. Tak zeznała żona.

– Ekonomista nam się nada? – zatroskała się Martusia.

Zapewniłam ją, że lepiej niż cokolwiek innego. Określenie szerokie, z zawodem ekonomisty możemy zrobić wszystko, co tylko nam wpadnie do głowy. Tajemnice finansowe ma taki w małym palcu, machlojki wyłapie, może je nawet sam popełniać, coś mu tam dołożymy i wtrynimy go do telewizji, no, nie jako prezentera, to pewne, ale jako na przykład pokątnego doradcę. Takiego z boku. Jeśli pokątny, to już nie świetlany, szantaż, można powiedzieć, sam się pcha.

– I ten człowiek zaskarży nas później do sądu za zniesławienie – powiedziała niespokojnie.

– A niechby! Ty masz pojęcie, jaka reklama za darmo? Odwołamy w prasie i zapłacimy tysiąc złotych na bezpańskie psy. Żałujesz psom...?!

– No coś ty...? Nawet i dziesięć tysięcy, telewizja przez to nie zbiednieje!

Dobił do nas Kajtek, któremu też się wreszcie skończyły kasety. Promieniał sukcesem zawodowym.

– Jak ślepej kurze ziarno – oznajmił radośnie. – Szkoda tylko, że nie zdążyłem na samo rąbnięcie, bo podobno dach się pięknie podniósł i usiadł z powrotem, a rozwaliły się ściany na górze...

Od razu wymyśliłam konstrukcję i rodzaj materiałów budowlanych, z jakich to wszystko zostało wykonane, ale na razie nie rozwijałam tego tematu. Kajtek pękał zadowoleniem.

– ...i wcale nie rozhajcowało się od pierwszej chwili, tylko stopniowo, zdążyłem akurat na apogeum. Cała akcja straży wyszła perfekcyjnie, ponadto ludzie dookoła zrobili przedstawienie, że lepiej nie można, facetka w tym domu obok zaczęła przez okna pościel wyrzucać, ten naprzeciwko biegiem krzesła wynosił i próbował przepchnąć przez drzwi pianino...

– Pianino? – zdziwiła się Marta. – Nie kolumny albo co?

– No właśnie, pianino. Nie do wiary, jakie głupoty ludzie robią. W dodatku niepotrzebnie, bo od razu było widać, że obok i naprzeciwko nie ma żadnego zagrożenia. Na ostatnich klatkach mam to pianino, jak je próbuje wepchnąć z powrotem, ugrzęzło mu w drzwiach, a dzieci przełaziły wierzchem i widać, jaką miały uciechę.

– Kręciliśmy racjonalnie – pochwalił Pawełek. – Jak ja ogień, to on otoczenie i odwrotnie. Da się chyba ciągłość zmontować.

Obaj stanowili znakomicie zgrany zespół operatorów, z którymi Marta współpracowała regularnie, trzymając ich pazurami i zębami, z czym zresztą godzili się bardzo chętnie. Zanosiło się na to, że ten pożar po prostu już musimy wykorzystać w scenariuszu, bo szkoda byłoby zmarnować dobrą robotę.

– Zmontujcie prędzej – zażądałam z rozgoryczeniem. – Albo i bez montażu, na roboczo, niech i ja to zobaczę, bo tkwię tu jak głupia, a całe przedstawienie oglądam, można powiedzieć, z zaplecza...

– Żona też coś wynosiła albo wyrzucała? – przerwała żywo Marta. – Bo ja ją widziałam, jak już tylko latała i trzymała się za głowę.

– Owszem, wypadła z domu z komórką i klatką dla kota.

– Z czym?

– Z klatką dla kota. Taką do podróży, wiesz, jak się wozi kota w samochodzie...

– I kot w niej był?!

– A skąd. Z pustą. Normalna rzecz, złapała pierwsze, co jej pod rękę wpadło. A komórkowy telefon miała tylko dlatego, że w momencie wybuchu kurczowo ściskała go w garści.

– Komputeryzował się ten facet. Dopiero co – przypomniałam sobie nagle. – Biedny człowiek. Ciekawe, czy był ubezpieczony...

– Skąd wiesz? – zainteresowała się Martusia.

– Akurat jak tu byłam, parę dni temu, przywieźli mu sprzęt...

I w tym momencie mnie rąbnęło. Jezus Mario, ależ tak! Pakunek wnosił do domu ten z nosem, w białym kombinezonie był, odzież zmienia człowieka. Ledwo na niego spojrzałam, gapiłam się na budynek, a jednak ten garbek został mi w pamięci...

– ...duże pudła przenosili, przeczekiwałam ich i tylko dzięki temu tak dokładnie dopasowałam ten dom do naszych potrzeb – powiedziałam z rozpędu.

– Skąd wiesz, że komputer, a nie na przykład telewizor?

– A nie, tego to ja tak całkiem na pewno nie wiem. Ale napisy takie więcej elektroniczne ta furgonetka miała na sobie, różne tam jakieś zipy, jęty, wifilajfy...

– Co...?!

– No, może trochę coś innego. Telecośtam, internety, łączcie się tylko z nami. Skojarzyło mi się z obfitą komputeryzacją. Ale czekaj, on tu był!

– Kto?

– Ten, co wnosił. Jeden z tych, co wnosili. Głowy na pniu nie położę, ale właściwie jestem pewna.

Tamci troje patrzyli na mnie przez chwilę z wielkim zainteresowaniem.

– I co nam z tego wynika? – spytała Martusia.

– Nie mam pojęcia. Ale gdyby wnosił bombę...?

– W zasadzie ci od elektroniki raczej wnoszą oprzyrządowanie – zauważył Pawełek dość niemrawo.

Dałam spokój wysilonemu przypominaniu sobie.

– W każdym razie wnosili mu dużo. Jeśli nie zdążył się ubezpieczyć, to ma teraz fajnie.

– A jeszcze do tego zdaje się, że chcecie z niego zrobić przestępcę – wytknął nam Kajtek.

– Możemy zrobić ofiarę – zgodziła się wspaniałomyślnie Martusia i na tym nam się ten pożar zakończył.

* * *

Zasadniczy wątek scenariusza zaczynał mi się komplikować nieco przesadnie. Logiczny ciąg wydarzeń owszem, wychodził, aczkolwiek źródła owych wielkich pieniędzy, o które miały toczyć się podstępne i perfidne boje, uparcie nie umiałam zrozumieć, bo na czym właściwie ma zarobić ktoś, kto płaci wszystkim? Zwykłe słowo pisane pojmowałam doskonale, wydawca płaci autorowi, składaczowi, drukarni, potem sprzedaje gotowy produkt czytelnikom i proszę bardzo, już wychodzi na swoje. Firma reklamowa, to samo, płaci grafikowi, drukarni i tym facetom, którzy rozlepiają plakaty na mieście albo malują obrazki na tramwajach, a jej za to płacą reklamowani producenci, wszystko proste, jasne i dla ćwoka zrozumiałe. Ale telewizja...?

No dobrze, wpływy z abonamentu. Diabli wiedzą jakie one. Dotacje ze skarbu państwa. Dla mnie osobiście podejrzane, bo jeśli wysokie... zaraz, zaraz, czy to przypadkiem nie z moich podatków...? I nie tylko z moich... Sponsorzy, niech będzie, wchodzą w zakres reklam, za reklamy się płaci, oglądalność... Martusia wyjaśniała mi tę oglądalność mniej więcej osiem razy, a i tak wciąż nie rozumiałam, jak się ją bada i którędy im ona wychodzi, przecież mogę włączyć telewizor i iść do kuchni smażyć placki kartoflane, teoretycznie, w praktyce kupuję je gotowe... Ale mogę jeść cokolwiek i czytać książkę, nie oglądając niczego, a na ekranie leci zespół rozrywkowy z Brzęczki Górnej, od którego zęby bolą i oko w słup staje, i co? Podwyższyłam zespołowi oglądalność...?

Jeśli istotnie, zespół powinien mi może coś za te placki odpalić...?

Bardzo trudne. No więc dobrze, reklamy. Jedyny jakiś konkret. Uczyniłam założenie, że z tego jest forsa. Każdy chce się reklamować w chwili, kiedy całe społeczeństwo siedzi z gębami w telewizorze, chociaż wszyscy wiedzą, iż owe niebiańskie pienia w obliczu smakołyka zwanego margaryną... facet zeżarł kawałek bułki z margaryną i wpadł w ekstazę, rany boskie, to co on przedtem jadał...?!!! ...społeczeństwo żywiutko poświęca na przyrządzanie sobie herbaty, wizyty w toalecie, szybki telefon prywatny albo służbowy, opróżnienie pralki i tym podobne zajęcia praktyczne. Ale niech będzie, siła złudzeń jest potężna. Zatem, logicznie rzecz biorąc, spragniona forsy za reklamy telewizja powinna dziko i namiętnie chwytać scenariusze z wielkimi szansami, tymczasem osoby wtajemniczone uparcie twierdzą, że to biorą, co im pasuje jakoś dziwnie. Tu szwagier siostrzeńca, tu siostrzeniec szwagra, tu jakiś, co daje wszelki sprzęt, z rolls-royce'em włącznie, rzekomo do testowania... Nie do pojęcia. I co, te korzyści przerosną im dochody z reklam...?!

A mówiłam Martusi, że nie mogę pisać o czymś, co jest dla mnie jakąś zmazą nie do rozwikłania!

Obiecała solennie, że szczegóły techniczne wstawimy później, wspólnymi siłami. No dobrze, uwierzyłam, ryzyk-fizyk. Zajęłam się wątkiem kryminalno-ludzkim, aczkolwiek kołatała się we mnie wątpliwość, czy nie powinnam podjąć pracy na Woronicza chociażby jako sprzątaczka, na okres próbny, dwa tygodnie, bo potem z pewnością by mnie wyrzucili. W charakterze sprzątaczki, zważywszy wielkie wrodzone w tym kierunku talenty, nie zdałabym egzaminu, zważywszy wielką wrodzoną w całkiem innym kierunku inteligencję, coś by mi może w oko wpadło...?

Nie zdecydowałam się na ten zabieg, w obawie, iż może przeceniam inteligencję.

Jeden z głównych bohaterów zatem, w mojej osobistej twórczości, ucinał scenariusze krajowe doskonałe, zatwierdzał beznadziejne chały, kupował tasiemce argentyńskie i brazylijskie, za kupowanie brał łapówy... pardon, prowizję... jak stąd dookoła księżyca, trzymał za mordę wszystko i pławił się w dobrobycie. Z przyjemnością uczyniłabym nim Dominika, rzecz jasna nadając mu inne imię, ale primo, Martusia protestowała, a secundo, nie pasował mi charakterologicznie, nadawał się raczej na wykonawcę rozkazów, niechętnego i opornego, szantażowanego czymkolwiek, co doskonale tłumaczyłoby histerię i stany depresyjne. Znacznie lepszy byłby Tycio, w naturze niewątpliwie wmieszany w różne dziwne działania, ale do Tycia żywiłam osobistą, nieuzasadnioną sympatię i było mi go szkoda. Niechby i był, tylko trochę na uboczu. Prawdziwych, tych najgorszych, złoczyńców telewizyjnych nie znałam wcale, ani jednej sztuki, mogłam ich sobie najwyżej wyobrażać, tu jednakże okropnie wchodziły mi w paradę moje prywatne animozje, ściśle związane z hochsztaplerstwem końsko-wyścigowo-hodowlano-finansowym. Przerobić takiego na przykład pana Heltę albo pana Tańskiego, albo ekswicepremiera Jagielińskiego na telewizyjnego mafioza...?! A oni tyle z tym mają wspólnego, co i ja, inna dziedzina miękko im się ściele, nie połączę jednego z drugim, choćbym pękła. Już prędzej doprowadzę do autentycznego romansu Martusi z jednym z nich, nie wiadomo z którym, bo zapomniałam, który przystojniejszy, ale Martusia piękna dziewczyna, więc każdy poleci...

I na plaster mi to?

W dodatku powyżej znanych mi osób i stanowisk istniało jakieś ciało zbiorowe, a ciał zbiorowych rządzących nigdy nie byłam w stanie zrozumieć i rozwikłać. Komitet albo zarząd. Co to właściwie jest, jak to działa i jaki pożytek można z tego wydłubać...?

To, co przeżywałam w trakcie pisania, nosiło wzniosłą i od wieków ugruntowaną nazwę: męki twórcze. Szlag żeby trafił męki twórcze.

Reszta, poza postacią głównego bohatera, była prosta i łatwa, on jeden stwarzał mi same trudności. Siedział skurczybyk, rządził, mieszał, bogacił się, wystawiał rachunki na siostrę zięcia... O, siostra zięcia, wprowadzić dodatkową babę, kobieta zawsze namiesza... Aż pojawiał się nasz upragniony trup. Żywy jeszcze. Rozumnie przystosował się do czasów i sytuacji, nawiązał znajomości, wygrzebał taśmy z dowodami dawnych przestępstw i ruszył w manowce szantażu...

Nie, zaraz. Odwrotnie. Wlazł na jakieś stanowisko, które zagroziło swobodzie głównego bohatera-mafioza-bandyty finansowego. Nie żeby całkiem sam, jako doradca, o, właśnie! Szara eminencja! Ten Pyłek! Znakomicie! Drugiemu, cholera wie, kto to może być, niech Marta szuka, podsunął szansę wygryzienia konkurenta, stał się niezbędny, prawa ręka... A może prawa ręka tego naszego...? Ganc pomada, zagrożony, przytomna jednostka, dokopał się dawnych przestępstw, przedawnienie nie ma znaczenia, opinia w środowisku też się liczy, znalazł taśmy sprzed lat... Podwójny szantaż! Poszli na ugodę, wielka forsa, nasz nie chciał płacić, rąbnął Pyłka. I nic przy nim nie znalazł, znaczy, dowody ma w domu, podpalił budowlę, w zamieszaniu dobierze się do sejfu albo wszystko się sfajczy i ma z głowy...!

A właśnie nie sfajczyło się nic.

Tak wymyśliłam, bez względu na obawy latającej z klatką dla kota żony.

Dodatkowo Pyłek zahaczał mi o lata mojej własnej młodości i tajemnice nigdy nierozwikłane. Korciło mnie strasznie, żeby to powiązać.

Wypiłam dwa kieliszki czerwonego wina. Podobno dobre na krążenie. Upanierowałam i postawiłam na małym ogniu dwa kotlety wieprzowe, trzeci nie zmieścił mi się na patelni. Wróciłam do komputera. Cholerny Pyłek z dawnych lat gryzł mnie wszędzie do tego stopnia, że całkowicie zaczęłam tracić wątek tego, co pisałam obecnie do spółki z Martusią.

Brzęczyk do drzwi powitałam jak zbawienie.

* * *

Podinspektor Cezary Błoński.

Piękny Cezary rzucił okiem za mnie i dookoła w sposób tak błyskawiczny i niedostrzegalny, że gdyby nie moja wieloletnia egzystencja kryminalistki, w ogóle bym tego nie zauważyła.

– Sama jestem, sama – uspokoiłam go. – Mojej współscenarzystki nie ma, dzieci dawno mieszkają gdzie indziej i przeważnie daleko. Ruszyłam flachę czerwonego wina z rozpaczy twórczej, jeśli chce pan ze mną rozmawiać, musi mi pan potowarzyszyć, bo inaczej wracam do klawiatury. Z młodości wiem, że przedstawiciele władz śledczych mają obowiązek być utalentowani wszechstronnie. To jak będzie?

Z wiekiem przeciętnie przyzwoity człowiek nabiera, jak wiadomo, tolerancji. Mnie w tym momencie wiek jakoś odbiegł na stronę i chyba dało się to zauważyć.

– Z przyjemnością wypiję kieliszek czerwonego wina – odparł piękny Cezary całkiem jak istota ludzka, a nie jak pień. – Czegokolwiek w ogóle pani sobie życzy...

Gdybym miała w domu pomyje... Albo bodaj mydliny po moczeniu paznokci... Cholera, chociaż jakieś ziółka... Ciekawe, jak by zareagował...? Niestety, nic z tych rzeczy, poza tym było to mgnienie, bo nagle zaczął budzić sympatię. Z kamienia przeistoczył się w człowieka i nawet oczom pozwolił mieć jakiś ludzki wyraz. Zaintrygowało mnie to natychmiast.

– Niech pani powie możliwie dokładnie, co pani widziała w tym Marriotcie – poprosił smętnie i pokornie. – I co powiedziała pani ta przyjaciółka z Danii, Anita Larsen. Nie będę ukrywał, rozmawialiśmy z nią, musimy porównać.

Trzeba przyznać, że dawno nic mnie tak nie ucieszyło, nie zaintrygowało, nie zainteresowało i nie ruszyło ogólnie. Bez najmniejszych oporów powtórzyłam mu każde słowo i każdy przecinek, z otwartym mostem na Amager włącznie. Słuchał w skupieniu i nie miałam najmniejszych wątpliwości, że też się od niego czegoś dowiem. Czy nam się to przyda do scenariusza, tego nie byłam pewna. Słodki Kocio, nawet po śmierci, mógł bruździć tak samo, jak za życia.

– Wiem z pewnością – rzekł, a szczerość tryskała z niego niczym gejzer – że pani Larsen nie powie nam nawet jednej setnej tego, co może powiedzieć pani. Panie obie... no dobrze, powiem, wszystkie policje świata kierują się podstawową zasadą: nie wierzyć nikomu. Ale po tylu latach i po tak wnikliwym sprawdzaniu przeszłości można się zorientować, kto jest kim i kto nigdy nie brał udziału w żadnym przestępstwie...

– Kto jest całkiem głupi i łatwowierny, a kto nie – dołożyłam.

Ominął moje niezmiernie genialne stwierdzenie.

– ...kogo można ewentualnie prosić o współpracę i komu coś wyjawić. Pan Górniak jest trudnym rozmówcą...

Oto mi wielką nowość zdradził. Postarałam się nie zachichotać jadowicie.

– Konstanty Ptaszyński był swymi czasy wmieszany w wiele najrozmaitszych afer. Czy może pani przypomnieć sobie kogokolwiek, kto miał z nim cokolwiek wspólnego kiedyś, przed laty, oczywiście poza panem Górniakiem?

Zaczęłam strasznie uczciwie myśleć.

Słodki Kocio... Wyścigi... Z kimś rozmawiał, z kimś się kontaktował... Idiotyzm, te rzekomo intratne kontakty znałam lepiej niż własne nazwisko... Takie one były intratne, jak ja Maria Callas... Akta prokuratora... Co mi, do licha, w pamięci z tego zostało, pamięć mam wyłącznie wzrokową, na niej trzeba bazować... O Boże, było coś...! Prokurator, młody facet, ledwo po aplikanturze, ten mój krzywił się, że mu to dali, coś tam bąkał pod nosem... Jak mu... takie pozornie łatwe nazwisko, coś od jarzyny, produkt jadalny, witamina, groszek... burak...? Fasola...?

– Grocholski! – krzyknęłam nagle strasznym głosem.

Nie podskoczył i nie rozlał wina, ale w oku mu błysnęło. Musiał ten Grocholski coś dla niego oznaczać. Usiłowałam przypomnieć sobie trochę więcej.

– Był takim świeżutkim prokuratorem i właściwie nie miał jeszcze prawa samodzielnie prowadzić sprawy, ale dali mu coś... zaraz, on chyba uczestniczył w dochodzeniu, w sądzie nie oskarżał. Jakoś tam namieszał. No i później pan Górniak dołki pod nim kopał bardzo usilnie, dając mi do zrozumienia, że to swołocz, więc musiał go znać. Miałby teraz około pięćdziesiątki, może odrobinę mniej. Podobno dziwkarz. Więcej nie wiem.

– Dobre i tyle. Jest pani pewna, że występował w sprawie Ptaszyńskiego?

– Musiał, w oczach mi stoi jego nazwisko, w aktach się plątało. A, zaraz, tę późniejszą sprawę, tę idiotyczną pyskówkę... Też coś tam chachmęcił, ale szczegółów nie znam, bo sam pan już wie, jaki Bożydar wyrywny do zwierzeń.

– Istotnie. Wypowiada się bardzo powściągliwie. Ale rozumiem, że ten prokurator Grocholski był raczej jego przeciwnikiem. Nie zna pani kogoś, kto współpracował z panem Górniakiem?

– Osobiście nie znam, ale wiem, że to były baby. Co najmniej dwie, zakochane w nim śmiertelnie, przy czym jedna z tych dwóch prowadziła kolekturę toto-lotka na Chełmskiej, koło apteki. Pani Celinka. Przypuszczam, że miała też jakieś nazwisko, więc zdoła pan do niej dotrzeć. Pan Górniak obdarzał ją wielkim zaufaniem, znacznie większym niż mnie, bo ja, jego zdaniem, byłam nieodpowiedzialna. Uprawiałam hazard, grywałam w karty, na wyścigach i w kasynie. I nie chciałam przestać.

Jak zwykle, wspomnienie Bożydara wytrąciło mnie z równowagi i rozzłościło. Prawie zapomniałam, o czym rozmawiamy. Na szczęście piękny Cezary pamiętał i nie dał się zepchnąć z tematu. Dolał mi wina, zapewne w nadziei, że stracę wszelki umiar i powyjawiam rozmaite tajemnice, po czym znów uczepił się Słodkiego Kocia. Wino wywarło na mnie wpływ odwrotny, mianowicie wzmogło mi jakoś bystrość umysłu, co do tajemnic zaś, i tak nie zamierzałam niczego przed nim ukrywać. Skoro zatajenie obecności trupa w Marriotcie przeszło mi ulgowo, mogłam się niczym nie przejmować.

Z pytań udało mi się wywnioskować, że Kocio Ptaszyński przystosował się do zmian ustrojowych bardzo zręcznie, z rozbojów całkowicie nielegalnych przerzucił się na rozboje niejako dopuszczalne, może właśnie te szantaże... I chyba znów dysponował uroczą grupą młodych goryli...

Piękny Cezary nie powiedział tego wprost, ale udało mi się wydedukować, że zwłoki Kocia gdzieś im zniknęły i gdyby nie potwierdzenie Anity, zapewne przysłane z Danii, w ogóle by w jego śmiertelne zejście nie uwierzyli. A i tak jeszcze brzęczały mi nad uszami ich subtelne podejrzenia, że może jednak nie był to trup, tylko zwyczajny niedobitek, który sam sobie gdzieś poszedł na własnych nogach. Bo niby skąd ja tak dokładnie wiedziałam, że trup?

Zgniewało mnie to w końcu.

– Chyba nie było tam wgłębienia w podłodze? – warknęłam ze złością. – A o ile pamiętam, Słodki Kocio łeb miał normalnie kulisty, nieprzypłaszczony. Gdzie mu się podziała tylna połowa tego łba? Nie miał jej, a w życiu nie uwierzę, że tylko się tak nieszczęśliwie przewrócił. I co niby miała oznaczać ta śliczna kropka na czole, w arystokratkę hinduską się przemienił czy jak? Te samochody pan sprawdził?

Nie udawał głupio, że nie wie, o jakich samochodach mówię, ale porządnie odpowiedzieć nie chciał. Chyba im to sprawdzanie wyszło nie najlepiej. Pomyślałam, że kiedyś sama poleciałabym do wydziału komunikacji i do glin, a teraz mi się nie chce, w dodatku nie mam czasu. Może zwalę na Martusię...

Za to wyraźnie wyszło, że ów drugi nieboszczyk, Antoni Lipczak, ze Słodkim Kociem miał coś wspólnego. Węszyłam między wierszami z całej siły i wyszło mi, że mógł z nim być nawet umówiony, widziano go zaś, jako gościa, jeszcze wcześniej niż mnie. Obaj zostali zwabieni w pułapkę? Do Marriotta...?! Nie lepsze byłoby jakieś wysypisko śmieci albo chociaż byle który skrawek lasu pod miastem?

Do diabła z takim uciążliwym trupem, którego nijak nie potrafię rozgryźć!

I co tu ma do roboty ten cały Grocholski...?

Z byłym prokuratorem Grocholskim piękny Cezary zrobił mi grzeczność, wyjawił, że prokuratorem to on już dawno przestał być, no, dawno jak dawno, kilka lat temu, mniej więcej na przełomie ustrojów. Przeszedł na radcostwo prawne i doradza tak prawnie licznym instytucjom, z gronem prokuratorów nie tracąc kontaktu. No owszem, to mi pasowało, dobrze, że go sobie przypomniałam, od razu wskoczył na właściwe miejsce w scenariuszu i prawie straciłam zainteresowanie dla pięknego Czarusia.

Poszedł sobie wreszcie.

No i proszę, jego wizyta jednak mi się przydała. Grocholski, eksprokurator, podstępnie będzie trzymał w ręku nici służbowej intrygi telewizyjnej, chociaż niekoniecznie musi mordować osobiście. Nie, skąd, jakie tam osobiście, za to w poczynaniach szantażystów weźmie żywy udział...

Potrzebna mi teraz była Martusia.

* * *

– Ja teraz jestem akurat w pociągu – powiedziała mi przez komórkę.

– I w którą stronę jedziesz? – zaniepokoiłam się.

– Do Warszawy. I już jestem... czekaj, strasznie w oczach miga. Już wiem! Gąsa... wy Rządo... Rządowe, tu pan mówi, że Gąsawy Rządowe. To znaczy już tam nie jestem, ale byłam przed chwilą, teraz jestem kawałek dalej. Bo co?

– Gdzie, do licha, one są, te Gąsawy Rządowe? – zastanowiłam się. – Czekaj, popatrzę na mapę samochodową...

– Nie musisz. Ten pan mówi, że między Skarżyskiem Kamienną a Radomiem.

– Znaczy, za dwie godziny będziesz już tu. Bardzo dobrze. To jeszcze niech ci ten pan powie, od kogo by łatwo wydębić właścicieli tych samochodów, które sama zapisywałaś. Te od Anity. Piękny Czaruś nie chciał powiedzieć. Kręcił.

– No nie mów! Skoro kręcił, to chyba są ważne? Był u ciebie?

– Otóż to. Był i kręcił, ale za to mamy kluczową postać i jesteś mi potrzebna. Nie mam teraz czasu umizgać się do wydziału komunikacji, oni tam ukrywają dane osobowe. Może wy kogoś znajdziecie.

– Zobaczę, chyba się uda. Jaką kluczową postać?

– Taki jeden miniony prokurator. Tkwi w interesie.

– I on będzie mordował?

– Nie, będzie wspomagał szantażystę. Za to, na moje oko, zginął im trup.

– Który trup? Nasz?

– Nasz.

– I do tego potrzebne są nam samochody? Któryś wywiózł trupa i utopił w glinankach. Zawsze się takie rzeczy topi w glinankach. Z kamieniem, który się urywa i potem jakiś rybak wyciąga szczątki na wędce...

– Niezłe, moglibyśmy zrobić scenę z rybakiem. Ściśle biorąc, z wędkarzem... Ale coś ty, oszalałaś, przecież go mamy znaleźć w twoim pokoju!

– Tylko nie w moim pokoju, wypraszam sobie! W przeglądówce... chociaż nie, masz rację, muszą go zabić w moim pokoju. No trudno, niech będzie. A ten drugi, uduszony? Ten Dominika?

– Oni się łączą. W naturze.

– Obaj szantażowali?

– Głowy nie dam, ale chyba tak.

– My go musimy zrobić szantażystą!

– To robimy, kto nam nie da? I pożar do szantażu pasuje.

– A, właśnie, á propos pożar. Już go chłopcy zrobili, jak chcesz, możemy obejrzeć jeszcze dzisiaj, roboczo... Nie, zaraz, nie dzisiaj. Jutro, nawet rano. Przyjedziesz, czy wolisz poczekać na VHS?

– Przyjadę, chcę czym prędzej. Zadzwoń, jak już tu będziesz, i umówimy się o jakiejś ludzkiej godzinie w holu albo w twoim pokoju. Nawet chętnie przyjadę, do ciebie jest korytarzem kilometr w jedną stronę, od chodzenia się chudnie.

Marta po drugiej stronie jakoś nagle zamilkła. Z niechęcią potrząsnęłam telefonem, pewnie znów gdzieś tam odbiór zanikł, krakowska linia kolejowa miała różne fanaberie...

– Hej, Martusia, jesteś tam? – spytałam beznadziejnie.

– Jestem, jestem – odparła Marta pośpiesznie, ale jakby z zakłopotaniem. – Czekaj, bo tu siedzi parę osób w przedziale i wszyscy patrzą na mnie strasznie dziwnie. To chyba przez tego trupa, same kłopoty nam sprawia... Muszę im wyjaśnić, że nie jestem zbrodniarką, bo inaczej policja na dworcu już będzie na mnie czekała i nie wiadomo, kiedy odzyskam wolność.

Ucieszyłam się.

– Bardzo dobrze, wyjaśniaj, przy okazji zrobisz nam wstępną reklamę...

Wyłączyłam się, sprawdziłam na wielkim kalendarzu, co mam na jutro rano, stwierdziłam, że nic szczególnego, i wróciłam do pracy.

* * *

Prawie zamierzałam już iść spać, było po jedenastej, kiedy odezwał się brzęczyk domofonu. Zdziwiłam się trochę, ale podniosłam słuchawkę.

– To ja – powiedziała Marta na dole jakimś dziwnym, zakatarzonym głosem – Wpuść mnie, ja cię proszę.

Jasne, że ją wpuściłam i zapaliłam światło na schodach. Złe przeczucia wybuchły we mnie natychmiast.

Weszła bez słowa, zapłakana, z rozmazanym makijażem, ruszyła prosto do pokoju i usiadła na kanapie. Nie zadając na razie żadnych pytań, postawiłam przed nią małpkę koniaku, małpkę whisky, puszkę piwa i butelkę wody mineralnej. Zastanowiłam się nad sobą, machnęłam ręką na odchudzanie i dołożyłam do tego naboju otwartą butelkę zimnego białego wina. Postanowiłam pić szprycera, alkoholu w tym mało, a zawsze przyjemność.

Martusia beznadziejnym wzrokiem obrzuciła bar przed sobą.

– Wiedziałam, że mogę na ciebie liczyć – powiedziała łzawo i sięgnęła po małpkę whisky. Po czym na nowo zaczęła płakać.

Tu już musiałam zareagować.

– Możesz płakać, jeśli chcesz – rzekłam ostrzegawczo – ale ja ci nie radzę. To zostaje na twarzy, za dwadzieścia lat pożałujesz każdej łzy wylanej w młodości. Z dwojga złego już lepiej się upij.

– Jestem samochodem...

– Zadzwonię po taksówkę. Dominik, co...?

Martusia omal nie przegryzła szklaneczki z bardzo grubego szkła.

– Ten podlec, ten gnój... – zaczęła i upusty się rozwarły. Możliwe, że nieco przesadziła, bo taki na przykład trędowaty skorpion z Dominikiem się nie kojarzył, ponadto morale jego odległych przodków też chyba nie miało wpływu na bieżące wydarzenia, niemniej jednak ulżyła sobie. Łzom dała spokój, rozszalała się w niej za to zdenerwowana wściekłość. Co jej ten Dominik zrobił, łatwo było odgadnąć.

Jechała wprost do niego radosna, szczęśliwa, umówiona i pełna uczuć, on zaś postąpił jak ostatni gbur. Dostał amoku depresyjnego, brutalnie odgonił ją precz, perfidnie zelżył, zdeptał moralnie i uczuciowo i to tylko dlatego, że po drodze, na Centralnym przecież wysiadła, na dwie malutkie godzinki zawadziła o kasyno...

– Głową muru nie przebijesz – skomentowałam surowo. – Albo Dominik, albo kasyno.

– Nie chcę już więcej tego wała! – wrzasnęła Martusia buntowniczo. – Kasyno mi nie wali łbem w podłogę, nie smarcze mi się w dekolt, nie obraca się zadem, żeby od frontu wyć jak ten pień zmurszały...!

– Kapitalizm z przodu się do nas uśmiecha, a z tyłu zęby szczerzy – wyrwało mi się filozoficzne wspomnienie.

Na moment ją zamurowało.

– Co...?

– Nic. Przypomniało mi się przemówienie partyjne z dawnych czasów. Nie zwracaj uwagi. Ciekawe, jak wyje zmurszały pień...

Zarówno pień, jak i kapitalizm jakoś Martusi dobrze zrobiły. Całkiem przytomnie obejrzała stół, poprosiła o jeszcze jedną małpkę whisky, żeby zbytnio nie mieszać, na dalszą metę zaś zaplanowała sobie piwo. Zdenerwowana wściekłość przekształciła się w niej w zwyczajne, ponure nieszczęście.

– I po co ja się w nim zakochałam! – jęknęła, odkręcając kapselek.

– Czy nie napomykałaś aby czasem o poślubieniu go w dodatku? – wytknęłam delikatnie. – Zdaje mi się, że chciałaś...

– Ja chciałam...?! Dominika...?! Za nic!!! To on takie głupoty brzdąkał, bredził i nic więcej! Że się rozwiedzie i tak dalej, ale tyle mi jeszcze rozumu zostało, że omijałam temat! Chociaż nie, nieprawda, gdyby mnie kochał cały czas jak normalny człowiek, ja bym się wygłupiła...!

– No to sama zobacz, jakie to szczęście, że cię do siebie ostatecznie zraził...

– No wiesz...! Większe szczęścia widywałam... Ale zraził, fakt, mam go dosyć. Ja nie mogę takich rzeczy przeżywać co drugi dzień, przedwczoraj też mi numer wywinął, mam przyjechać do niego w środku nocy, bo beze mnie się dusi, oddychać nie może, pojechałam, jak głupia, do tej jego garsoniery, pijany był kompletnie i płakał. Koniecznie musiał płakać w moich objęciach, inaczej mu się źle płakało. W łóżku też płakał...!

Milczałam tak potępiająco, jak tylko mogłam. Miałam nadzieję, że sama atmosfera wywrze na nią swój wpływ. Nie mogłam sobie wyobrazić nic gorszego niż jej małżeństwo z Dominikiem, a gdyby on się postarał, byłoby to, niestety, możliwe. Nadzieja leżała w żonie, która wcale nie rwała się do rozwodu, separacja zadowalała ją w pełni. Co ta Marta w nim zobaczyła...? No trudno, diabli wiedzą, każda miłość ma własne poplątane ścieżki...

Atmosfera odwaliła robotę. W dziko nieszczęśliwej Martusi zaczął działać umysł.

– Wolę trupa – oznajmiła po tej drugiej małpce. – Nawet takiego trudnego.

Doznałam lekkiej ulgi, chociaż wiedziałam doskonale, że to wcale jeszcze nie koniec. Jeśli jutro Dominik przeistoczy się znienacka w ognistego kochającego amanta, ona się złamie. Po czym znów przeżyje klęskę, znów go znienawidzi, znów się złamie i tak w kółko. Dostanie nerwicy. Pomijając wszelkie ludzkie uczucia, nie mogłam jej na to pozwolić ze względu na scenariusz, przez jakiś czas przynajmniej musiała być człowiekiem pracy, a nie miłośnicą zdeptaną.

Chwalić Boga, na zdeptaną miłośnicę nadawała się jak puma do robótki na drutach.

– A w ogóle to on się dowiedział od kogoś, że byłam w tym „Forum" – przypomniała sobie nagle. – Jakiś kretyn mnie rozpoznał pomimo peruki. Nie, nie ma wyjścia, rzucam go. On już mnie rzucił. Jeśli będę usiłowała do niego zadzwonić, oderżnij mi rękę, bardzo cię proszę.

– Taka pracowita to ja już nie jestem. Piłę mam tępą. Nie będę z tą piłą latać za tobą po mieście...

Nagle oczyma duszy ujrzałam ten obraz, doskonale filmowy. Śledzę ją, jeżdżę za nią, piła mi leży na siedzeniu obok, ona się zatrzymuje, wyskakuje z samochodu, ja też, chwytam narzędzie, lecę ku niej, piła morderczo błyska w słońcu...

Nie wytrzymałam, opisałam wizję. Już po pierwszych dwóch słowach Martusia uchwyciła sens, jak zwykle zobaczyła to samo, scena ułożyła nam się doskonale, okoliczności towarzyszące zalęgły się jak karaluchy, pluskwy, króliki, szczury, czy co tam się szybko mnoży. Dominik zszarzał, przyklapł, stracił znaczenie...

– Co za szkoda, że nam się to do niczego nie nada! – westchnęłam z żalem.

– A czy ja wiem? – zaprzeczyła żywo Martusia. – Lata u nas przecież Bartosz za Beatą, dlaczego nie z piłą...?

– W innym sensie lata, do kitu. To już prędzej Ela za Agatą...

Taksówkę wezwałam o wpół do drugiej, ściśle biorąc dwie, bo ktoś musiał odprowadzić jej samochód. Oglądanie pożaru ustaliłyśmy na dwunastą. Scenariusz posunął mi się odrobinę do przodu.

– Ale wszystko jedno, licz się z tym, że ja będę jakiś czas nieszczęśliwa – oznajmiła Martusia, wychodząc. – Zajmę się pracą i do kasyna pójdę przynajmniej bez obaw i wyrzutów sumienia. Tyle mojego! Ale nieszczęśliwa będę.

Pozwoliłam jej być nieszczęśliwa, byle bez wielkiej przesady...

* * *

Pożar wyszedł imponująco.

Robocze taśmy Kajtka i Pawełka należało oglądać na dwóch ekranach równocześnie, bo uzupełniały się wzajemnie. Pawełek nadążył za strażą pożarną i znalazł się na miejscu równocześnie z nimi. Strażacy, w pełni świadomi, że występują przed kamerą, akcję rozwinęli godną podziwu. Możliwe, że taką samą rozwijaliby i bez kamery, tu jednakże wypadła im działalność iście pokazowa. Tylko klaskać. Pawełkowi też należały się wielkie brawa, wyłapywał wszystko bez dłużyzn, sfilmował nawet ostateczne wylatywanie sejfu, który utkwił chwiejnie w wyprztęczonej ścianie i pierwszy strumień cieczy, możliwe, że wody, pozbawił go resztek równowagi. Gruchnął zdrowo, a mimo to rzeczywiście pozostał zamknięty.

– I ty nie dzwoń do mnie na taki temat, jak ja jestem między ludźmi – poprosiła Martusia w trakcie przygotowań do przeglądu. – Ten facet całkiem przestał mnie podrywać, chociaż zaczął już w Krakowie, a cała reszta, trzy sztuki, o mało nie uciekła z przedziału. Przy drzwiach usiedli, sobie wzajemnie na głowie i tak widać było, że strasznie myślą, obezwładnić mnie i związać od razu czy nie? Jeden już zaczynał zdejmować krawat. Musiałam im wyjaśnić, o co chodzi.

– I co?

– I tu miałaś rację, zaciekawiło ich nadzwyczajnie, będą oglądać.

– Bardzo dobrze, tylko najpierw musimy to napisać. Patrz porządnie, co nam się z tego przyda. Zakładamy, że on te kasety miał w sejfie...

– Czekaj, a może nie? Może właśnie nie w sejfie, pokazujemy wcześniej, jak je chowa w piwnicy... wszystko jedno, w garażu, w kuchni, w zamrażalniku... Bo ja się już przyzwyczaiłam do myśli, że ma je u siebie, a nie w telewizji.

– I bardzo słusznie. Inaczej pożar byłby nam potrzebny jak dziura w moście. O, proszę! Sama popatrz, jakie to widowiskowe. I już mamy za darmo, tylko montaż...

Pożar na dwóch ekranach szalał wspaniale, aczkolwiek prawie wyłącznie na piętrze i w ogóle dość krótko, bo zbyt szybko został opanowany. Płonące szczątki czegoś wokół jednakże też wyglądały efektownie i nieźle się nam nadawały. Puściliśmy taśmy jeszcze raz, żeby obejrzeć towarzyszące katastrofie społeczeństwo, które dostarczało rozrywek dodatkowych, babie, wypychającej pościel oknem, rozpruła się poduszka i pierze rozleciało się na wszystkie strony, ktoś w budynku obok szlauchem do podlewania trawnika obsikiwał sobie cały dom, jakaś facetka sprała dziecko, czyjś samochód próbował oddalić się z miejsca zdarzenia, rzecz jasna nie sam, tylko z kierowcą w środku, kierowca wygrażał pięściami, bo zemocjonowana młodzież leżała mu na masce, jakiś jeden przyłożył drugiemu, który próbował zbierać porozrzucane szczątki. Na ugrzęźniętym w drzwiach pianinie siedział kot i z kamiennym spokojem oglądał widowisko. Czysty ubaw!

W którymś momencie kompletnie rozhisteryzowana żona porzuciła klatkę dla kota i padła na kolana przy ostygłym już i nieco pogiętym sejfie. Może nawet nie był pogięty, tylko porysowany i obtłuczony, a leżał na boku. Ręce jej się wyraźnie trzęsły, zbliżenie było już dziełem Kajtka, próbowała kręcić tarczą cyfrową, bez rezultatu...

W tym momencie zobaczyłam na ekranie faceta, który stał tuż obok i przyglądał się jej w napięciu. Coś w nim było takiego, że napięcie wyszło. Patrzył tak, jakby wstrzymywał oddech, kiedy okazało się, że, nieszczęsna, otworzyć tego pudła nie zdołała i rozszlochała się ostatecznie, wyraźnie wypuścił z siebie powietrze, cofnął się o krok i odwrócił.

Dzięki temu rozpoznałam go od razu. To był ten sam, który wsiadł do samochodu przede mną i odjechał, przedtem zaprezentowawszy mi swój profil. I ten sam, który wnosił paki do domu, tego zaczynałam być już pewna. Zaciekawił mnie. Bez żadnych przeczuć i jasnowidzeń, w ogóle bez żadnego racjonalnego powodu zażądałam nagle poszukania go na wszystkich kawałkach taśm z obu kamer, i Pawełka, i Kajtka.

– Bo co? – zainteresowała się Martusia. – Znasz go? Przyda się do czegoś?

– Nie wiem – odparłam uczciwie. – Ale chyba zachowuje się tak, jak powinien zachować się przestępca. Podłożył bombę, przylazł we właściwej chwili, przejęty wyłącznie sejfem, znajomy pana domu. Stracił nadzieję na otwarcie tego ustrojstwa natychmiast i poszedł precz, żeby panu domu, jak przyjedzie, nie włazić w oczy. Pasuje, zużyjemy go. Puśćcie te taśmy i szukajmy go wszyscy. Przy okazji obejrzymy go z twarzy od frontu, bo ja poznałam tylko profil. Zapamiętałam ten garbek na nosie i kitkę z tyłu.

– I wąsy, nie?

– I wąsy. Szukajmy...

Pawełek w trakcie ponownego przeglądania taśm podziwiał sam siebie.

– Coś takiego! – mówił, zdumiony. – Jak to człowiek sam nie widzi, co kręci. Nie wiedziałem wcale, że udało mi się złapać tę lecącą bułę, ten sejf, to była pierwsza chwila! Bo balkon owszem, sypał się i ruszał, za nim coś nawet jeszcze wybuchło w środku, no, nie tak bardzo wybuchło, zapaliło się...

Facet z kitką, garbkiem i wąsami znalazł się na wcześniejszych klatkach. Stał z boku i przyglądał się. Wysnuliśmy wniosek, że najpierw patrzył z oddali, potem zbliżył się do żony i sejfu, a potem w ogóle sobie poszedł.

– Pasuje mi do tego, o którym donosiła baba z przenikliwym głosem – zaopiniowałam. – W razie potrzeby można babie pokazać ten film. Zapamiętałaś ją?

– A po co, tu ją masz, o! Pawełek, zatrzymaj!

Przyjrzałam się babie ze średnim zainteresowaniem. Sądząc po stroju, mieszkała gdzieś blisko, miała na sobie fartuch kuchenny i coś w rodzaju sabotów.

– A jego samochód? – spytała Martusia. – Też nam się przyda?

– Nie wiem. Na wszelki wypadek zapisałam numer, zdaje się, że na francuskim kwicie parkingowym, mam go tam gdzieś w śmieciach. Ale, ponieważ zapisałam, oczywiście pamiętam. WXG 6383.

– I co?

– Teraz się musimy zastanowić...

Urwałam, bo Marcie zadzwoniła komórka. Z rozmowy wynikało, że to coś służbowego.

– O, dobrze, że dzwonisz – mówiła Martusia. – Przeglądamy kasety z pożaru... Co...? No pewnie, że możesz zobaczyć ten pożar przed montażem, chociaż do scenografii potrzebny ci jak dziura w moście... Jak to, mnie się wydawało, że to ustalone...? Wcale nie tak zaraz, jeszcze tu posiedzimy, możesz przyjechać... Gdzie w ogóle jesteś...? No wiesz...! Droga do przeglądówki zajmie ci jedną minutę! No dobrze, dwie...

Wyłączyła komórkę, spojrzała na ekrany.

– To Bartek – powiadomiła wszystkich. – Jest akurat w sekretariacie. Niech tu przyjdzie, pokażemy mu całość, bo co nam szkodzi?

Zatroskałam się odrobinę.

– Bartek nam robi scenografię?

– Bartek. A co...? On jest dobry!

Współpracę z Bartkiem pamiętałam doskonale. Pewnie, że był dobry, może zgoła nadmiernie, przy czym nadmiar wychodził poza granice zawodu. Dobre serce, ukierunkowane na cztery strony świata, to cecha nawet szlachetna, choć co najmniej dla jednej albo i dwóch stron wysoce uciążliwa, bo wszystkiego nie obskoczy, a niepunktualność konkursową przy odrobinie wysiłku da się sobie wyliczyć i przetworzyć na daty i godziny realne. Na upartego nawet niesolidność, a to, że mężczyzna nie umie myśleć do końca i leci na wygodnictwo, jest zjawiskiem najnormalniejszym w świecie. Jako grafik był znakomity, jako współpracownik nader trudny, zawahałam się w głębi duszy z aprobatą, ale nagle przyszło mi na myśl, że tym razem Martusia będzie się z nim kotłować, a nie ja, więc czego mam się czepiać. Ona młodsza, ma więcej siły, da sobie z nim radę.

Kiwnęłam głową i przyświadczyłam, że jest bardzo dobry. Zarazem pomyślałam, że skoro Bartek ma tu być za dwie minuty, mamy jeszcze dużo czasu.

– Wcale nie jadę stąd do domu – powiedziała znienacka Martusia złym głosem. – Jadę do kasyna.

Spojrzałam na zegarek.

– Czwarta dochodzi, żadnych kasyn na razie, jedziemy do mnie i uściślamy szkielet przestępstwa. Mam już myśl. Mafią telewizyjną potajemnie rządzi Pętak, gdzieś tam siedzi za plecami Tycia, Grocholski Pętaka szantażuje...

– Pętaka? Nie Pyłka...?

– Wszystko jedno, i tak go jakoś inaczej nazwiemy. Grocholski to ten podpalony, nie było go w domu, ponieważ padł trupem w Marriotcie, o czym jeszcze nikt nie wie. Trup znikł...

Zatrzymałam się w rozpędzie, bo tknęło mnie, że znów mieszam czasy i wydarzenia, a Marta zaczęła się pukać w czoło.

– Opamiętaj się, trup leży w moim pokoju. Już się do niego przyzwyczaiłam.

– W twoim pokoju, słusznie. To czekaj, co ten Grocholski może robić w telewizji? Radca prawny, były prokurator...

– A nie lepiej, żeby Grocholski rządził mafią, a Pętak się spalił...? Chociaż nie, masz rację, taki cichy radca prawny telewizji! Pęta się wszędzie, ze wszystkimi może gadać i tak dalej, ma dostęp...

– Doskonale, pozorne zniszczenie archiwalnych taśm już mamy, Łukasz dopada tych starych materiałów, jak idiota radzi się Grocholskiego, Grocholski szuka u ciebie, Pętak go tam dopada...

– Więc mordercą będzie Pętak? – ucieszyła się Martusia. – No, wreszcie go mamy! Może to i lepiej, że nikt z telewizji.

– Podwójnym mordercą. Ale jakoś go musimy do tej telewizji wpasować...

Kajtek i Pawełek słuchali z wielkim zainteresowaniem, nie wtrącając się wcale, chichocząc tylko od czasu do czasu. Kajtek w końcu nie wytrzymał, podsunął zachęcająco kandydaturę jakiegoś Wrednego Zbinia. Martusia wpadła w euforię.

– Kto to jest Wredny Zbinio? – spytałam surowo.

– Ach, taka pluskwa i supergnida! Wymarzony Pętak! Siedzi nad Dominikiem, nawet nad Tyciem, i judzi, że też mi od razu do głowy nie przyszedł, zdolny do wszystkiego, to przecież on nam utrącił ten poprzedni scenariusz! Krakowskiej telewizji wyrwał z ręki kasowy serial, w ostatniej chwili, wała zrobił z Dominika, Tycio poszedł na ustępstwo, jakby gówno jadł, ale poszedł, i niech się w blondynkę przemienię, jeśli nie za gruby szmal, bo haka na niego nie mają...!

– O ile wiem, nie musisz się przemieniać – wtrącił delikatnie Pawełek, patrząc na jej włosy.

– Ty głupi jesteś, ja mam rozjaśnione! – obraziła się Martusia.

– Czy ten Wredny Zbinio odwalałby własną ręką mokrą robotę? – wtrąciłam się, już usiłując myśleć twórczo. – Nie wynająłby jakiegoś?

Odpowiedzieli mi wszyscy troje razem, przy czym zdania były podzielone. Wredny Zbinio podobno do wysiłków fizycznych się nie pchał, chociaż grywał w golfa i w tenisa, więc kondycję posiadał, ogólnie lubił wysługiwać się kim popadło, z drugiej jednakże strony do intryg przejawiał wielki talent i powinien mieć dość rozumu, żeby w swoje prywatne zgryzoty nikogo obcego nie wprowadzać, zatem mordować mógł zarówno osobiście, jak i przez posły. Wyszło na to, że otwiera się przede mną szeroki wachlarz możliwości, używać do różnych czynów mogłam, kogo chciałam.

Zgodnie z moimi wyliczeniami Bartek pojawił się po kwadransie. Usiadł przed ekranami, puścili mu pożar od początku. Grzecznie poprosił, żeby mu ktoś mniej więcej streścił akcję, a przynajmniej wyjaśnił, o co chodzi i czemu mają służyć te piromańskie efekty. Spełniłyśmy jego prośbę tak gorliwie, że zgłupiał z tego doszczętnie, Martusia bowiem kładła nacisk na scenariusz, a ja na tło z dawnych czasów.

– Nie macie przypadkiem ogólnego konspektu? – spytał w końcu żałośnie. – Ten Pudlak... On tu jest, czy go nie ma?

– Jeszcze nie wiemy – odparła jedna z nas.

– Nie ma, on już leży trupem gdzie indziej – odparła druga.

Kajtek i Pawełek zachichotali.

– W konia mnie tu robicie? – zdziwił się Bartek.

– Gdzieżbyśmy, coś ty, w życiu! – zapewniła go żarliwie Martusia. – Konspekt jest, Joanna ma w komputerze...

– I nie tylko, ty masz wydruk u siebie – przypomniałam.

– Ale ja nie jadę do domu! Mówiłam, do ciebie, proszę bardzo, a potem na rozpustę i nic mnie od tego nie powstrzyma!

– Nie ma pożaru – uspokoił nas Bartek łagodnie. – To znaczy jest pożar, owszem, ale co do konspektu, to niekoniecznie dzisiaj. Jutro na przykład wezmę od Marty, umówimy się. Jak ty jesteś z zajęciami?

Nie wtrącałam się w ich uzgodnienia, ponieważ natchnienie we mnie rozkwitało, chciałam już wracać do siebie i siadać przy klawiaturze. Coś tam sobie ustalili. Zażądałam tego całego widowiska na kasetach VHS, bo chciałam mieć do niego stały dostęp, fragmenty mogły się okazać bezcenne, nie musiałabym szczegółowo opisywać gotowych widoków. Poza tym korcił mnie ten z garbkiem na nosie. Porzuciłam telewizję i udałam się do domu, niemal siłą wlokąc ze sobą Martusię.

Uwolniłam ją dopiero, kiedy akcja posunęła nam się nieźle do przodu i mordowanie Słodkiego Kocia stanęło, można powiedzieć, u progu. Podwójny szantaż stał się faktem dokonanym, Słodki Kocio, który jeszcze nie miał u nas nazwiska, działał najbardziej aktywnie, Grocholski, pośredniczący w tym interesie, gromadził żer dla siebie, Płucek zaś, zagrożony dwustronnie, uprawiał w tle krecią robotę. Mocno to wszystko było skomplikowane, więc rozwój akcji zapisałam w punktach, bez wnikania na razie jeszcze w szczegóły.

* * *

Życie prywatne naszych scenariuszowych bohaterów nie nastręczało mi zbyt wielkich trudności, tak zwane stosunki międzyludzkie znałam raczej dobrze. W ciągu trzech dni pracy bez udziału Martusi pokłóciłam ze sobą dwie pary, jedną małżeńską, a drugą niezupełnie zalegalizowaną, prawie pogodziłam zwaśnionych kochanków i pogłębiłam jedną miłość bez wzajemności. Miłość bez wzajemności okazała się szalenie użyteczna, bo samotna i nieszczęśliwa heroina dysponowała wolnym czasem i mogła śledzić upatrzony przedmiot westchnień. Dzięki czemu dostrzegła wokół niego tajemnicze poczynania przestępcze...

Tu mnie oczywiście zastopowało, bo te bebechy telewizyjne wciąż były mi obce. Zadzwoniłam do Marty.

– Gdzie jesteś? – spytałam na wstępie.

– Na twoich schodach – odparła radośnie. – Na pierwszym piętrze, Bartek też idzie, ale kawałek za mną, bo skoczył naprzeciwko po piwo. Mam kasety.

Ucieszyłam się nadzwyczajnie.

– Jak weszłaś, nie dzwoniąc?

– Jakaś twoja sąsiadka akurat wychodziła. Może pogadamy, jak już dotrę na trzecie, co...?

Zgodziłam się chętnie, pootwierałam wszystkie drzwi i od razu wyjęłam szklanki. Bartek poświęcił na zakup zaledwie pięć minut, ale przez te pięć minut Martusia zdążyła poinformować mnie, że całkiem nie wie, co robić, bo Dominik wprawdzie jej nie kocha, ale chce, ona go kocha, ale nie chce, to znaczy nie, też chce, ale nie chce go kochać, i znów się szarpie. Szarpanie, mimo wszystko, wyglądało jakoś pogodniej, więc powstrzymałam się od komentarzy.

Bartek pojawił się po chwili, przeprosił za nieoczekiwane najście, co nie miało żadnego sensu, bo był przecież potrzebny, i znów przystąpiliśmy do oglądania pożaru. Wymyśliłam ten pożar i czepiał się mnie teraz jak rzep psiego ogona. Pociechą była mi myśl, że pogorzelec mnie nie zna, nie ma pojęcia o moich wizjach i nie przyleci z awanturą oraz żądaniem odszkodowania.

Oglądaliśmy to zaś głównie z uwagi na dźwięk.

– Słuchaj, myśmy przy oglądaniu w ogóle nie zwrócili uwagi na to, co tam słychać – powiedziała Martusia z przejęciem. – Na odgłosy dookoła. Całe ludzkie gadanie nam uciekło, bo sami robiliśmy hałas. Teraz posłuchaj... A, na końcu jest jeszcze dokrętka, Pawełek pojechał zrobić pogorzelisko, tak sobie, na wszelki wypadek...

– I tak jestem bardzo niezadowolona, że żaden z nich nie doczekał powrotu pana domu – oznajmiłam potępiająco. – Należało popatrzeć, jak zareaguje i co zrobi. I co z tym sejfem, otworzył go czy nie?

– W każdym razie usunął, bo na pogorzelisku już nie ma sejfu. Sama zaraz zobaczysz.

– Piwo jest zimne – zawiadomił Bartek.

– Bardzo dobrze. Czekajcie, schowam resztę do lodówki...

Rychło pożałowałam, że nie mam słuchu dzikiego zwierzęcia, bo melanż akustyczny panował tam potężny. Wśród krzyków, trzasków, huków i ogólnego rejwachu ledwo od czasu do czasu udawało się wyodrębnić fragmenty zrozumiałych słów. Być może wywrzeszczanych głośniej albo bliżej kamery. Najlepiej wychodziły okrzyki strażaków, ale i ludzie robili, co mogli.

„...żyli bombę..." zabrzmiało wyraźniej oraz „...dnego nie trafi...", co odczytaliśmy zgodnie jako: „na biednego nie trafiło", „...tu chodził...", „...się czaił!", „...patrywał, jak by tu...", „...się kręcił...", wszystkie te słowa padły z ust baby o przenikliwym głosie. „Tam na lewo!...” i „...gruchnie!...” zagrzmiało bardzo gromko i wtedy właśnie oberwał się balkon. Reszta stanowiła mieszaninę pourywanych wyrazów obaw, przypuszczeń co do przyczyny pożaru, hochsztaplerstwa pogorzelca, jego wrogów i ogólnej kary boskiej.

– Należałoby to wszystko zapisać... – zaczęłam i umilkłam.

Wpadło mi nagle w ucho coś, co zabrzmiało jak „Grocholski”. Możliwe, że oddzielnie usłyszałam „Grocho...”, a oddzielnie „...cholski”, ale razem stworzyło Grocholskiego.

– Hej, czy ja mam omamy słuchowe? – spytałam z niepokojem. – Też to słyszeliście? Mnie się wydaje, że powiedzieli „Grocholski”?

– Mnie też – powiedział Bartek.

– No Grocholski, zgadza się – przyświadczyła niecierpliwie Martusia. – Ten pogorzelec.

– Jaki pogorzelec?

– No ten, co się spalił. Ten właściciel! On się nazywa Grocholski, Pawełek się dowiedział, jak robił dokrętkę.

– Jezus Mario – powiedziałam ze zgrozą.

Martusia się zdziwiła.

– O co biega? Grocholski. Mamy go przecież w scenariuszu?

– Zwariowałaś! Grocholski to jest prawdziwy facet! Były prokurator, wmieszany w stare przestępstwa...

– Złoczyństwa...

– Niech ci będzie, w historyczne złoczyństwa! Miałyśmy mu zmienić nazwisko i już go wtryniłyśmy do telewizji! Niech ja końskim włosiem porosnę, na co oni trafili...?!!!

– Kto...?

– Kajtek i Pawełek... No dobrze, w odwrotnej kolejności, wszystko jedno!

– Dajcie piwa!!! – krzyknęła Martusia rozdzierająco.

– Ja przyniosę – zaofiarował się Bartek. – Mogę sam wyjąć z lodówki?

– Możesz, możesz, rób, co chcesz...

Przerażająca prawda objawiła nam się w całej okazałości. Nic dziwnego, że do współczesnego kryminalnego scenariusza pchały mi się tak natrętnie dawne czasy. Okropny trup Słodkiego Kocia stanowił ogniwo, łączące przeszłość z teraźniejszością, już rzeczywiście nie mogło mi się nic lepszego przytrafić, skoro musiałam znaleźć trupa, nie dało się napatoczyć na łatwiejszego...? Klątwa czy co...?

– No to ja nie wiem, co zrobimy – rzekła Martusia, ochłonąwszy pod wpływem zimnego napoju. – Czy on, ten Grocholski, nie pasuje nam za dobrze?

– Odciąć się trzeba – zadecydowałam stanowczo. – I nie martw się, damy radę, ja jestem do takich rzeczy przyzwyczajona.

– Do jakich rzeczy? – zaciekawił się Bartek.

– Do trafiania w środek tarczy. Co jakąś zbrodnię albo inną podobną rozrywkę wymyślę, okazuje się, że właśnie takie się przydarzyło. Muszę chyba miewać jasnowidzenia, względnie podświadomość, która lepiej się we mnie trzyma niż te kretyńskie szare komórki, z wiekiem wybrakowane.

– No dobrze, to właściwie... Skoro prawdziwy Grocholski został podpalony... – zaczęła Martusia ostrożnie. – To co musimy zmienić...?

– Nic. Nazwisko. Reszta pasuje idealnie. Współczesne przekręty to szmal, nie? Nie robi tego młodzież tuż po maturze, ani nawet tuż po dyplomie, tylko ludzie w sile wieku. Każdy się rwie do tej kopalni złota i jedni drugim świnię podkładają, żeby ich wygryźć, a posługują się czym popadnie. W naszym wypadku utajnionymi kompromitacjami albo... no dobrze, złoczyństwami. Ograniczymy trochę całą imprezę, żeby nabrała charakteru kameralnego, do odkryć przyczyni się nieszczęśliwa miłość tej, jak jej tam... Malwiny, potem zabijemy Lipczaka...

– Ale też pod innym nazwiskiem?

– No pewnie. A potem ten cały Płatek, bo na nim stoimy, spróbuje rąbnąć kogokolwiek. Kogo wolisz? Tycia na przykład? Dominika? Malwinę może, co? Za dużo zobaczyła i odgadła...

– Kto to jest Malwina? – spytał z zainteresowaniem Bartek.

– Ela – odparła ponuro Martusia. – U nas ona robi za taką harpię, oszalałą z miłości do Marka, który jej wcale nie chce...

– Zaraz. A Marek, to kto?

– Jurek. Ale nie musi być kierownikiem redakcji, może mu damy wyższe stanowisko, może zastąpi Tycia.

– A sam Tycio nie może być...?

– Nie może, za gruby – powiedziałam stanowczo. – Mnie się takie rzeczy narzucają optycznie, w oczach mam Tycia i nie potrafię sama w siebie wmówić, że ktokolwiek oszalał z miłości do niego. Muszę pisać z przekonaniem.

– To właściwie obrabiacie całą telewizję...?

– A to z koncepcji jeszcze ci nie wyszło? – spytała Martusia zgryźliwie. – Na tym polega dowcip, liczymy na to, że kulisy telewizji zyskają szaloną oglądalność. Niby nic, niby kameralnie, niby same ludzkie uczucia...

– A tu kryminał straszny – wpadłam jej w słowa.

– I od tego ona właśnie jest, bo jej się trupy same pchają w zęby...

– Martusia, zwariowałaś?

– No dobrze, bardzo cię przepraszam, gdzie indziej. W komputer jej włażą.

Bartek, wydawało się, ogólnie zrozumiał. Telewizję, jako taką, znał nieźle, a na pewno lepiej niż ja. Nie robił wrażenia wstrząśniętego.

– No dobrze, mnie wszystko jedno, z pracy mnie nie wyrzucą, ale Marta...?

– Złagodzimy, co można – uspokoiłam go. – I namotam tyle, że nikt do ładu nie dojdzie. Łatwo mi przyjdzie, bo sam widzisz, że uparcie mieszam dawne czasy z obecnymi, więc może najgorsze padnie na nieboszczyków, zgasłych zwyczajnie ze starości. A ona dopilnuje, żebym nie przesadziła i nie trafiła przypadkiem w jakąś prawdziwą aferę, więc może nikt nie rozpozna siebie, i jest szansa, że wszyscy się ucieszą.

– Daj wam Boże zdrowie – zgodził się Bartek, acz lekkie powątpiewanie brzmiało w jego głosie.

– A w ogóle ja pracuję, a od śledztwa są gliny – dołożyłam z irytacją. – Jeśli zatuszują wszystko, napiszę następny kryminał o nich. Mogą to traktować jak groźbę karalną...

Zajęliśmy się własnym zawodem, omówiliśmy szczegóły wnętrz, w których jedne osoby mogłyby podsłuchiwać drugie, sprawdziliśmy to doświadczalnie w moim mieszkaniu i obydwoje w końcu wyszli, zajęci sobą, nie wiadomo, bardziej służbowo czy prywatnie. Z wielką nadzieją pomyślałam, że może urok Marty wywrze jakiś pozytywny wpływ na punktualność Bartka...

Dopiero po ich wyjściu zauważyłam, że taśmy zostały u mnie, w dodatku jedna kaseta nawet niewyciągnięta z pudła wideo, chociaż cofnięta do początku. Wyjęłam ją, sięgnęłam po drugą i zastanowiłam się, gdzie też je umieścić, żeby nie zginęły i żeby je łatwo znaleźć. Z doświadczenia wiedziałam, że ilekroć schowam coś tak, żeby łatwo znaleźć, ginie to potem na wieki, jeśli położę byle gdzie, też ginie i trafia się na to przypadkiem, spróbowałam zatem pomyśleć bardzo logicznie i rozsądnie.

Rozmaitych kaset leżało u mnie zatrzęsienie, proporcjonalnie rzecz biorąc, miałam ich prawie tyle co książek, pi razy oko na pięćdziesiąt książek wypadały dwie sztuki. Częściowo było to wszystko przemieszane, ale w zasadzie kasety trzymałam zgrupowane wokół telewizora, no, może z jakimś tam jednym drobnym odstępstwem. Wetknąć do nich te pożarowe? I co, przegrzebywać potem ten cały chłam, odczytując wszystkie napisy na grzbietach...?

W zadumie przeszłam przez całe mieszkanie z kuchnią włącznie, trzymając kasety w ręku. Przypomniało mi się nagle, że nie schowałam do zamrażalnika kupnych pierogów z mięsem, a nie pożrę przecież na poczekaniu dwóch opakowań, zaśmiardną mi się, nie daj Boże. Schowałam je zatem. Coś mi w tym przeszkadzało, równocześnie zadzwonił telefon i odezwał się domofon, zwolniłam zamek na dole, bo do drzwi w przedpokoju miałam bliżej i rzuciłam się na poszukiwanie telefonu. Słuchawka gdzieś mi zginęła, słyszałam ją, ale nie mogłam dostrzec, podniosłam tę od faksu, chociaż było mi z nią niewygodnie, bo miała krótki sznur. Ciągle trzymałam coś w ręku.

W telefonie odezwała się Anita.

– Nie śpisz chyba jeszcze? – powiedziała dość beztrosko, czym zwróciła moją uwagę na zdumiewająco późną godzinę. – Słuchaj, przypomniałam sobie tego faceta, którego udusili nazajutrz, on chyba miał na imię Stefan?

Zaprzeczyłam.

– O ile sobie przypominam, Antoni. Antoni Lipczak.

– Nonsens – zaprotestowała Anita stanowczo. – O Lipczaku nie ma mowy. Stefan, czekaj... Stefan... Takie pasujące nazwisko... Wiem, Trupski! Stefan Trupski.

Poczułam się bardzo porządnie skołowana.

– O Trupskiego pytały mnie gliny, owszem, w życiu o takim nie słyszałam, ale ten w hotelu wedle dokumentów nazywał się Antoni Lipczak. Marta podejrzała, a pan śledczy potwierdził. Kto to jest ten Trupski?

– Poważnie miał dokumenty na nazwisko Lipczak?

– Jak Boga kocham. Dowód, prawo jazdy, karty kredytowe...

– Coś takiego, to tak się przechrzci!...? Otóż od razu ci powiem, gówno prawda. Ja go znałam z takich spotkań dziennikarsko-biznesowych. I mogę ci powiedzieć, że przypomniałam go sobie, bo był wścibski jeszcze bardziej niż ja, a z pewnością nachalniej. Wśród elity rządzącej na jego widok wszystkim się gęby krzywiły, nie kochali go zbytnio. Ale tolerowali z konieczności, z większością w ogóle był na ty, a od jednego takiego dowiedziałam się wtedy, że kolekcjonuje cudze tajemnice zgoła maniacko, hobby ma takie.

– Nie miał przypadkiem powiązań z tą rządzącą górą w telewizji? – spytałam chciwie.

– Pewnie miał, ale raczej pchał się do spółek, giełdy, handlu, do wszystkiego, co bezpośrednio śmierdziało pieniędzmi. Bo co?

Westchnęłam ciężko.

– Nic. Przez chwilę miałam wielkie nadzieje, ale to już byłby cud...

– No pewnie, że cud. Nie wymagaj za wiele. Pożyczki między innymi załatwiał, o ile wiem i prywatne, i bankowe, w ogóle różne. W ogóle pchał się wszędzie, ale był odpędzany... nie, źle mówię. To odpędzany, to chwytany, rozumiesz, te zdobyte tajemnice sprzedawał. Więc jeden go odganiał, żeby czegoś nie wywęszył, a drugi łapał, żeby kupić wywęszone. Sam, osobiście, szantażem się nie zajmował, bo był tchórzliwy z natury, ale jako źródło mógł służyć doskonale. Tyle wiem. I nawet zgaduję, dlaczego się przechrzcił...

Zdążyłam pomyśleć, że bez względu na nazwisko też się przyda, bo ten nasz drugi trup może być z gatunku węszących.

– Ale czekaj, bo ja w innej sprawie dzwonię – ciągnęła Anita. – Czy ty nie masz telefonu albo faksu tego centrum medycznego od ziół? Bo nie mogę u siebie znaleźć...

– Mam, oczywiście – odparłam natychmiast. – I nawet tuż obok. Zaraz ci powiem, tylko czekaj, muszę wyciągnąć... moment, odłożę słuchawkę, bo mi ręki brakuje...

Jakoś uwolniłam te ręce, sięgnęłam do foliowej torby, gdzie trzymałam wszelkie dyrdymały medyczne, spośród licznych papierów i przyrządów wyciągnęłam właściwą teczkę, z niej właściwy papier i podałam jej pożądane numery. Anita zawiadomiła mnie jeszcze, że jedzie na tydzień do Włoch, oczywiście służbowo, i wyłączyła się.

Rozsądnie pozbierałam cały medyczny śmietnik i wetknęłam razem z torbą we właściwe miejsce. Przypomniałam sobie, że ktoś dzwonił na dole, ale oczywiście szedł nie do mnie, tylko do kogoś innego. Miałam wrażenie, że coś powinnam była zrobić albo załatwić, mignęła mi w pamięci lodówka, popędziłam do kuchni, oczywiście, nie zatrzasnęłam jej porządnie i okazała się otwarta, zabrałam duży kalkulatorek, który, nie wiadomo dlaczego, leżał na niej, wróciłam do pokoju i usiadłam do komputera, żeby na wszelki wypadek zapisać w punktach wszystko, co przyszło mi do głowy w trakcie rozmowy z Anitą. W rękach, jakimś tajemniczym sposobem, nie trzymałam już nic, ale niewiele mnie to obchodziło.

Po czym, najzwyczajniej w świecie, poszłam spać.

* * *

Martusia, wybiegłszy rano do pracy, wróciła do siebie dopiero następnego dnia. Poprzedniego, wczesnym wieczorem, zadzwoniła do mnie z telewizji.

– Co za dzień! – powiedziała znękanym głosem, ale buntowniczo. – Dominik mnie zdenerwował od rana, słuchaj, on się rozwiedzie i ożeni ze mną, ale muszę rzucić hazard, aż mi się coś zrobiło, a może...?

– O Jezu – powiedziałam z przerażeniem.

– Nie rzucę. Stracę go na zawsze...

– No to przecież już się na to nastawiłaś!

– Ale z jakim potwornym wysiłkiem...! Ja nie wiem, on mi coś zadał...

Słowa „gówno ci się zadało” zgryzłam w zębach i przekształciłam w nieartykułowane zgrzytanie. Martusia nie domagała się wyraźnej ludzkiej mowy.

– A potem wpadłam w istny młyn. Dodatkowo ktoś mi zrobił w pokoju potworny bałagan i słuchaj, nie możemy znaleźć kaset z pożarem! To znaczy, ja nie mogę, Pawełka nie ma, Kajtka nie ma, ale mówią, że nic nie wiedzą i żaden nie pamięta, gdzie zostawili po przegraniu. Mam tego dosyć, zaraz stąd wychodzę i zawiadamiam cię, że idę do kasyna. Muszę jakoś odreagować!

– Proszę cię bardzo – zgodziłam się czym prędzej. – Ja teraz jestem na Joli z Robertem, oni się godzą właśnie, więc umiem pisać sama. Poza tym, później mam konferencję na inny temat, wobec czego rób, co chcesz aż do jutra.

Martusia ucieszyła się, oznajmiła, że wyłącza komórkę i znikła z horyzontu.

Zadzwoniła do mnie nazajutrz o jakiejś upiornej godzinie, ósmej dwadzieścia rano. Z zasady o takiej porze od dawien dawna nie podnosiłam słuchawki, ale tym razem uczyniłam to z ciekawości, kto też mógł się tak wygłupić.

– No to chyba jest coś dla nas – oznajmiła Martusia raczej nerwowo i bez wielkiego entuzjazmu. – Lepiej usiądź. Było u mnie włamanie!

U mnie również było kiedyś włamanie, okazałam zatem od razu pełne zrozumienie.

– I co?! – spytałam z szalonym naciskiem.

– I w jednym zdaniu tego nie zmieszczę...!

– Pozwól sobie na cały rozdział...

– I po pierwsze, jak wróciłam do domu...

– O której? – przerwałam, bo postanowiłam na wszelki wypadek jej opowieść uściślić.

– O piątej. Może pięć po. Nad ranem. Drzwi okazały się otwarte. To znaczy, nie były zamknięte na klucz. Nic sobie jeszcze nie pomyślałam, tylko weszłam i od pierwszego kopa wlazłam na istne pobojowisko. Bałagan potworny, o mało mnie szlag nie trafił, ale powiem ci, że natychmiast mi się zrobiło przyjemnie i tylko dzięki temu nie padłam trupem na miejscu!

– Dobrze, że nie padłaś, bo za dużo by nam wyszło tych trupów – pochwaliłam. – Dlaczego przyjemnie?

– Bo nic w domu nie miałam. Co mi mogli ukraść? Sprzęt mam w pracy, bransoletkę na ręku, a pieniądze w torebce, bo w kasynie wygrałam. Przedtem nie miałam ani grosza, no, ledwo trochę, na grę, ale to też przecież nie w domu, zabrałam ze sobą!

– Kossaków na ścianach, wazoników z epoki Ming...

– Zwariowałaś...?!

– Futerko posiadasz...

– Posiadam, posiadam. Ciągle je posiadam. Czekaj, bo zadzwoniłam po gliny, chyba nie mieli co robić, ponieważ przyjechali w trzy minuty i razem z nimi ten bajzel przejrzałam, nawet mi pomogli sprzątać, bo, rozumiesz sama, pierwsze pytanie było: „Co pani ukradli?". Okazuje się, że nic! To znaczy owszem, wszystkie kasety, jakie miałam w domu, a tyle miałam co kot napłakał, bo większość trzymam w pracy, a resztę pożyczyłam akurat różnym osobom. Nic z tego nie rozumiem, co to ma znaczyć?

– I nic więcej?

– Do tego stopnia nic więcej, że takie pudełeczko leżało na wierzchu, a w nim były drobne, nawet nie wiedziałam ile, na napiwki, i masz pojęcie, zostało! A tam było, policzyłam, przeszło sto złotych! Nietknięte!

– A te kasety, co je miałaś, to pamiętasz z czym?

– Przy odrobinie starań mogę sobie przypomnieć. Nic ważnego. Robocze materiały o obrzędach wielkanocnych i nawet o tobie, jakieś filmy, ale nie ukochane, a w ogóle wszystko mam w pracy, na becie, zero problemu, mogę sobie odtworzyć. Naprawdę nie rozumiem takiego idiotycznego włamania, a najbardziej mnie rozzłościł bałagan. Już posprzątałam.

– I gdzie teraz jesteś?

– W domu. Zaraz lecę na Woronicza. Nie dzwoniłabym do ciebie tak upiornie rano, ale może ci się to do czegoś przyda.

– Może się i przyda – powiedziałam w posępnej zadumie. – Mam złe przeczucia. Sprawdź w pracy, czy tam jest wszystko w porządku.

Marta się nagle zaniepokoiła.

– Joanna, co ty masz na myśli?

– O moim myśleniu nie ma co gadać. Myślenie dotyczy umysłu, a u mnie działa głównie dusza. I złe przeczucia ma moja dusza...

Dusza, jak zwykle, okazała się mądrzejsza ode mnie.

* * *

Marta zadzwoniła do mnie, kiedy znajdowałam się w Oszołomie, którą to wdzięczną nazwę nosił między nami Auchan, przy kosmetykach. Wpatrywałam się w nie, usiłując przypomnieć sobie, co uznałam wcześniej za właściwe dla siebie. Udałam się tam z wielką niechęcią, właściwie tylko po to, żeby sobie doładować akumulator, który nie lubił bezruchu.

– Jest afera – oznajmiła z szalonym przejęciem. – Słuchaj, ktoś przegrzebał wszystkie kasety, Kajtek i Pawełek też tu są, diabli wzięli cały pożar!

– Nie diabli, tylko złodziej – skorygowałam, wpatrując się z powątpiewaniem w rozmaite palmolivy. – Uściślij. Jak to, cały?

– I nasze robocze, i te przegrane na VHS. Już sprawdziliśmy porządnie. Nie ma ich, Kajtek wie, gdzie leżały. Nie leżą. Nikt się nie przyznaje do zabierania, zupełnie jak w naszym scenariuszu!

– Myśmy nie przewidywały bałaganu, tylko poszukiwania podstępne! – zaprotestowałam.

– Podstępnie też chyba szukał, ale bałagan, muszę przyznać, bardziej malowniczy. Uważam, że warto go użyć, Kajtek z Pawełkiem nakręcili, na wszelki wypadek. W każdym razie pożar przepadł, słuchaj, czy tamte kasety nie zostały u ciebie...?

– Zostały, owszem. Zauważyłam to, jak już wyszliście. I u mnie nikt nie grzebał.

– No więc to jest jedyny egzemplarz. Całe szczęście! I jak to dobrze, że przegraliśmy na VHS cały roboczy materiał, jest tam wszystko! Joanna, pilnuj ich jak oka w głowie! Wpadnę do ciebie jeszcze dzisiaj!

Szczerze mówiąc, ucieszyłam się z wydarzenia. Wyraźnie oznaczało, że pożar stanowił podejrzaną sensację, a jeśli ktoś podwędził całe nagranie, w dodatku wiedząc, gdzie ma szukać, musiał to być ktoś związany z telewizją. Obfita woda na nasz młyn. Nie próbowałam nawet odgadywać osoby sprawcy, Marta miała tu szanse, a nie ja, mogłam poczekać na rozszerzenie własnej wiedzy aż do jej przyjścia. Zawahałam się, czy nie jechać tam do nich i nie obejrzeć zamieszania osobiście, ale uznałam, że lepiej będzie wrócić do domu i pilnować kaset, bo nie daj Boże, jeszcze i do mnie złoczyńca się włamie...

Myśl, że mógłby mi rąbnąć mój cały telewizyjny stan posiadania, zdopingowała mnie ostro. Porzuciłam rozważania nad kosmetykami, sięgnęłam na półkę po cokolwiek i wybiegłam z Oszołoma.

Śladów włamania u siebie nie dostrzegłam żadnych, nikt mnie nie usiłował okradać. Bardzo zadowolona usiadłam do roboty, postanowiwszy spokojnie czekać na Martę.

Po dwóch godzinach znów zadzwoniła.

– Mamy gliny – zaraportowała. – Chociaż nikt ich nie wzywał. Bez Czarusia Pięknego, ale nie szkodzi. Słuchaj, czy to się może wiązać z twoim Kocim Ptaszkiem czy jak mu tam? U nas nikogo nie zabili! Na razie...

– Przyjechali sami z siebie? – zdumiałam się. – O rany, to rzeczywiście afera! Jasne, że musi się wiązać! Dużo ich obchodzą wasze materiały robocze, choćby nawet z trzęsienia ziemi! Kradzież też dla nich żadne dziwo, nie wspominając o bałaganie, więc jestem pewna, że idzie o pożar. Spróbuj podglądać, co robią, i podsłuchiwać, co mówią. I z kim gadają.

– To wiem bez podglądania. Z Kajtkiem i Pawełkiem. Nie chcą wierzyć, że żaden z nich nic nie ma. A ja im właśnie powiedziałam, że oglądaliśmy to u ciebie, więc się nastaw. Zaraz przyjeżdżam!

– Gliny pewnie też – mruknęłam i wyłączyłam słuchawkę.

Od dawna już zaniechałam robienia porządku przed przybyciem gości, była to sprawa beznadziejna, ponadto usunięte ze stołu przedmioty, głównie papiery, ginęły mi zaraz potem bezpowrotnie. Uczyniłam zatem tylko to, co możliwe, opróżniłam popielniczki i zaniosłam do kuchni liczne używane szklanki. Wypłukałam je nawet.

Zaraz potem przyleciała Martusia.

– Ja rozumiem, że darowanemu koniowi się nie zagląda – powiedziała nerwowo już od progu. – Ale jeśli wszystko się wiąże, to powiedzmy sobie prawdę w oczy, że już trudniejszego trupa nie mogłaś znaleźć!

Zgodziłam się z nią w pełni i westchnęłam.

– Konfliktowy był za życia i konfliktowy po śmierci. Ale dzwoniła Anita, zapomniałam ci powiedzieć. I ten cały Lipczak, którego znalazłaś ty, a nie ja...

– Nie ja, tylko Dominik.

– Jeszcze gorzej. Dominik do zeznań jak wół do karety...

– Wał – zaproponowała Martusia i zabrała z kuchni wypłukane szklanki. – Nie zgodziłabyś się na wała?

– Mogą być i trzy wały. A nawet walec drogowy, tyle samo by nam powiedział. Możesz iść do pokoju, piwo wezmę. I zaraz cię ogłuszę dodatkowo, wedle tego, co mówi Anita, Lipczak wcale się nie nazywał Lipczak, tylko Trupski.

Zaskoczona Marta zatrzymała się w drzwiach i wpadłam na nią.

– Nie żartuj! Ten Trupski, o którego pytał piękny Czaruś?

– Ten sam, jak w pysk dał. Wejdź uprzejmie dalej, bo tu ciasno. Stefan Trupski. Nie wiem, czy już go kojarzą...

Marta weszła dalej i mogłam również znaleźć się w pokoju.

– Siedział we wszystkim, wciskał się, węszył i znał miliony ludzi – ciągnęłam. – Dziwne, że się nie zetknął z Dominikiem.

– Ale powiem ci – rzekła konfidencjonalnie żywo poruszona Martusia, lokując się na kanapie i chciwie otwierając puszkę – że... O, tego mi było potrzeba! W telewizyjnym bufecie piwa nie ma, kretyństwo... że chyba zetknął się z Tyciem. To nie informacja, to mętna plotka i mgliste przypuszczenie. Wrażenie takie odniosłam.

– Z czego ci się wzięło?

– Tycio tak napomykał, całkiem przypadkiem, marginesowo i akurat pod drzwiami wychodka. Na korytarzu. Co się tam właściwie działo, w tym pokoju hotelowym, dla zagranicznego gościa musieli zmienić na inny, niby go to nic nie obchodzi, ale w oczy biło, że strasznie chciałby wiedzieć. Gdyby chciał wiedzieć zwyczajnie i bez drugiego dna, spytałby wprost. I gdzieś po drodze w ucho mi wpadło, że stratę poniósł Wredny Zbinio, a Tycio się z tego cieszy. Nic więcej. Słuchaj, dlaczego musieli zmienić na inny? Pokój mam na myśli?

– Bo w tamtym prawdopodobnie urzędowały gliny.

– Rozumiem. I co na to mówi twoja dusza?

Moja dusza czuła się kompletnie skołowana i nie chciała wypowiadać się zrozumiale. Mimo licznych wyjaśnień Marty wciąż nie pojmowałam dokładnie owych telewizyjnych przekrętów, nie umiałam rozgryźć kantów. Idealne przeciwieństwo kantów końskich, wyścigowych i aukcyjnych, które miałam w małym palcu i które z kolei nie docierały w pełni do Marty, aczkolwiek na czym polega gra, wiedziała doskonale. Mieściły mi się w głowie nawet takie rzeczy, jak cały statek handlowy, wyładowany zgniłymi cytrynami, i utrącenie produkcji naszych własnych przyrządów elektronicznych po to, żeby je można było sprowadzić od zagranicznego kontrahenta. A telewizja jakoś nie. Bariera. Mur oporowy. Odgradzał mnie od jej krętactw radykalnie.

– Dusza jest zacofana i zakopana w przeszłości – oznajmiłam stanowczo. – Nie leci z prądem czasu, trudno. Jeszcze nie wiem, co z tego wyniknie, ale w tym pożarze tkwi jakieś sedno rzeczy.

– A, właśnie! – przypomniała sobie żywo Martusia. – Wiesz co, daj mi te kasety, ja je schowam od razu do torby i w razie czego ucieknę. A ty będziesz mogła mówić, że ich wcale nie masz. Wolę najpierw zrobić kopie, a dopiero potem rzucać je na pastwę glinom.

Propozycja wydała mi się rozsądna. W mgnieniu oka wymyśliłam, jak będzie. Oni zadzwonią z dołu, otworzę im, zanim wejdą na schody, Martusia wybiegnie i poleci na strych. Przeczeka w ukryciu pół piętra wyżej, oni wejdą do mnie, a ona spokojnie zejdzie na dół. Ja zaś równie spokojnie wyjaśnię, że już jej oddałam wszystkie materiały i proszę bardzo, niech ją gonią. Znajdą ją w telewizji, to oczywiste, ale może już zdąży przekopiować...

– A jak oni wcale nie zadzwonią z dołu, bo akurat będzie otwarte? – zaniepokoiła się Martusia. – Tylko od razu do drzwi?

– To się schowasz w kuchni, ja ich zawlokę do pokoju, a ty po cichutku wyjdziesz.

– Może być. Daj kasety.

Podniosłam się z fotela, uczyniłam krok w kierunku drugiego pokoju i zastygłam. Zaraz, gdzie ja schowałam te kasety...?

– No? – powiedziała Marta. – Co się stało?

– Nic. Ja je gdzieś schowałam tak, żeby łatwo znaleźć. Muszę sobie przypomnieć, gdzie.

– Nie mów! Jezus Mario...!

Następny kwadrans obie poświęciłyśmy na przegląd wszystkiego, co leżało wokół telewizora, chociaż byłam pewna i tłumaczyłam jej, że tam ich na pewno nie ma. Doskonale pamiętałam, że trzymałam je w rękach i szukałam właściwego miejsca. Coś nastąpiło, jakieś przeszkody. Potem już nie trzymałam niczego...

Marta po raz drugi rozpaczliwie odczytywała napisy na wszystkich grzbietach, kiedy odezwał się brzęczyk z dołu.

– No tak – powiedziałam z rezygnacją, zwalniając zamek. – Daj sobie spokój z tą lekturą. Już go mamy. Cezary Piękny.

Marta wróciła do pokoju.

– To co teraz będzie?

– Nie wiem. Nakazu rewizji nie ma, bo moich starań przewidzieć nie mógł. Może mu pozwolić na przeszukanie bez nakazu?

– No coś ty! Jeszcze znajdzie...!

– W duchy wierzysz...

Na wszelki wypadek udawałam, że nie wiem, po co pan major przyszedł, i powitałam go wielkim zainteresowaniem. Pan major nie udawał niczego, szczególnie że pierwsze, co ujrzał, to Martę. Ukłonił się grzecznie.

– Pani jest zorientowana... To i już pani wie – zwrócił się do mnie. – U pani znajduje się podobno taśma z pożarem na Bluszczańskiej. I niech mi pani nie odpowiada, że nie rozumie, o czym mówię, bo i tak w to nie uwierzę. Byłoby dla mnie wielką pomocą, gdybym mógł tę taśmę przejrzeć i uprzejmie panią o nią poproszę.

Poniechałam udawania.

– Bardzo dobrze wiem, o czym pan mówi, i też uważam, że powinien pan tę taśmę obejrzeć, a nawet więcej niż obejrzeć, tylko istnieje jeden szkopuł. Mianowicie nie możemy jej znaleźć. Ona tu z pewnością gdzieś jest, starannie przeze mnie schowana tak, żeby nie zginęła, pytanie gdzie. Za skarby świata nie mogę sobie przypomnieć.

Piękny Cezary stał akurat pomiędzy pokojami i miał widok na przestrzał. Spojrzał w kierunku telewizora.

– Nic z tego – powiedziała smętnie Martusia. – Obejrzałam to wszystko dwa razy. Tam nie ma.

– Mówiłam, że nie ma. Chciałam dla niej znaleźć lepsze miejsce niż w tym śmietniku. I tu w szafce też nie ma. Chcecie, to sobie sprawdzajcie.

Obydwoje z Martusią, spojrzawszy przedtem dziwnym wzrokiem na mnie, zaczęli czytać napisy na grzbietach kaset w oszklonej szafce, przekrzywiając przy tym głowy aż do skrętu szyi, bo kasety stały pionowo. Nic im z tego nie przyszło.

– No tak – mruknęła Martusia. – To byłoby za proste.

– One się kiedyś znajdą – zapewniłam pocieszająco. – Jak zacznę szukać czegoś innego.

– Albo jak może pójdziesz drogą dedukcji...? – powiedziała Martusia z nadzieją.

– No właśnie, gdybym sobie przypomniała, co ja wtedy robiłam...

Nie wiem, czy ten nieszczęsny człowiek nam wierzył, czy też był pewien, że się wygłupiamy, ale równowagi nie stracił. Uparte oczekiwanie biło z niego niczym żar z pieca. Zaproponowałam, żeby wziął udział w poszukiwaniach, wspomagając nasze wysiłki.

Wspólnymi siłami przejrzeliśmy półki z książkami, śmietnik na kredensie kuchennym, pudło pełne fotografii, wszystkie płaszczyzny poziome wokół komputera, biurko i regał z dokumentami, bez rezultatu. Poszłam drogą dedukcji. Co ja wtedy robiłam, do diabła...?! Wiem, znalazłam kalkulatorek w jakimś dziwnym miejscu. A, na lodówce. Dlaczego...? A, prawda, chowałam pierogi do zamrażalnika, zadzwoniła Anita...

Zerwałam się jak oszalała i runęłam do lodówki, szarpnięciem otworzyłam zamrażalnik. Owszem, leżały tam te pierogi, mięso w sreberku, mrożony bób i coś jeszcze, też opakowane w srebrną folię. Obejrzałam to z wielkim zaciekawieniem. Flaki. Coś podobnego, wcale nie pamiętałam, że mam flaki!

Kaset jednakże nie było. Marta skrupulatnie sprawdziła wszystkie produkty poniżej, znalazła na małym talerzyku nędzną reszteczkę pieczonego schabu, kompletnie zapleśniałą, nie pytając mnie o zdanie, wyrzuciła to do śmieci, nie całość rzecz jasna, tylko były produkt spożywczy. Talerzyk umieściła w zlewie. Przy okazji wyjęła piwo i ruszyła do pokoju.

Cezary Piękny twardo chodził za nami i patrzył nam na ręce.

– Zadzwoniła wtedy Anita i powiedziała mi o Trupskim – oznajmiłam, bo od początku myślałam na głos. – Okazuje się, panie majorze, że ten Stefan Trupski, o którego mnie pan pytał, to jest Antoni Lipczak, uduszony w Marriotcie...

– Co takiego...?!

Wyrwało mu się jak normalnemu, zaskoczonemu człowiekowi, ale opanował emocję w ułamku sekundy. Skamieniał jakby podwójnie i tylko patrzył wzrokiem uprzejmie pytającym.

– Antoni Lipczak, uduszony w Marriotcie, kiedyś nazywał się Stefan Trupski – powtórzyłam cierpliwie. – Zmienił nazwisko. Jak to? Nie wiedział pan o tym?

– Skąd pani to wie?

– Od Anity Larsen. Znała go z widzenia dawno temu. Mówi, że węszył nachalnie i wciskał się wszędzie. Może pan ją przesłuchać przez telefon, chociaż chyba już dzisiaj pojechała do Włoch. Ale wróci – dodałam pocieszająco, chcąc go jakoś na nowo uruchomić.

Udało się, połowa kamienia w nim sklęsła.

– Tak, rozumiem. Jaki to ma związek z kasetami?

– No właśnie. Trupski mnie natchnął, wiem, że od razu poleciałam do komputera i zapisałam pomysły, on nam pasuje, jeśli nie osobą, to poczynaniami albo może odwrotnie. Kasety się widać obraziły i poszły dokądś same...

– Był ktoś u pani w tym czasie? – spytał piękny Czaruś drewnianym głosem.

– Rozumiem, że nie pyta pan o gości sprzed roku. Zaraz. Oglądaliśmy je przedwczoraj wieczorem, w grę wchodzi dzień wczorajszy i większość dzisiejszego. Wczoraj był wtorek, nie, nikogo... Owszem, listonosz, przyniósł coś poleconego, wieczorem, nie wchodził, załatwiliśmy wszystko w progu. Dzisiaj koło południa wyniosło mnie do Oszołoma przez ten cholerny akumulator, przedtem, jak łatwo zgadnąć, nikt mi wizyt nie składał, otaczają mnie ludzie przyzwoici i taktowni, a nie jakieś tam głupie ranne ptaszki. Wróciłam przed drugą i czekałam na wiadomości od Martusi, żywego ducha nie było. Złodzieja też nie – zapewniłam go od razu, bo już usta otwierał, żeby o to spytać. – Od czasu włamania do mnie przed dwoma laty mam drzwi na byka, może pan sobie obejrzeć. Jeszcze do tej pory by się męczyli.

Czaruś Piękny rzeczywiście poszedł obejrzeć drzwi. Spodobały mu się.

– Z tego wynika, że kasety muszą być u pani...?

– Owszem. Mam sklerozę, ale nie do tego stopnia, żeby z kasetami w ręku jechać do Oszołoma po zakupy. I to jeszcze bezwiednie. Ale niech pan się nie martwi, jutro przychodzi moja sprzątaczka. Ona znajdzie.

– Dlaczego pani tak myśli?

– Bo ona znajduje wszystko, co mi ginie. Nie wiem, jakim sposobem. Czasem przypadkiem, w trakcie sprzątania, a czasem szuka specjalnie. Jestem pewna, że znajdzie i te cholerne kasety, dostanie je pan...

– Ej...! – wtrąciła się niespokojnie Martusia.

– Nie ma problemu – uspokoiłam ją. – Ten pan ma chyba dosyć rozumu, żeby docenić wartość kopii? Będzie ci wisiał nad karkiem, ale przeczeka, wytrzymasz to jakoś. A jak powie, że nie, ukryję przed nim fakt znalezienia, w ogóle zabronię Heni szukać.

Cezary Piękny wyraźnie łamał się w sobie, najwidoczniej niepewny, na którą stronę się przechylić, pnia czy człowieka. Zdecydował się na postać bardziej ludzką.

– Nie będę przed paniami ukrywał, że potrzebne mi to jest pilnie...

Nie musiał, a nawet nie mógł mówić dalej, przerwałam mu od razu.

– No pewnie, skoro spalił się Grocholski. Rozmawialiśmy o nim. Sama twierdziłam dopiero co, ściśle biorąc przedwczoraj, że dźwięki należy wyodrębnić i zapisać, i że to sprawa policji. Ludzie wiedzą wszystko, nawet plotki są cenne, ta gadatliwa baba może wcale nie być głupia, a jak pan chce, możemy panu zaraz z detalami opowiedzieć, co tam widać i słychać. Oglądałyśmy całość parę razy...

Rezultat naszej wspólnej opowieści był taki, że Cezary Piękny prawie dostał wypieków. Stanowczo zażądał ode mnie numeru samochodu tego faceta z wąsami, kitką i garbkiem na nosie. Podałam mu go z pamięci, kategorycznie odmówiwszy latania po schodach, a Martusia zaświadczyła, że mówię to samo, co poprzednio. Poszedł na szalone ustępstwo, zgodził się ugrzęznąć w telewizji przy boku Marty, oglądając obraz w trakcie kopiowania, wyraźnie bowiem było widoczne, że inaczej ze mnie nie wydusi nic. Altzheimer, chwalić Boga, jeszcze u nas nie jest karalny.

Następnie zamilkł i najprawdopodobniej zaczął się wahać. Doskonale wiedziałam, o co mu chodzi.

Alternatywą było natychmiastowe tak zwane przeszukanie z nakazem prokuratorskim w ręku, ale nie miałam najmniejszych wątpliwości, że brakuje mu ludzi, ponadto prokurator to nie straż pożarna i tak błyskawicznie nie działa. Nie mówiąc już o tym, że skończyły się godziny pracy. Zanim zostanie złapany, przekonany i dokona wszelkich niezbędnych formalności, o ile w ogóle zgodzi się odwalać robotę w godzinach nadliczbowych, nadejdzie dzień jutrzejszy. Powinien zatem usunąć mnie z mojego własnego mieszkania, najlepiej do aresztu, a co najmniej zostawić człowieka, jeśli nie w środku, to za drzwiami, na klatce schodowej. Mogłam przecież te kasety znaleźć, wynieść, zniszczyć, ewentualnie w nocy ktoś mógł się do mnie wedrzeć, poderżnąć mi gardło i zabrać bezcenne dowody rzeczowe. Osobiście łatwiej by mi przyszło uwierzyć w poderżnięcie dwudziestu gardeł, już widzę tego włamywacza, jak trafia do kaset niczym po sznurku...

A do tego jeszcze mogłam złośliwie wyrzucić je przez któreś okno. Czyli musiałby zostawić trzech ludzi, bo moje okna wychodziły na różne strony.

Biedny człowiek, tyle komplikacji...! Doprawdy, znacznie więcej sensu miało bazować na mojej Heni.

Musiał dojść do tych samych wniosków, bo poszedł wreszcie, nie wymyśliwszy nic, poza usilną prośbą, żeby o znalezieniu kaset zawiadomić go natychmiast. Zostawił numer osobistego telefonu komórkowego. Niewykluczone, że przed wejściem do mojego domu postawił jednak tajniaka...

Zostałyśmy we dwie z Martusią, z całą wiedzą, wywęszoną z pytań i reakcji pana majora, i potężnym zamętem w głowie. Już nie tylko mnie zaczęły się mylić historyczne przestępstwa ze współczesnymi, ale nawet i jej, chociaż z historycznymi nie miała bezpośredniego kontaktu.

Zdecydowała się zatem nagle zmienić temat.

– Bartek mnie podrywa – oznajmiła znienacka.

Informacja mnie zainteresowała. Patrzyłam na nią pytająco.

– No, podrywa mnie. Co ty na to?

– Zdziwiłabym się, gdyby nie podrywał – powiedziałam ostrożnie. – Poza tym, brodaty, więc o co chodzi?

– Nie wiem. Dominik mnie gryzie.

– Osobiście wolałabym, żeby mnie ktoś podrywał, niż gryzł...

– Wiesz co, możliwe, że ja też. Gdybym się mogła jakoś od niego odczepić...! Od Dominika. Wewnętrznie, bo przecież mu poniekąd podlegam, więc służbowych stosunków zerwać nie mogę. Muszę go widywać. I za każdym razem, jak go widzę...

– Przypominasz sobie jego szlochy, depresje i rozmaite inne figle – podsunęłam uczynnie i zachęcająco.

– No wiesz...! Joanna, zabiję cię! Figle... Może to i figle... Otóż te figle właśnie...

– Może się źle wyraziłam. Oprzyj się raczej na szlochach.

Martusia milczała chwilę, popijając piwo po odrobinie. Westchnęła.

– Na depresjach. Może być? Od jego depresji człowiek lata i szuka możliwie głębokiej studni, ja w każdym razie mam takie chęci.

– Dobrze, że nie mieszkasz na głuchej wsi, bo tam mogłabyś znaleźć. W Warszawie trudniej.

– Ale w Krakowie by się dało...

– Bardzo liczę na to, że tam bywasz zbyt zajęta, żeby po studniach latać – powiedziałam niemiłosiernie. – Ponadto Bartek, mam wrażenie, posiada zasadniczą pracownię w Krakowie...?

– Bardzo trafne masz wrażenie. I co?

– I nic. Ty w Krakowie, on w Krakowie...

Przez chwilę Martusia patrzyła na mnie pytająco i podejrzliwie, ale nie doczekała się dalszego ciągu. Westchnęła i znów wypiła trochę piwa.

– W ogóle to on mi się podoba, wiesz?

– Odgaduję bez trudu. Gdyby nie miał brody, mnie by się też podobał. Obiektywnie, bo wiek nie ten. Co on jest? Żonaty, wolny?

– Rozwiedziony. Przyjacielsko, jedno dziecko, syn, utrzymują stosunki, ale jego żona ma drugiego męża. Też utrzymują ze sobą przyjacielskie stosunki. Tyle wiem na razie, więcej nic.

– Skąd wiesz? Od niego czy z plotek?

– Wyobraź sobie, z pierwszego źródła! Znam tego drugiego męża jego żony, to prawnik, doradca w krakowskim oddziale, i sam mi mówił przy jakiejś okazji, że pierwszy mąż jego żony nic mu nie szkodzi i nawet z dzieckiem nie ma problemów. A jego żona dziękczynne modlitwy dzień w dzień odmawia, że się rozwiodła, bo z pierwszym mężem o mało nie zwariowała. To podobno pedantka, idealnie zorganizowana i patologicznie punktualna...

– To już ją rozumiem doskonale i wcale jej się nie dziwię. Z podobnych przyczyn mój mąż rozwiódł się ze mną, tyle że odwrotnie.

– Proszę...?

– To on był pedantem, nie ja.

– A, rozumiem... No i dopiero teraz wyszło na jaw, że ten pierwszy mąż, to właśnie Bartek. Ale drugi mąż bardzo przychylnie o nim mówił. Więc wszystko się zgadza. I już sama nie wiem, co robić, bo gdyby nie Dominik...

Zabrałam ze stołu puste puszki po piwie i znalazłam w lodówce jeszcze jedną pełną. Postawiłam ją na stole. Przy okazji włożyłam do środka zapasowe.

– A tak – przyświadczyłam jadowicie. – Dominik, jasne, koniecznie. Bo niczego w życiu nie jesteś bardziej spragniona niż łkań na łonie. Tak ci jest wściekle rozrywkowo, że na poważnych kolaudacjach na przykład głupkowatych chichotów pohamować nie możesz, jedno, co cię ukróca, to myśl o Dominiku...

– Przestań, co?

– Mogę, dlaczego nie. Między nami mówiąc, Bartek od Dominika przystojniejszy, chociaż mnie to trudno ocenić, bo te kudły na twarzy mylą. Ale nic, nic, drobiazg, w starożytnej Armenii mężczyzna bez brody w ogóle się nie liczył. Do pasa mieli i czarne... Podrywa cię łagodnie czy wybuchowo?

Martusia przez chwilę wyobrażała sobie te czarne brody do pasa.

– No nie, do pasa to przesada – oceniła. – Bez względu na kolor. Łagodnie, ale nieustępliwie. Tak między nami mówiąc, na diabła był mu ten pożar? Przecież go robił nie będzie! Wnętrza, tak, rekwizyty, ale nie zjawiska naturalne. To kwestia montażu!

– Nie szkodzi, może miał nadzieję, że go natchnie. Ponadto, jeśli ma robić scenografię, możliwe, że chciałby mniej więcej znać treść utworu, nie? Ja na jego miejscu bym chciała.

Martusia pomamrotała coś pod nosem. Osobiście byłam zdania, że wolałaby się upewnić co do tych podrywczych zamiarów Bartka, bo na zbolałą przy Dominiku duszę potrzebowała lekarstwa. Z mamrotań wyłonił się Krzysiek. Zażądałam wypowiedzi artykułowanych i słyszalnych.

– No więc właśnie, jeszcze mi jego brakuje! Zaprasza mnie na wycieczkę do Hiszpanii, razem z mamusią, już wszystko załatwił...

– Z jaką mamusią? Twoją?

– No coś ty, jego! Robi mamusi prezent urodzinowy, więc ja się mam dołączyć. Nie miałam kiedy ci tego powiedzieć, ale dzwoni prawie codziennie i dwa razy czekał na mnie pod domem.

– Znałam jednego takiego, którego mamusia trzymała pazurami i zębami – powiedziałam w zamyśleniu. – Mowy nie było, żeby poszedł gdzieś z dziewczyną bez mamusi, musiał udawać, że siedzi w pracy, a i to dzwoniła jak zegar z kurantem. Sprawdzała, gorzej niż żona. Jego dziewczyny nienawidziła niczym morowej zarazy i snuła intrygi, po kieszeniach mu grzebała, usiłowała odbierać pieniądze i wydzielać mu na kawę. I na benzynę. Sprawdzała licznik w samochodzie, a on jełopa mechaniczna, nie umiał odkręcić ani zatrzymać...

– I co? – zainteresowała się Martusia gwałtownie. – Zabił ją?

– ...Miał brata i siostrę – kontynuowałam w rozpędzie. – Brat uciekł do Afryki Południowej, do RPA, chociaż był antyrasistą, a siostra poszła za mąż do Australii. Dalej nie zdołali. Gdyby istniały wtedy możliwości wyjazdu w kosmos, pewnie by chętnie skorzystali, ale nie było. On, ten mój kumpel, miał najłagodniejszy charakter i zanim się połapał, już został do mamusi sam...

– I co...?! – wrzasnęła Martusia.

– I nic. Ożenił się z nią, z tą dziewczyną, po piętnastu latach, kiedy ich dziecko już podstawową szkołę kończyło. Mamusia, chwalić Boga, zramolała tak, że straciła sprawność fizyczną... Bo w ogóle on był najmłodszy. Urodziła go w wieku lat czterdziestu, w chwili ich ślubu zatem miała osiemdziesiąt trzy. Bardzo lubię takie straszne historie, więc wszystko o nich wiem.

– Przerażasz mnie – stwierdziła Martusia i napiła się piwa. – Mamy więcej...?

– Jak ty to robisz, że od piwa nie tyjesz? – zastanowiłam się z zawistnym niezadowoleniem i poszłam po kolejną puszkę.

Martusia ciągnęła swoje.

– Dowcip w tym, że mamusia Krzyśka udaje, że mnie uwielbia. Poślubię go, zamieszkamy razem, da nam jeden pokój do wyłącznego użytku. Razem, obie, w niebiańskiej koegzystencji, będziemy dbały o Krzysia...

– Takich też znałam – przerwałam z satysfakcją. – Mamusia usiłowała regulować kontakty seksualne córki i zięcia, wykluczała dzienne, w nocy podsłuchiwała pod dziurką od klucza i pukała energicznie, kiedy uważała, że dosyć tych igraszek. Albo czyniła ostre wyrzuty w dzień.

Martusia zaciekawiła się na nowo.

– I co?

– I, chwalić Boga, była to córka. Przytłamszona czy nie przytłamszona, ale zawsze kobieta. Zięć się postawił, córka nie protestowała, raczej była uszczęśliwiona, przejechał się po teściowej z góry na dół...

– Jak?! Powtórz!

Powtórzyłam, bo znałam wypowiedź i doskonale ją pamiętałam. Publicznie nie wygłosiłabym jej za skarby świata, ale w cztery oczy mogłam Martusię uszczęśliwić.

Tekst spodobał się jej nadzwyczajnie, dostała ataku śmiechu, pochwaliła także jego skuteczność, bo ostateczny rezultat był taki, że teściowa jęła bić pokłony przed zięciem. Nie zmartwiła się nawet wcale, że w tym wypadku tego rodzaju terapia w grę nie wchodzi, skoro Krzysiek jest synem, a nie córką.

– Pozwolisz, że jednak, mimo wszystko, z mamusią do Hiszpanii nie pojadę, co? Bartek mnie, owszem, interesuje. Ale Dominik gnębi...

Bóg raczy wiedzieć, która to była puszka piwa, zważywszy jednak brak pożywienia, wywarła chyba swój wpływ. Martusia dostała nagle zaciętego amoku, musiała zadzwonić do Dominika natychmiast, szał ją opętał. Nie protestowałam zbyt gwałtownie, znajomość życia kazała mi się ugiąć, niech dzwoni, Bóg z nią, istnieje nadzieja, że Dominik ją do siebie ostatecznie zniechęci...

Niekoniecznie chyba był to Dominik osobiście. W nerwach strasznych upuściła komórkę, która wpadła pod moją kanapę. Jedna z nas powinna była ją wydobyć, ona była młodsza i bardziej sprawna fizycznie, walnęła uchem o poręcz, a czołem o półeczkę pod stojącą lampą, w pośpiechu spróbowałam odsunąć nieco lampę, obciążoną mnóstwem rzeczy, poziomo prasą, korespondencją, bieżącymi dokumentami, atlasami drogowymi, pionowo, za takim czymś w rodzaju zasobnika, jakimiś torbami, kopertą ze zdjęciami, opakowaniem pomocy lekarskich, diabli wiedzą czym jeszcze... W każdym razie wszystko pionowe wyleciało na zbity pysk i uzupełniło teren pod kanapą.

Zdenerwowana katastrofą Martusia uparła się to pozbierać. Umeblowanie przeszkodziło mi stworzyć przestrzeń, odepchnęłam tylko stół. Gdyby była bodaj o pięć kilo grubsza, w życiu by się tam nie zmieściła, na szczęście gabaryty pozwoliły jej na te parterowe ćwiczenia akrobatyczne. Odbierałam od niej kolejne opakowania, usiłując przy okazji zapamiętać, co tam miałam. Wielką foliową torbę z ciśnieniomierzem, kardiofonem, wydrukami z badań i Bóg wie czym jeszcze obie równocześnie zatrzymałyśmy w rękach.

– Co za cholera? – powiedziałam z irytacją. – Dlaczego to się tam nie mieści? Zawsze się mieściło!

– Masz tu jakoś dużo tego? – zauważyła równocześnie Martusia.

– No dużo... Co jest...?

Zajrzałyśmy razem, lekko pukając się głowami.

Prawie na wierzchu widoczne było coś niepodobne do urządzeń medycznych. Dwie kasety filmowe...

– No wiesz...! – powiedziała ze zgorszeniem Martusia, wyłażąc spod kanapy i rezygnując na razie z odnalezienia własnej komórki. – To te...?

Skruszona średnio, pokiwałam głową. Westchnienie ulgi wydałyśmy z siebie równocześnie, akustycznie zabrzmiało doskonale, przypominało odgłos wydobywający się ze starego parowozu. Martusia przytuliła znalezisko do łona.

– Słuchaj, sprawdźmy! Niech ja mam pewność...!

Sprawdziłyśmy, oczywiście, był to zaginiony pożar. Z miejsca ustrzelił nas problem, co z tym teraz zrobić. Przekopiować czym prędzej, to jasne, ale przecież nie u mnie w domu!

– Jadę do pracy – zdecydowała Marta. – Północ, nie północ, mam wszystko u siebie...

– Zaraz, spokojnie, nie leć tak na ślepo – ostrzegłam. – I gliny, i złoczyńca, to za dużo na jedną osobę. Jeszcze cię kto napadnie i wydrze ci pakunek, podmuchajmy na zimne, musisz jechać z eskortą.

– Z jaką eskortą?

– Silnego chłopa nam potrzeba. Kogo łapiemy? Czaruś Piękny wygląda solidnie...

– Tylko nie Czaruś! Odbierze mi to. Czekaj, Dominik...

Zanim zdążyłam się skrzywić, sama okazała rozsądek.

– Nie, Dominik do kitu, coś mi mówi, że on się na goryla nie nadaje... Kajtek i Pawełek byliby najlepsi, razem, ale Kajtek mieszka w Aninie, zanim przyjedzie... A Pawełek ma dzisiaj jakieś rodzinne pierepały, imieniny mamusi czy coś w tym rodzaju, też źle...

– Bartek...? – podsunęłam delikatnie.

– Chyba tylko – zgodziła się Martusia z odrobiną powątpiewania. – Ale to ty dzwoń do niego, bo mnie posądzi, że go podrywam.

– Oszalałaś? Po pierwsze, to on ciebie podrywa, a po drugie, mamy poważny powód...

– Ale rzecz w tym, że ja nie chcę go zachęcać. To znaczy, zachęciłabym go z przyjemnością, tylko Dominik mi w tym przeszkadza. Ja nie mogę gwarantować, że się wyrzeknę Dominika... No proszę, miałam do niego zadzwonić!

Wlazła znów pod kanapę, nie słuchając mojego gadania, chociaż protestowałam energicznie. Truć sobie Dominikiem akurat teraz, kiedy znalazłyśmy taśmy! Gdzie sens, gdzie logika, nie czas na uczuciowe perturbacje, niech się kotłuje z Dominikiem ile chcąc, jak już zrobi kopie!

Po namyśle i długim wahaniu, z komórką w ręku, Martusia przyznała mi rację. Wypukała numer i wetknęła mi słuchawkę.

Skutek był taki, że Bartek przyjechał po nią taksówką, wybrawszy sobie młodego i sprawnego fizycznie kierowcę. Nie przyszło nam jakoś do głowy, że najbardziej prawdopodobni przeciwnicy, z którymi miałby ewentualnie toczyć walkę, zaliczaliby się zapewne do funkcjonariuszy policji, co chyba nie zrobiłoby najlepszego wrażenia...

Praworządność jednak okazałam. Odczekawszy, ile było trzeba, zadzwoniłam do majora Cezarego pod ten jego prywatny numer i powiadomiłam go o znalezieniu kaset, jadących właśnie do telewizji w celu skopiowania. Jeśli akurat był we własnym domu i jeśli miał żonę, ta żona powinna bardzo mnie znielubić. Nigdy jednak nie miałam cienia litości dla żon policjantów, domagających się od mężów regularnego trybu życia i punktualnego przybywania na posiłki. Było się wcześniej zastanowić, widziały gały, co brały...

* * *

Źródło wiedzy, wspomagającej nasze scenariuszowe wysiłki, trysnęło nagle z zupełnie nieoczekiwanej strony. A nawet z dwóch.

Zadzwoniła do mnie osoba, którą rzuciłam pięknemu Cezaremu na żer, głównie w celu zrobienia na złość Bożydarowi. Była to, ściśle biorąc, Kasia, jego cioteczno-cioteczna albo stryjeczno-cioteczna siostrzenica, a możliwe nawet, że wnuczka. Usiłowałam kiedyś dojść stopnia pokrewieństwa, jakie ich łączyło, ale nigdy nie osiągnęłam sukcesu, bo wprawdzie Kasia chętnie i bez oporu wymieniała swoich przodków, ze strony Bożydara jednak z trudem zdołałam uzyskać informację, że w ogóle miał rodziców. Do Kasi, jako takiej, przyznawał się i nawet protestował przeciwko jej małżeństwu z wybranym przez nią chłopakiem, z czego należało wnioskować, iż chłopak jest w porządku. Bożydar miał wielki talent do oceniania jednostek ludzkich dokładnie odwrotnie, niż na to zasługiwały, w tym zaś wypadku roztaczał, można powiedzieć, nad Kasią opiekuńcze skrzydła długofalowo, żeby we właściwej chwili wytknąć błędy, wady, a może i przestępstwa jej męża. Małżeństwo, chwalić Boga, trwało już szesnasty rok, uwieńczone było dwojgiem dzieci, Piotruś, mąż Kasi, uporczywie nie chciał okazać się nieodpowiedzialnym zwyrodnialcem, Bożydar twardo czyhał i dzięki temu wszystkiemu Kasia była jedyną osobą, znającą jego prawdziwe miejsce pobytu. Na Bożydara dawno już przestała być zła i traktowała go jak nieszkodliwego, a niekiedy nawet użytecznego półgłówka.

– Czy wujaszek rozpętał jakąś nową aferę? – spytała teraz podejrzliwie, chociaż z wyraźnym zainteresowaniem.

Świadoma własnego udziału w tym całym przedsięwzięciu, zainteresowałam się również.

– A co? Były u ciebie gliny?

– To już pani coś wie...? Był taki jeden i o wujaszka właśnie pytał. Gdzie go znaleźć i gdzie go znaleźć. A skąd ja mam wiedzieć, gdzie go znaleźć! O co chodzi?

– Sama nie jestem pewna. Wyjawiłaś im tę jego kryjówkę w plenerach?

– Wyjawiłam. A co? Źle zrobiłam?

– Przeciwnie, bardzo dobrze...

– Wyjawiłam im nawet obie kryjówki, druga to jest, zdaje się, letni domek pani Celinki... Pani znała panią Celinkę?

– Ze słyszenia.

– No, ale nie wiem, bo tam może nastąpiło zerwanie. Niech pani sobie wyobrazi, pani Celinka była u mnie parę lat temu.

Zdumiałam się.

– Jezus Mario, po co?!

– Trudno określić. Chyba chciała, żebym namówiła wujka do ślubu z nią. Zdaje się, że specjalnie po to rozwiodła się ze swoim mężem, miała nadzieję, że wujaszek ją poślubi...

– Słusznie byłam zdania, że to idiotka – wtrąciłam z przekonaniem.

– I jeszcze jaka! O ten rozwód długo się starała, wreszcie jej dali, a wtedy okazało się, że z nowego ślubu nici, no i ona właśnie w rozpaczy u mnie szukała pomocy. Albo sama nie wiem czego. Na moje oko, nie traciła nadziei i w ogóle szału dostała, deklarowała różne tam takie, wierność do grobu albo przeciwnie, straszną zemstę, a tak naprawdę chyba chciała go łapać w tej jego stajni pod lasem. Niech pani sobie wyobrazi, nie miała pojęcia, gdzie to jest!

– Co ty powiesz, nie powiedział jej? A on tam ciągle mieszka?

– Mieszka. Ma taki azyl. Wodę i światło sobie zrobił. Kiedyś tam byłam, okropnie to dziwne. Ale domek letni pani Celinki ciągle użytkował, trzymał tam tajemnicze dokumenty, a pani Celinka nie wytrzymała i wdarła się w jego sekrety.

– I nie udusił jej? – zdziwiłam się bardzo.

– Chyba nie, skoro u mnie była żywa. Ale naprawdę musiała szału dostać, bo te sekrety zaczęła mi zdradzać. Siedziała ze trzy godziny, nie mogłam się jej pozbyć. O jakiegoś ptaszka chodziło, tak to określała, i ten ptaszek miał zorganizować szajkę przestępczą, czy coś w tym rodzaju, i trzymać w ręku rozmaitych dostojników państwowych, pani pamięta, że wujaszek na tym tle miał fioła...?

– Pamiętam. Ale głównie czepiał się dawnej elity partyjnej.

– Zgadza się. I UB. A teraz dla odmiany sfery rządowe. Z tym że już sama nie wiem, ptaszek czy wujek, pomyliło mi się. Ta idiotka wymieniała nazwiska i funkcje, całe szczęście, że ja nie mam pojęcia o polityce, więc ich nie znam, zapamiętałam tylko, że nie wchodzi w grę ani Wałęsa, ani Jaruzelski. Ale miała na myśli ministrów, posłów na sejm, któregoś dawnego prezydenta Warszawy, co najmniej dwóch wicepremierów... Oni się tak zmieniają, że ja nie mogę za nimi nadążyć, chociaż Piotruś się interesuje... Gadała i gadała, cała we łzach, a pomiędzy ministrami plątał się wujaszek, który powinien się z nią ożenić. Więc gdzie on jest i gdzie on jest, i niech ja mu powiem...

– I powiedziałaś? – zainteresowałam się.

– Powiedziałam w jakiś czas potem, ale tak dość ogólnie. Zły był na nią, chociaż udawał, że nie. Pani go znała, więc nie muszę dużo wyjaśniać. W dodatku wśród tych ministrów plątały się zbrodnicze mafie, takie bandziorskie, kompletny melanż. Wydedukowałam sobie, że on się z nią zamierza spotkać i chyba spotkał, bo więcej do mnie nie przyszła. Ale czy pomieszkuje w jej domku, tego nie jestem pewna, ona była gotowa oddać mu domek, oddać mieszkanie i na klęczkach się za nim czołgać, więc możliwe, że tak. A w ogóle przypomniało mi się to wszystko przez tego ptaszka.

Kasia zamilkła na chwilę, więc spróbowałam sobie całość uporządkować. Zaraz, policja...

– Czekaj. I gliny cię o coś z tego pytały?

– No właśnie. O co tylko się dało. I co wiem o Konstantym Ptaszyńskim. I wtedy właśnie skojarzyło mi się, pamięta pani? Kiedyś sama pani mówiła, że z tą karą śmierci to różnie bywa, i wymieniła pani Ptaszyńskiego. Dlatego dzwonię. Nie tylko, prawdę mówiąc, jestem ciekawa, ale przypomniało mi się coś jeszcze, już po wizycie tego policjanta. Pani wie, o co chodzi?

– Średnio. Od razu ci powiem, że Ptaszyńskiego ktoś rąbnął i stąd dochodzenie. Przy okazji rąbnęli jeszcze i drugiego, kiedyś nazywał się Trupski, a obecnie Lipczak...

– O Boże! – wykrzyknęła Kasia. – Trupski! Stefanek...?

– Stefanek, może być.

– No więc ona mówiła o takim. Jakiś Stefanek Trupski... Napomykała i tak czkała kawałkami. Zrozumiałam, że ten Stefanek Trupski został wynajęty przez wujka do śledzenia ptaszka. Wujek miał chyba na niego jakiegoś haka. Bo ogólnie miał się zajmować jakimś Pyłkiem czy Płatkiem, ale informacje dostarczać wujkowi. No i to już koniec. Tyle wiem. Albo wydaje mi się, że wiem.

– I ja się miałam nie zajmować polityką – powiedziałam z rozgoryczeniem. – Dziwię się, swoją drogą, że ten twój szanowny wujaszek jeszcze żyje. Pani Celinka też, jeśli tak trzaska dziobem na prawo i na lewo...

– Nie, ona chyba wyjątkowo tak straciła równowagę. I na końcu jeszcze zapowiedziała mściwie, że jak nie, to ona wszystko powie Kubiakowi. Bo to on prowadzi całą księgowość i wie, co kto komu jest winien. Tego już do reszty nie zrozumiałam, więc wyleciało mi z głowy.

– Jakiemu Kubiakowi?

– Pojęcia nie mam. Pani coś wie?

Westchnęłam i opowiedziałam jej o wydarzeniach, które były naszym udziałem. Kasi się to nawet dość spodobało, ale wgłębiać się w kryminał nie miała ochoty. Odłożyłam słuchawkę i spróbowałam pomyśleć.

Kiedy zgłosiła się Martusia, akcję zbrodniczą miałam już właściwie opracowaną. Nie chciała słuchać przez telefon, wolała omawiać sprawę z wydrukiem w ręku. Umówiłyśmy się na wieczór.

Przyleciała z kopią pożaru zrobioną specjalnie dla mnie. Cezary Piękny zabrał swoje przedwczoraj późną nocą, bo, jak łatwo było odgadnąć, po moim telefonie podążył natychmiast do telewizji, ale nie pchał się do środka i nie wisiał im nad karkiem, tylko taktownie czekał przed bramą. Dostał jeden egzemplarz i fakt, że była to taśma robocza, a nie zmontowane widowisko, najwyraźniej w świecie uszczęśliwił go niebotycznie.

Nie interesowały mnie chwilowo jego wnioski.

– No to siadaj i słuchaj – poleciłam Martusi srogo. – I we właściwych miejscach wprowadzaj korekty techniczne. Tu masz w punktach, tu masz streszczenie, a tu fragmenty gotowych scen. Patrz wszędzie naraz.

– Czy to mucha ma tak strasznie dużo oczu ze wszystkich stron głowy? – spytała Martusia żałośnie, usiłując rozmieścić wokół siebie olbrzymią ilość papieru. – Nie lata tu jakaś? Może by mi pomogła?

– Nie zajmuj się insektami, tylko słuchaj. No więc, trochę zmieniłam, zaczynając od góry, Wredny Zbinio ma koło siebie Płucka jako zastępcę albo co, a w gruncie rzeczy takiego tajnego doradcę, który judzi, intryguje i szantażuje kogo trzeba. Płucek dostaje informacje od Słodkiego Kocia...

– Zwariowałaś! – zaprotestowała Martusia. – Przecież musimy ich jakoś inaczej ponazywać!

– To potem. Wymyślimy im nazwiska. Słodki Kocio dostarcza wiedzy, ale zarazem trzyma ich za gardło też szantażem i dlatego muszą kupować te cholerne seriale argentyńskie, żeby nastarczyć pieniędzy sobie i jemu. Wredny Zbinio ma tego dosyć, nie zdaje sobie sprawy z przydatności Słodkiego Kocia, chce się go pozbyć. Jest piękny...

– Kto...?!

– Wredny Zbinio.

– Joanna, kota masz...?!!!

– A co, nie jest...? Bez znaczenia, musi być. I z tych młodszych. Kocha się w nim śmiertelnie Malwina, zajmuje stanowisko trochę poniżej Niny Terentiew, on ją kołuje, bo już mu namiętność przygasła, zauważ, że pomijam chwilowo wątki uboczne... A, nie, nie wszystkie. Agata z Jackiem robią swój życiowy reportaż i grzebią w taśmach archiwalnych, sami nie wiedząc, co czynią. Wydłubują tę taśmę, co miała być zniszczona, dwie taśmy, trzy, wszystko jedno, i na nich dostrzegają faceta, tego samego, który współcześnie uprawia tajne kontakty. No, te z kieszenią, łapówką i tak dalej. O trzydzieści lat starszy...

– Za dużo. O dwadzieścia.

Zastanawiałam się przez moment, przypominając sobie wydarzenia historyczne.

– No dobrze. O dwadzieścia dwa. Mężczyźni się mało zmieniają, o ile nie łysieją i nie zapuszczają siwych bród jak Sean Connery. Co też on widzi w tej swojej brodzie...? Ale jeszcze im nic do głowy nie przychodzi. Płatek węszy, że Wredny Zbinio chce mu trzasnąć informatora. Po wszystkim snuje się Grocholski, uważany za przyzwoitego człowieka, zobacz na szóstej stronie... Tu słyszy przypadkiem, tu podgląda, tu mówią mu dobrowolnie...

– Marek się go radzi, jak idiota...?

– Otóż to...

– Ej, słuchaj! Czyś ty nie wepchnęła w Marka trochę za dużo Dominika?

– A nawet jeśli, to cóż to szkodzi? Pasuje.

– Nie wygłupiaj się, wszyscy poznają!

– W razie potrzeby nieco mu ujmiemy. Patrz dalej. Malwina wpada w szał i wyjawia Grocholskiemu tajemnice Wrednego Zbinia. Grocholski widzi przed sobą świetlaną przyszłość, pcha się do archiwum, okazuje się, że Agata z Jackiem zabrali materiały i mają gdzieś u siebie, Słodki Kocio, wynajęty przez Wrednego Zbinia, też dochodzi do podobnych wniosków, a co gorsza wie, że i dla niego archiwalne taśmy to klęska. Nie ma dostępu, bo nie pracuje w telewizji, próbuje złapać za gardło Tycia, ale na Tycia ma za mało, a Tycio za to ma rozum. Tylko Płucek mu bruździ, więc ostrzega Płucka z nadzieją, że zaszkodzi Wrednemu Zbiniowi. Płucek doznaje olśnienia, znajdzie antidotum na szantaże Słodkiego Kocia, sam wkracza do akcji. Tymczasem Słodki Kocio podstępem wdziera się do telewizji, grzebie w twoim pokoju, tam go zastaje Grocholski i wali w łeb. Zobacz na trzeciej stronie streszczenia... albo na siódmej fragmentów... Strasznie myśli, usunąć zwłoki czy siebie...

– Bardzo dobrze – pochwaliła Martusia z przejęciem. – Ale przecież miał nie znaleźć taśm, bo pijany Jacek schował je w wentylatorze...

– Może znaleźć nie wszystkie. Te znalezione już mu sprawią uciechę. Znajduje resztę w archiwum, zabiera do domu. Płucek widzi sam koniec tych poczynań, podpala mu dom... Zaraz, tu się nie upieram, podpala osobiście albo wynajmuje tego z kitką i z nosem...?

– Chyba powinien podpalić osobiście – rzekła Martusia po namyśle. – Dlaczego my pracujemy na sucho...? Tego z kitką musi chyba wynająć ktoś inny. Czy nie Tycio...? Albo może sam Grocholski...? Taki goryl, ochroniarz!

Też się zastanowiłam w drodze po piwo.

– Nie skojarzył mi się, bo za chudy – powiedziałam stanowczo. – Ale czekaj, skocz dalej. No, zrobiłam tam przerwę na wątki prywatne, przez ten czas sensacja szaleje, Malwina też... Mam kłopot, bo powinno się teraz zabić tego, co widział Grocholskiego, znaczy Grocholski powinien go rąbnąć, a to Płucek. A ja miałam chęć wykończyć Wrednego Zbinia.

– Wykończenie Wrednego Zbinia doprowadziłoby całą telewizję do szału szczęścia – powiedziała Martusia z przekonaniem. – Obojętne, państwową czy prywatną.

– Tak jak całą Kubę wykończenie Fidela Castro? – ucieszyłam się.

– Tego nie wiem. I osobiście nie mam zdania. On brodaty...

– Poderwij go i zrób mu coś złego. Judyta i Holofernes, pasuje ci?

Martusia w zadumie popijała piwo.

– Po Dominiku właściwie nic mi już niestraszne... Czy ja wiem...? Zaplanować reportaż...?

– Tam jest muzeum Hemingwaya – przypomniałam jej zachęcająco.

– I mam robić za Karolinę Corday? Bo nie pamiętam, złapali ją od razu...?

– Sama przyznała się dumnie i triumfująco. Ale strasznie wątpię, czy wpuszczą cię do łazienki tej brodatej małpy. Szkoda. Z drugiej strony wolę jednak, żebyś była żywa.

– Dziękuję ci bardzo...

– Nie ma za co. Więc teraz patrz dalej. Ciągle Wredny Zbinio, bo Grocholski własnego domu nie podpala...

– Czekaj! – ożywiła się nagle Martusia. – A może ten z kitką to w ogóle Płucek...?

– A wiesz, że to jest myśl...! W życiu go nie widziałam i pojęcia nie mam, jak wyglądał, więc niech będzie z kitką. Przy okazji pożaru daje się zauważyć i nareszcie padają na niego grubsze podejrzenia...

Zasadniczy wątek kryminalny serialu ułożył nam się pierwszorzędnie. Wrednego Zbinia postanowiłyśmy postawić przed sądem nie za zbrodnie, tylko za zwykłe, no, powiedzmy nie całkiem zwykłe, nader potężne kanty. Usiadłam do komputera w celu uściślenia ostatnich scen, wypadających gdzieś tam, dobrze powyżej setki odcinków.

– Czekaj – powiedziała Martusia, wpatrzona w liczne teksty dookoła siebie. – Z tym Słodkim Kociem, mimo wszystko, jest kłopot. Jak go wpuścić do telewizji?

– Nie wiem. To ty musisz wymyślić. Ja ci mogę powiedzieć, jak wpuścić kogoś niepowołanego na budowę. Albo na teren stajni wyścigowych. Albo do biura projektów, to najłatwiejsze. Albo do muzeum w dniu, kiedy jest zamknięte. Albo do archiwum Urzędu Celnego. Albo do Komendy Głównej policji.

– Nie żartuj! Potrafiłabyś do policji...?!

– W mgnieniu oka. Przypominam ci, że to nie oni powodują to bezprawie, które u nas szaleje, tylko prokuratury. Dlatego do prokuratury się nie pcham. Przy okazji mogę ci też powiedzieć, jak się wchodzi do szpitala bielańskiego wtedy, kiedy nie wolno. Przez kostnicę. Do telewizji nie umiem.

Przez długą chwilę Martusia przyglądała mi się krytycznie.

– Zaczynam wierzyć, że naprawdę należysz do innego pokolenia. Mnie by nie przyszło do głowy wdzierać się do szpitala przez kostnicę. Co za czasy, na litość boską, istniały, kiedy chodziłam do przedszkola...?!

– Skomplikowane. W tamtym ustroju trzeba było umieć żyć i wiedzieć, jak obchodzić wszelkie przepisy. Poza przepisami ruchu nie było ani jednego sensownego. Prawie jak za okupacji, tyle że do nas nie strzelano.

– Pozwól, że przyjdę do siebie – poprosiła grzecznie Martusia, otwierając drugą puszkę piwa. – No dobrze, zastanowię się. Jak on wlazł do tej telewizji...? Zaraz, czekaj, wiem...!

Poczekałam z wielkim zainteresowaniem.

– Od tyłu – rzekła Martusia uroczyście. – Jeśli już się dostał w ogóle na teren, to obleciał budynki i wszedł od tyłu bez żadnego problemu. Tylko jak wlazł na teren?

– Nie rozśmieszaj mnie – powiedziałam wzgardliwie. – Nie ma takiego ogrodzenia, którego nie pokona osobnik zacięty, chyba że pod wysokim napięciem. A tam, na Woronicza od tyłu, taki znowu straszny ruch nie panuje. Wlazł jakkolwiek i dlatego możemy użyć Słodkiego Kocia.

Martusia kręciła głową.

– A nie mógłby z przepustką, pod innym nazwiskiem...?

– Kto mu ją da? Ty myśl logicznie. Próbuje ukraść taśmy w tajemnicy przed całym światem!

– No trup, no zgadza się... Nie mógłby to być, mimo wszystko, odrobinę łatwiejszy trup? Musiałaś znaleźć takiego cholernie trudnego?

– Wcale go nie znalazłam, sam mi się napatoczył...

Ktoś zadzwonił z dołu. Zwolniłam zamek, znów nie pytając „kto tam", bo żadnych wizyt się nie spodziewałam. Wróciłam do komputera.

– Jadę do Krakowa – powiedziała Martusia z westchnieniem. – Pozostałe detale techniczne uzgodnimy przez telefon. Już tu widzę kolejny problem, jak go wpuścić do archiwum...

– Nigdy w życiu nie słyszałaś o złodziejach i włamywaczach?

Zabrzęczał gong u moich drzwi.

– Kto to? – zaciekawiła się Marta.

– Pojęcia nie mam – odparłam i poszłam otworzyć.

Za drzwiami stał Witek, siostrzeniec mojego męża, a zatem prawdopodobnie także i mój. Zdziwiłam się na jego widok niezmiernie, bo na ogół miał co robić i bez powodu mnie nie odwiedzał. Miewaliśmy niekiedy wspólne interesy, czasami wyświadczał mi rozmaite przysługi, ale zazwyczaj zaczynało się od telefonu, po czym dopiero kontakty się zagęszczały. A bywało, że nie odzywaliśmy się do siebie całymi miesiącami. Tak znienacka i bez uprzedzenia pojawiał się raczej rzadko i od razu zaciekawiło mnie, co go sprowadza. Z Martą znali się od dość dawna, bo jeździł zawodowo i mnóstwo razy gdzieś tam ją odwoził.

– Cześć – powiedziałam. – Ja się masz?

– Cześć – odparł Witek i zajrzał do pokoju. – O, jest Marta. Nie wiem, czy to dobrze, czy źle.

– No wiesz! – oburzyła się Martusia. – Jak ja jestem, to chyba powinno być dobrze, nie?

– Może i dobrze – zgodził się Witek, odkładając kurtkę byle gdzie. – Nie, nie chcę piwa, zaraz wracam do domu i napiję się wszystkiego, po czym żadna ludzka siła już mnie nigdzie nie wyciągnie. Tak wstąpiłem po drodze, bo to chyba coś dla ciebie... – zwrócił się do mnie i nagle skorygował pogląd – nie, w ogóle coś dla was, bo zdaje się, że jakiś kryminał piszecie...?

Przyświadczyłyśmy równocześnie, że owszem, piszemy. Witek zdjął z fotela gruby plik papieru, odłożył go na podręczny stolik i usiadł. Rzuciłam okiem dla sprawdzenia, co to jest, stwierdziłam, że brudnopis pierwszych sześciu odcinków serialu, i postanowiłam później przenieść go na parapet okienny, żeby się nie mylił z ostateczną wersją.

– Uczestniczyłem w znalezieniu trupa – oznajmił Witek bez wstępów, licząc zapewne na naszą dużą odporność. – Dopiero co, i prosto stamtąd jadę.

– O Boże! – wykrzyknęła Martusia. – Trzeci...?! Czy to nie nadmiar...?

– Stamtąd, to znaczy skąd? – spytałam nieufnie, bo miałam obawy, że tego właśnie nam nie powie. Nie przez złośliwość, tylko z lęku o siebie.

Witek jednak żadnego popłochu nie przejawiał.

– Z Wolicy. Nie muszę się tak zaraz reklamować, ale ja różnych wożę. Mam takiego, co jak się natankuje, zawsze po mnie dzwoni, a nawet czasem uprzedza wcześniej. Zdarza się, że spod domu go biorę, ale częściej z miasta i wtedy byle który kumpel mu pudło odprowadza, a potem wraca ze mną. Wiecie, jak to jest...

Obie z Martusią wiedziałyśmy doskonale.

– Na Wolicy mieszka, od Antoniewskiej takie coś odchodzi, niby ulica, ale to nawet nie ma nazwy. Oficjalnie do Antoniewskiej należy. Jedna parcela go przegradza od mafioza...

– Jakiego mafioza? – przerwałam z wielkim zainteresowaniem.

– Taki jeden, jak by ci powiedzieć... Od ściągania długów. Prawdziwy, zarejestrowany jako prywatna ochrona albo jakiś tam doradca, zareklamowany jak należy, każdy może sobie ludzi od niego wynająć...

– Do czego? – zaciekawiła się Martusia podejrzliwie.

– Oficjalnie czy nieoficjalnie?

– I tak, i tak.

– Oficjalnie to na przykład do przewiezienia pieniędzy gdzieś tam, prywatnie, na wypłatę dla robotników chociażby, na własną budowę albo co. Baba chce zawieźć biżuterię do sprzedania, do wyceny... Ktoś wyjeżdża na krótko, cały dom zostawia, elektronikę, urządzenia... O, jak ten, co mu całe wyposażenie pracowni wynieśli...!

– Zaraz – przerwała znów Martusia. – Ci wynajęci...?

– Co ci wynajęci?

– Wynieśli mu.

Witek przez moment wydawał się zdezorientowany.

– O ile wiem, wynieśli mu złodzieje...

– A ci wynajęci co?

– Nic. Nie było ich.

– Rzecz w tym, że ich właśnie nie wynajął, a trzeba było – wyjaśniłam, bo akurat wiedziałam o wydarzeniu prawie wszystko.

Martusia odetchnęła z wyraźną ulgą.

– No to już rozumiem, chwała Bogu. Wydawało mi się w pierwszej chwili, że to na tym polega ta ich działalność nieoficjalna. Wynajmuje się ich, a oni wynoszą i bardzo się przestraszyłam...

– Czego? – zdumiałam się.

– Że już całkiem nie rozumiem życia i współczesnego świata. A wydawało mi się, że jestem mniej więcej na bieżąco i wolałabym być...

– Jesteś, jesteś – pocieszyłam ją i zwróciłam się do Witka. – No, mów dalej!

– Myślałem, że jeszcze coś do siebie powiecie – westchnął Witek, jakby lekko rozczarowany. – Bardzo lubię słuchać waszych dialogów. No więc tak on działa oficjalnie, a nieoficjalnie wynajmuje się u niego strachy na dłużników. Prawdziwych, nie takich wymyślonych jak na filmie. Sprawy sądowe to każda jełopa wie, można sobie pod tramwaj podłożyć, a goryl przyjdzie, postraszy, spluwę pokaże...

– Brzytwę – podsunęłam. – Mniej hałasu.

– Hałas to oni mają w odwłoku. Samochód opracuje, szyby w oknach... Elegancko, bez mordobicia, a najwyżej z takim delikatnym, i ten biedny dłużnik od razu się robi bogatszy. Mało znacie takich spraw, że łobuz człowiekowi za robotę nie płaci, towar na kredyt bierze, a potem szukaj wiatru w polu?

– Ja mało – rzekła Martusia stanowczo.

– Ja dużo – przyznałam z westchnieniem.

– Toteż właśnie – powiedział Witek z satysfakcją. – A jeśli dłużnik ciągle nie płaci, chociaż ma z czego, posuwają się troszeczkę dalej i robią mu krzywdę na ciele albo na honorze.

– Na czym? – spytała Martusia z niedowierzaniem. – Na honorze? Ma teraz ktoś honor?!

– No, może się źle wyraziłem – skruszał Witek od razu. – Na opinii publicznej może być?

– To już lepiej...

– Z tym że tylko takim, którym musi zależeć, bo zwykły hochsztapler opinię chromoli. Wysokie sfery rządowo-przemysłowe, bankowe, handlowe... Taki handlowiec na dużą skalę, niech się rozejdzie, że nie płaci i już ma przechlapane. A po mordzie dostać nikt nie lubi.

– No dobrze, więc tam mieszka mafiozo od goryli dłużniczych – zniecierpliwiłam się. – Ty nam tu o życiu nie opowiadaj, tylko mów, gdzie ten trup!

– Same chciałyście. Dobra, już mówię. Tego mojego dowiozłem do domu, dzisiaj to było, kumpel za mną jego gablotą jechał, a on mi zasnął martwym bykiem. I nie chce wysiadać... Ale nie, zaraz, jak po kolei, to po kolei, jeszcze muszę wrócić do mafioza. Bo tak naprawdę, to on taki mafiozo, jak ja gołębica...

Mimo woli przyjrzałyśmy mu się obie.

– Nie pasujesz – stwierdziła Martusia z przekonaniem i dopiero teraz dostrzegła, że nie ma już piwa. – Czekaj, zaraz, nic nie mów, idę po puszkę!

– Rozumiem, że prawdziwe sensacje jeszcze się nie zaczęły? – odgadłam żywiutko.

Witek kiwnął głową i mógł kontynuować, bo Martusia wróciła biegiem. Też jęła węszyć drugie dno.

– Mam złe przeczucia – powiadomiła mnie z troską. – Jeśli się okaże, że taki Tycio na przykład zalega z wypłatami... Bo Wredny Zbinio nawet by mnie ucieszył!

– Nic nie wiem o żadnym wrednym Zbiniu – powiedział stanowczo Witek. – Ale ten tam, zarejestrowany, zameldowany i tak dalej, to tylko przykrywka, taka postać na pokaz. Śliski i parszywy, ale miękki...

– Skąd wiesz?

– Słyszy się i widzi różne rzeczy, trochę ludzi znam... A tam, mówię przecież, bywam często. Tak naprawdę wszystko w ręku trzymał bandzior prawdziwy, jego, tego wybrakowanego mafioza, też. Bali się go, co to bali, za mało powiedziane, sympatię taką budził powszechnie, że aż powietrze dookoła niego warczało, raz go widziałem nieszkodliwie...

– Nieszkodliwie znaczy jak...?

– Taksówką zawracałem, klient już czekał, a on z samochodu wysiadał. Na mnie nawet nie spojrzał, taksówek dużo, w tego klienta się wpatrywał.

– I jak wyglądał?

– A zwyczajnie. Nawet nie bardzo duży, taki średni, po pięćdziesiątce chyba, gęba pomarszczona, ale widać było jakoś, że życia ma w sobie dużo. Jak sprężyna. Czerwony na pysku, oczka jakieś złośliwe, zaciekawił mnie nie wiadomo dlaczego, więc się przyjrzałem, później się dopiero dowiedziałem, że to on. Z gołym łbem, krótkie włoski w kędziorkach, prawie siwe, ale tak wyglądały, jakby za młodu był rudy...

Zapalniczka wyleciała mi z ręki i wpadła pod stół.

– Jezus Mario! – powiedziałam ze zgrozą. – Słodki Kocio...!

Witek z Martą zagapili się na mnie.

– Nie żartuj! – przestraszyła się Martusia po chwili.

– Jakieś kontrastowe te wasze znajomości – zauważył Witek krytycznie. – Tu wredny, tam słodki...

– Nie nasze! – zaprotestowała Marta z energią. – Słodki Kocio to jej...!

– A to możliwe, ciotka zawsze miewała jakieś takie...

– Mów dalej! – zażądałam gwałtownie. – I co?!

Witek pokręcił głową, ale posłusznie wrócił do tematu.

– No więc mój mafiozo to zasłona dymna, a prawdziwy to ten. Może być, mnie to nie szkodziło. I teraz mogę powiedzieć resztę, pasażer nie chce mi wysiadać, a to byk taki, wielki i gruby, no więc poczekałem na kumpla i razem zaczęliśmy go wyciągać. A jeszcze głupio stanąłem, przed tą pustą parcelą, bo chciałem zostawić miejsce, żeby mu kumpel mógł wprowadzić samochód chociaż za bramę. Pilotem otwierana i ja nawet sam ją otwierałem, Bóg wie ile razy, jak był na bani, wtykał mi tego pilota do ręki, wiedziałem, że go trzyma w kieszeni na drzwiczkach. Macam, nie ma. Macam na drugich, nic. W skrytce, też nic. No więc może ma w kieszeni przy sobie, ale trzeba go wywlec, żeby się domacać. Wywlekliśmy go w końcu, a on wtedy nagle się przecknął i jak ten skowronek, takiego wigoru nabrał, że tylko kaftan bezpieczeństwa! I żeby chociaż sam leciał przed siebie, to nie, nas się trzymał kurczowo, to mnie, to kumpla, na zmianę, a jak w kleszczach! Wesolutki jak taki źrebaczek na łące, a czepliwy jak małpa, poleciał w końcu, i to jak, jakby miał ze sześć nóg, prosto na tę parcelę...

– Nie była ogrodzona?

– Była. Siatką. W rogu furtka i proszę, jak wycelował, akurat w tę furtkę, trzeźwy z rozbiegu by tak nie trafił. A tam rudera na środku, ściśle biorąc napoczęta budowa sprzed dwudziestu lat, ledwo mury, parter, bez żadnego zadaszenia, za to podpiwniczona, ruina już kompletna, z dziurami, nie zabezpieczone wcale. Widać, że wleci do piwnicy, ma to jak w banku, więc my za nim. Jakoś się czułem za niego odpowiedzialny, stały klient ostatecznie, na mnie liczy, nie puszczę go luzem. Złapaliśmy go, bo się potykał, ale w ostatniej chwili, a to wielki bawół, mówiłem, ze sto trzydzieści kilo żywej wagi, wypsnął nam się z rąk i nie było siły, do tej piwnicy zleciał. Tyle że nie tak na mordę, a jakoś łagodnie, zjechał można powiedzieć. Tam gruz i ziemia, jakby pochylnia, wleźliśmy za nim, żeby go jakoś wydłubać, ciemno jak w grobie, gość stęka i chichocze, więc żywy, ale gówno widać i czuję, że po czymś depczę, a do tego śmierdzi. Zdechłe szczury albo co. Kumpel skoczył po latarkę, ja poczekałem, zaświecił, no i wtedy się okazało...

Słuchałyśmy z zapartym tchem. Witek urwał na chwilę i skrzywił się z niesmakiem.

– Obrzydliwość. Nie, jednak daj mi coś. Jednym kieliszkiem się nie urżnę. Tak na sucho coś mi się robi.

– Wolisz koniak czy whisky? – spytałam pośpiesznie.

– Jak masz zimną, to whisky.

– Mnie piwo!!! – wrzasnęła Martusia za mną, bo pytanie zadałam już w biegu.

– No i bardzo dobrze – pochwalił Witek. – Wypiję i jestem całkiem spokojny. Mam mówić dalej?

– Kretyńskie pytanie! – warknęłam z naganą.

– No to latarkę to on miał na byka i od razu wszystko się dało zobaczyć. Ten nasz gość sobie podśpiewywał i do snu się układał, a nam wątpia skręciło. W szczegóły już się wdawał nie będę...

– Nie bądź, nie bądź – poparła go Martusia gorliwie. – Znaczy, nie wdawaj...

– Leżał tam, mordą do góry, więc go od razu poznałem. Wypchnęliśmy klienta na wierzch i jeszcze trzeba było go dowlec do domu. A pilota nie ma. Klucze do drzwi miał w kieszeni, wyleciały, cholera, jak zjeżdżał łbem na przód i musiałem wrócić...

– Po kolei! – wysyczałam ze strasznym naciskiem.

– Mogę po kolei – zgodził się Witek. – Bardzo dobra whisky. Wywlekliśmy go, mówię, pilota nie ma, więc jeszcze raz przeszukałem samochód i znalazłem to wreszcie pod fotelem pasażera. Klucze od domu on nosił w kieszeni marynarki, to wiedziałem, znów macam, nie ma, ale ta marynarka oddzielnie, a on oddzielnie, bośmy go za szmatę próbowali przytrzymywać, łatwo zgadnąć, że musiały wylecieć, pomacałem jeszcze na wszelki wypadek, portfela też nie ma, no więc teraz już siła wyższa, trzeba tam wrócić. Posadziliśmy go na schodkach, akurat znów miał przypływ tego wściekłego wigoru, więc sam wlazł na czworakach aż pod same drzwi i tam, chwalić Boga, przysnął sobie na słomiance. Poszedłem do tej cholernej piwnicy, a kumpel przez ten czas wprowadził samochód. Zmobilizowałem się szczytowo i popatrzyłem...

– Nie mów, co widziałeś! – zażądała Martusia dość rozpaczliwie.

– Klucze i portfel – powiedział Witek. – Leżały jak należy. Upewniłem się jeszcze co do... tej reszty... i poszedłem sobie stamtąd. Wepchnęliśmy gościa do domu...

– Czekaj – przerwałam. – A w tym domu nikogo nie było?

– No właśnie nikogo. Żona z córką wyjechały gdzieś tam, gosposia jest na przychodne, więc już poszła, to mi jeszcze zdążył powiedzieć, zanim go do reszty rozebrało, no więc nikogo.

– I gdzie został?

– W przedpokoju.

– Tak go zostawiliście w przedpokoju? – zgorszyła się Martusia. – Na gołej podłodze?

– Podłożyliśmy mu poduszkę pod głowę – uspokoił ją Witek. – I kocykiem się go ładnie przykryło. Wlec go dalej, to trzeba by konia, bo zasnął rzetelnie, a nam tak jakoś w sobie nieprzyjemnie było.

– I bramę za sobą zamknęliście? Jak?

– Zwyczajnie, pilotem. To już nie pierwszy raz, więc wszystko jest racjonalnie zorganizowane. Takie styropianowe pudełko on wozi ze sobą i foliową torbę, bardzo grubą. Opakowanie pilota. Włożyłem ustrojstwo do środka i pirzgnąłem mu pod same drzwi, jak wytrzeźwieje, to znajdzie.

– A sąsiedzi? Ten mafiozo obok?

– Nie wiem, co robił mafiozo obok, ktoś tam był, bo światło się świeciło, ale chyba telewizję oglądali.

– I co potem zrobiliście?

– Nic. Odstawiłem kumpla i przyjechałem tutaj.

Obie z Martusią z przerażeniem popatrzyłyśmy na siebie.

– Jak to? Nie zawiadomiłeś glin...?!

– A mnie akurat niczego do szczęścia więcej nie było potrzeba, tylko właśnie gliny! Niech go sobie sami znajdują. Już się rozpędziłem, sam na siebie rzucać podejrzenia...

– Jakie podejrzenia, oszalałeś! – zdenerwowałam się. – Jeżeli to rzeczywiście Słodki Kocio, to oni go szukają, bo im zginął! I my im o tym twoim znalezisku będziemy musiały powiedzieć! I dopiero wtedy zaczniesz być podejrzany!

– Wcale nie – odparł Witek najspokojniej w świecie. – Kto w ogóle powiedział, że ja go widziałem? Wcale nie musiałem widzieć. Nie miałem latarki przy sobie, kumpel też nie, deptałem po czymś, to deptałem, może szczury, szczurów nie lubię, wolno mi...? Wolno. Wywlekliśmy klienta i po krzyku, a co tam jeszcze było, kogo obchodzi? Śmierdziało, mogło sobie śmierdzieć, dlaczego nie? Nie wiemy czym, bo obaj akurat mieliśmy katar. Ja wam o tym trupie mówię prywatnie, w razie czego się wyprę.

– A kumpel? – zaniepokoiła się Marta.

– Kumpel też się wyprze. Zeznania mamy uzgodnione. Jakby co, on tam wcale nie właził, ciągnął gościa od góry, a ja popychałem te zwały sadła od dołu. Kto nam co udowodni? I w dodatku jest to prawda, ja byłem niżej, a on wyżej. Dlatego to on poleciał po latarkę, a nie ja.

– Logiczne – pochwaliłam. – Ale i tak pojęcia nie mam, co z tym fantem zrobić. W razie czego twoje zelówki na trupie znajdą...

– No to przecież zeznaję, że po czymś deptałem!

– A donieść o nim mogłeś z kamiennym spokojem, bo on już od paru dni nie żyje, co łatwo stwierdzić.

– No, świeży nie był, fakt – przyznał Witek w zadumie.

– Przestańcie, co? – poprosiła z jękiem Martusia.

– Nie możemy. Sprawę trzeba omówić. Diabli wiedzą zresztą czy to na pewno Słodki Kocio, bo może jakiś inny jeszcze życie stracił. Te rozmaite mafie lubią wymordowywać się wzajemnie.

– To nawet ładnie z ich strony, ale używajcie jednak jakichś innych słów...

– Nie grymaś. Lepiej myśl twórczo!

– A gdybym wam nic nie powiedział – rzekł Witek, wciąż nieco zadumany – on by mógł tam leżeć do sądnego dnia. Nikt do tej piwnicy nie zagląda. Parcela jest do sprzedania, napis wisi, a wycenili ją tak drogo, że długo jeszcze pustką postoi. Tę ruinę rozbiorą, to pewne, już się rozlatuje, piwnica wodą podcieka, nie wiem, ile czasu taki zewłok wytrzyma, ale na wiosnę... albo za rok... kto by go rozpoznał...?

– Dentysta – powiadomiłam go. – A może miał przy sobie dokumenty?

– Jeśli miał, to ma nadal, bo myśmy go nie rewidowali.

– Ja się nie znam, ale może sprawcy zrewidowali go wcześniej? – wysunęła supozycję Martusia, rozpaczliwie usiłująca opanować doznania wewnętrzne. – Słuchaj, czy on się nam do czegoś przyda? Mam na myśli w piwnicy...

– Powinien chyba, nie? Stwarza liczne możliwości dodatkowe, daje się widzieć w tylu miejscach, że coś się zapewne dopasuje.

– Przyznaję, że ruchliwy jest nie do zniesienia...

– A co wy z nim chcecie zrobić? – zainteresował się Witek.

– Użyć w serialu – wyjaśniłam. – Potrzebny był nam trup dla wzmożenia napięcia, żeby nie wychodziło nudnie, no i trafiłam akurat na takiego, który stwarza same problemy.

– Ponadto miał leżeć w moim pokoju w pracy, a nie w jakiejś mokrej piwnicy – przypomniała Martusia głosem nieco znękanym. – I nie przechodzony, tylko właśnie świeży!

Zwróciłam jej uwagę, że już mamy dwa trupy i jednego podpalacza, dzięki czemu akcja bujnie rozkwita. W piwnicy ewentualnie mógłby leżeć ten drugi...

– O, właśnie! – ożywiłam się nagle. – Popatrz, on najpierw może zniknąć i nie wiadomo, gdzie jest, ślady sugerują zbrodnię, zwłok nie ma i dopiero później docieramy do niego w piwnicy...

– Na Woronicza nie ma takich mokrych piwnic!

– Może być sucha, nie wymagajmy za wiele.

– Chcesz zmieniać całą akcję?!

– Nie całą, tylko od połowy. Nawet dalej, od dwóch trzecich. Już mam pomysł, szukają go w nerwach, bo istnieje podejrzenie, że rąbnął któreś taśmy. Potem się okazuje, że jest, leży, ale nikt go nie dotknie, bo wszyscy obrzydliwi, więc napięcie rośnie...

– Mnie w gardle rośnie...

– Ten fragment mogę napisać bez ciebie – uspokoiłam ją.

– Dziękuję ci bardzo. A ja go będę tylko czytać, tak? I realizować?

– Efekty zapachowe jeszcze z ekranów nie wieją. Obrzydliwości nie wyeksponujemy. Ale myśl, sama w sobie, ma sens, pierwszego trupa znajdujesz od razu, z drugim warto wprowadzić urozmaicenie. I o, proszę...! Znajduje go przypadkowy człowiek!

– Jeśli ten człowiek, to mam być ja... – zaczął Witek podejrzliwie.

– Nawet jeśli ty, to będziesz kim innym!

– Wolę, żeby mnie nie było wcale. Poza tym zdaje się, że zaczynam się gubić. O czym wy właściwie mówicie? To wszystko jest prawdziwe czy wymyślone?

Zastopował nam wybuchy inwencji, chociaż i Martusia już zaczynała myśleć twórczo. Popatrzyłyśmy na niego i na siebie wzajemnie.

– Czekaj, on przecież nic nie wie!

– No nie wie. Powiemy mu?

– A dlaczego nie? Może mu coś przyjdzie do głowy?

– Czego nie wiem? – spytał Witek, wciąż podejrzliwie i nieufnie.

– Bo, rozumiesz – rozpoczęłam wyjaśnienia – afera jest prawdziwa, a my ją sobie dopasowujemy do scenariusza. Kłopot w tym, że prawdziwe zwłoki wcale nie pracują w telewizji i musimy je upychać trochę na siłę. Z drugiej strony mnóstwo się zgadza, więc w rezultacie robi się melanż...

– To widać – zgodził się Witek. – Powiedz to jakoś porządnie, żebym mógł coś zrozumieć...

Wspólnymi siłami opowiedziałyśmy mu wszystko mniej więcej porządnie, teraz dopiero stwierdzając, ile fikcji pomieszało nam się z rzeczywistością. Niemal w podziw wprawił mnie talent do gmatwania, jaki się znienacka w nas obu objawił. Martusia zaproponowała nieśmiało, żeby może w wydruku zastosować inny kolor do faktów, a inny do wyobrażeń, ale zaprotestowałam stanowczo.

– Mam tu gdzieś w komputerze żółtą krowę i niebieskiego kota czy może odwrotnie, ale jeśli przypuszczasz, że dodatkowo zacznę walczyć z tym pudłem na czerwono, zielono i niebiesko...! Chcesz, to sobie sama drukuj pstrokate z dyskietki!

Martusia przeraziła się śmiertelnie.

– Nie, nie! Wycofuję propozycję! Nic podobnego nigdy w życiu nie powiedziałam!

– A Bartek umie – wytknęłam znienacka.

– To niech sobie umie. Nie ma przepisu, że mam umieć to samo, co on! I nie będę się z nim uczyła! Wszystko inne, tylko nie komputer...!

Witek, mimo licznych przeszkód, nasze gadanie zrozumiał. Nie wiadomo jakim cudem, ale jednak.

– Czekajcie, mnie z tego wychodzi, że u was te trupy i pożary to są jakieś kompromitacje telewizyjne. Ktoś się wygłupił, tu łapówka, tu kumoterstwo, tu jakieś stare błędy i wypaczenia, ktoś tam coś nakręcił, ma czarno na białym i jeden drugiego szantażuje. Zgadza się?

– No nie! – zaprotestowała Martusia. – Bez przesady...

– W pewnym stopniu – powiedziałam równocześnie. – Nie żeby wszyscy wszystkich, ale czarny charakter i parszywą owcę musimy mieć!

– Ale nie całe stado...!

– Toteż ci idę na ustępstwo, chociaż u mnie to zgoła kierdel...!

– Czekajcie – przerwał Witek. – Ja bardzo lubię, jak tak twórczo dyskutujecie, ale chcę powiedzieć, że w naturze jakoś to wypada inaczej.

Zainteresował nas od razu.

– No? Jak?

– Tak jak mówiłem. Goryle od ściągania długów. Jakie tam kompromitacje, kogo teraz kompromitacje obchodzą, o wielki szmal idzie. Tego tu mafioza rąbnęli, żeby forsy nie oddać, a jeśli chcieli coś sfajczyć, to weksle. Jakiś grubszy dłużnik wysoko obsadzony stracił cierpliwość i mózg odrąbał, a teraz macki same nie wiedzą, co robić. A jak im się jeszcze udało weksle spalić, cześć pracy, mają z głowy. Nikt nikomu niczego nie udowodni. Ja się mogę trochę popytać i dowiedzieć dokładniej, bo nawet mnie to ciekawi. Tylko z tym trupem nie wiem, co zrobić. Zawiadomić ich czy nie?

Nagle wyobraziłam sobie całą procedurę. Witek składa zeznanie, łapią kumpla, trzymają ich całymi godzinami, dociekają, co robili w piwnicy, łapią tego ich klienta, mieszka obok, nic nie pamięta, skoro był pijany, ma pretensje do Witka, że go wrobił, żadnemu jego słowu nie wierzą, łapią tego drugiego, wmieszanego w przedsięwzięcie, ten drugi łże jak dziki, zwala wszystko na wszystkich, Witek z kumplem robią się podejrzani, bo nie zawiadomili od razu, w rezultacie wychodzą na tym interesie najgorzej, ponieważ nie są przestępcami i żaden prokurator ich się nie boi. Obie z Martą, być może, też się robimy podejrzane przez samą rozmowę z Witkiem, zabraniają nam pisać serial...

O, nie! Za dużo tego dobrego!

– Anonimowo i cienkim głosem – powiedziałam stanowczo.

– Proszę...? – zainteresowała się Martusia.

– Znaczy co? – spytał Witek.

– Tak jakby jakieś dziecko dzwoniło. Może być na alarmowy numer policji. Proszę pani, bo tam przeważnie baby siedzą na słuchawkach, w piwnicy przy jakiejś tam, podać adres, leży taki nieżywy człowiek. I cześć. Kto ty jesteś, nazwisko proszę i tak dalej, dziecko nie zwraca uwagi na głupie gadanie, tylko upiera się przy swoim, może być płaczliwie. Nie powiem nazwiska, bo mnie tatuś spierze. A trup leży. Wyślą radiowóz, gwarantowane, nawet gdyby byli pewni, że to głupi dowcip. A potem niech szukają tego dziecka do uśmiechniętej śmierci.

– Bardzo dobry pomysł – pochwalił Witek z uznaniem. – Tylko ja nie dam rady gadać takim cienkim głosem.

– Kumpel też nie?

– To już prędzej. Chociaż wyjdzie mu chyba dosyć wyrośnięte dziecko.

– Może chłopczyk, który ma chrypkę? – podsunęła Martusia. – Niech siąka nosem.

Po dłuższej naradzie ustaliliśmy, że zadzwonić powinna Martusia, która przy pewnym wysiłku była w stanie wydać z siebie cienki pisk, odrobinę zachrypnięty. Siąkanie nosem nie sprawiało jej trudności. Ponadto dzwonić należało z automatu, bo nikt z nas nie wiedział, jak daleko poszła ta cała łączność i czy przypadkiem u glin nie wyświetla się numer, z którego ktoś dzwoni.

Martusia wyraziła zgodę dopiero, kiedy roztoczyłam przed nimi sugestywny obraz dziecięcej zabawy w ciemnościach na zapuszczonej parceli, kopanie piłki najlepiej, rozrywka niewinna, wręcz widać było na drzwiach mojej biblioteki, jak im ta piłka wpada do piwnicy, a drugiej nie mają, jak winowajca, który źle wycelował, włazi po utracony przyrząd sportowy i natyka się na niesłychaną atrakcję w postaci zwłok. Nie musi być tych dzieci tak strasznie dużo, do kopania dwóch chłopczyków wystarczy. No i teraz wystraszony chłopczyk zdobywa się na obywatelską postawę i dzwoni...

– Niech ja pierzem porosnę, jakby ten chłopczyk stamtąd odszedł bodaj na sekundę – mruknął Witek. – Przyrósłby do siatki, żeby nic z przedstawienia nie uronić.

– Może podglądać z pewnej odległości, ciemno, więc go nie widać – powiedziałam stanowczo. – A gliny sobie poświecą, nie ma obawy. Wszystko zobaczy bez szkody dla zdrowia. We właściwej chwili ucieknie.

– A ślady? – zatroskała się Marta i wskazała Witka. – Jego butów. Nie za duże?

– Teraz dzieci szybko rosną...

W rezultacie uwierzyliśmy w chłopczyka do tego stopnia, że Martusia wręcz poczuła się zobowiązana załatwić sprawę za niewinne dziecko. Oboje z Witkiem razem wyszli i po krótkim poszukiwaniu znaleźli automat w okolicy Czerniakowskiej. Na wszelki wypadek lepiej było nie wysyłać chłopczyka na drugi koniec miasta.

Relację ze składania donosu usłyszałam zaraz potem przez komórkę.

– Tam rzeczywiście baba siedzi – powiedziała Martusia, bardzo przejęta. – Wczułam się w rolę, uwierzyła, wyobraź sobie, mówiła do mnie: „moje dziecko" takim bardzo zmartwionym głosem. Witek mi adres na kartce napisał, żebym czegoś nie pomyliła, i powtarzałam w kółko to samo, aż się prawie popłakałam. Chyba wyślą radiowóz, słuchaj, my to chcemy zobaczyć!

– O Boże, znajdźcie jakiś pretekst, po co tam jedziecie!

– Właśnie szukamy. Chociaż Witek mówi, że możemy popatrzeć z daleka. Zna takie miejsce, skąd wszystko widać.

– Lepiej sprawdźcie tylko, czy przyjadą i wlezą – poradziłam z troską. – I zjeżdżać stamtąd! Gdybyś chociaż miała przy sobie kamerę, byłoby wytłumaczenie, ale bez kamery mogą nas wszystkich wziąć za kuper.

– Przecież jesteśmy niewinni!

– Toteż właśnie dlatego...

Argument miał wielką siłę. Potem już tylko dowiedziałam się, że owszem. Przyjechali i wleźli...

* * *

– No to cześć – powiedziała Martusia jakimś takim głosem martwo-zaciętym, a przy tym ponurym, wchodząc w moje progi. – Już nie mogę. Coś się we mnie złamało.

Zważywszy, iż ostatniego roboczego wieczoru, w wyniku piwnicznej sensacji, nie dokończyłyśmy uściślania całej akcji scenariusza, ponadto pośmiertna ruchliwość Słodkiego Kocia zaczęła stwarzać nowe możliwości i nasuwać pomysły, zaraz potem zaś Marta pojechała do Krakowa, przez dwa dni tkwiłam w stanie lekkiego chaosu twórczego i nic nie wiedziałam o jej przypadłościach. Zajęta rozwikływaniem komplikacji serialowych, straciłam z oczu resztę świata, w dodatku przez ładnych parę godzin w ogóle nie było mnie w domu i nikt się ze mną nie mógł porozumieć. Numerem komórki nie szastałam przesadnie. Dom zaś, a zarazem miejsce pracy, opuściłam, żeby podładować akumulator w samochodzie, i pojechałam byle gdzie, wybierając w miarę możności ulice bez korków. W trakcie jazdy mogłam myśleć, ile mi się podobało, wobec czego zdołałam tego drugiego trupa ukryć niekoniecznie w piwnicy, ale, powiedzmy, w czymś podobnym. Pogrążona w tekście, straciłam z oczu także Martusię.

– No bo co? – spytałam teraz niespokojnie.

– Ja go na oczy nie widziałam, rozumiesz? Przez dwa dni w Krakowie!

Na moment poczułam się nieco zdezorientowana.

– Dominika...?

– No a kogo?! Razem pojechaliśmy...! Podobno razem!!!

Zaczął mi już ten Dominik nosem wychodzić.

– Idź tam, usiądź, dam ci piwa...

Martusia weszła za mną do kuchni.

– Piwa, owszem, daj mi piwa, w ustach nie miałam kropli piwa od tej ostatniej wizyty u ciebie. Chcę piwa!

– Żaden problem, jest. Masz, weź szklanki...

– I to wszystko dlatego, że na chwilę zatrzymałam się w kasynie! Za karę! Rozumiesz? Nie zniosę tego, co ja jestem, niewolnica sułtana...? A on co, psychopata...?! Jak ja spojrzę na kasyno, to on dostaje depresji...?!

– A jak nie spojrzysz, to co? Euforii? – spytałam delikatnie i postawiłam dwie puszki na stole.

– Dwóch euforii i trzeciej malutkiej – powiedziała Martusia z furią, czym sprawiła mi żywą przyjemność, bo wypowiedzi nauczyła się ode mnie.

Pochodziło to z wyścigów, „piątka leci, piątka leci!", wrzeszczał jakiś kretyn na widok na przykład jedynki na froncie, na co mamrotałam pod nosem: „Tak, dwie piątki, a trzecia malutka". W zasadzie podobało się to wszystkim, którzy mieli oczy w głowie i rozum troszeczkę wyżej.

– Znaczy, euforia też nieco wybrakowana?

Martusia, niestety, w nerwach trząchnęła puszką tuż przed otwarciem, dzięki czemu drobna część piwa uszczęśliwiła serwetę i okoliczne papiery. Uspokoiłam ją od razu, zanim zdążyła się niepotrzebnie zdenerwować.

– To płótno, pierze się w pralce, nie zwracaj uwagi. Drobnostka. Stół też nie antyk, a papier wyschnie. Mów lepiej, co się stało.

Martusia pozgrzytała sobie trochę zębami i wypluła z siebie kilka słów, które wprawdzie są już powszechnie używane, ale nie w prawdziwie eleganckim towarzystwie. Po czym przeszła na język stosowany w słownikach.

– To gnój, wiesz? Nie wiem, co robił, ale chyba złośliwość! Perfidną, parszywą, mściwą... Świnia! Podlec! Sadysta!!!

– Prywatnie, jak rozumiem...?

– No przecież nie służbowo! Służbowo był na poziomie!!! A potem byliśmy umówieni i gówno!!!

– Tak między nami, co ty w nim właściwie widzisz? Samą brodę...?

– Zgłupiałaś? Łóżko!!!

– W tym łóżku taki genialny? – spytałam z niedowierzaniem, wciąż usiłując okazać delikatność.

Martusia jęknęła i przybrała wysoce uciążliwą pozycję, z czołem opartym na niskim stole i szklanką piwa w ręku.

– Nie wiem. Coś ma w sobie. Niekiedy. Takie coś, co dech zapiera. I ja od tego dostaję...

– Małpiego rozumu – podpowiedziałam szybciutko i ogromnie życzliwie.

W jednej chwili Martusię poderwało znad stołu.

– No wiesz...!

– A jak to nazwiesz inaczej? – spytałam bezlitośnie.

Dorosła, bądź co bądź, kobieta, inteligentna i myśląca, musiała na takie słowa zareagować racjonalnie.

– No nie... No tak... No nie...! No dobrze, owszem... No wiesz...?! Coś okropnego... No dobrze, chyba masz rację... Tak, zgadzam się. Małpiego rozumu!

– No to może byś przeszła umysłowo na człowieczeństwo...?

Przez długą chwilę Martusia milczała, popijając piwo po odrobinie i wpatrując się intensywnie w wybrakowaną passiflorę, wymieszaną z wiszącymi nad nią pędami asparagusa. Passiflora podobno dobrze działa na uspokojenie, musi to być prawda.

– Chyba masz rację – rzekła wreszcie z namysłem, pozbawionym już, ku mojej uldze, znękania. – Jak sobie wyobrażę małżeństwo z nim i dzieci... – otrząsnęła się jakoś od góry do dołu. – Czy mój dreszcz wewnętrzny widać na wierzchu?

– Widać.

– No więc chyba ma to sens. Ty mówiłaś takie coś: jak się ożeni, to się odmieni?

– Ściśle biorąc, mówiłam, że ten pogląd nie ma żadnego sensu.

– Myślisz, że na pewno...?

– Udowodnione prawie w stu procentach. W obie strony.

– W jakim sensie w obie strony?

– Kobiety nie mają monopolu na głupotę. Znam osobiście co najmniej dwóch facetów, którym się wydawało, że odmienią charakter malkontentki albo cierpiętnicy, ożeniwszy się z nią. Do dziś dnia pokutują za idiotyczne przekonanie. Kobiety mają w sobie więcej optymizmu, takich, co im się równie głupio wydawało, znam więcej.

– No to ja tak nie chcę. W żadne odmiany nie wierzę i mam tego dosyć!

Ucieszyłam się nadzwyczajnie, ale przypilnowałam, żeby swojej uciechy nie okazać zbyt jaskrawo na zewnątrz, bo po pierwsze, miała dosyć Dominika już jakiś setny raz, a po drugie, mógł nią szarpnąć duch przekory. Pozwoliłam sobie tylko na lekki objaw ukojenia i sięgnęłam po wydruki ostatnich stron poprawionego tekstu.

– Masz, poczytaj sobie, zmieniłam trochę dalszy ciąg. Zacznij od streszczenia, a dalej jest cały odcinek, kiedy wszyscy w strasznych nerwach usiłują go znaleźć, a on już leży pod schodami. Czytelnik wie... pardon, chciałam powiedzieć widz... wie i traci cierpliwość, w napięciu czekając, kiedy go wreszcie znajdą...

Jakiegoś pecha miał ten nasz serial. Ledwo Martusia zdążyła wgłębić się w streszczenie, odezwał się brzęczyk. Podniosła głowę.

– Czy z tymi różnymi trupami przychodzą do ciebie tylko wtedy, kiedy ja jestem, czy jak mnie nie ma, to też?

– Robią ci grzeczność i czekają, aż przyjdziesz – odparłam, idąc do drzwi.

– Dziękuję, aż takiej grzeczności wcale nie wymagam!

Zwolniłam zamek, odczekałam chwilę, bo coś mi mówiło, że to chyba do mnie. Usłyszawszy czyjś galop na schodach, otworzyłam drzwi.

Oczywiście, Cezary Piękny. Leciał po tych schodach jak do pożaru i nawet się nie zadyszał. Wpuściłam go, rzecz jasna, zgryźliwie uprzedzając, że tym razem sama nie jestem.

– Nic nie szkodzi – odparł grzecznie i od razu zwrócił się do Marty: – Ja właściwie bardziej do pani, zgadłem, że pani tu jest i skorzystałem z okazji.

– Śledzą nas? – zdziwiłam się.

– A skąd, za mało mamy ludzi na takie przyjemności.

– Zgadł pan bardzo dobrze – powiedziała Martusia. – I co ja?

Podinspektor Czaruś usiadł i bez wstępów przystąpił do sprawy.

– Co pani robiła szóstego listopada ubiegłego roku?

W osłupienie wpadłyśmy obie jednakowo.

– Na litość boską...! – jęknęła Martusia zdławionym głosem.

– Pan naprawdę wierzy, że ktoś może sobie przypomnieć, co robił prawie rok temu określonego dnia...? – spytałam z szalonym zainteresowaniem.

– Ja to wiem, nie muszę wierzyć. Szczególnie jeśli była to jakaś data pamiętna. Ślubu, złamania nogi, urodzenia dziecka...

Martusia zaczęła się gwałtownie zastanawiać.

– Ślub brałam dziesięć lat temu, rozwód w dwa lata później, więc zeszły rok odpada. Nigdy w życiu nie złamałam nogi ani nie urodziłam dziecka. W Las Vegas byłam przed trzema laty, więc to też nie. Co to w ogóle był za dzień, szóstego listopada zeszłego roku? Czyjeś imieniny może...?

– Zaraz ci powiem – odparłam życzliwie i sięgnęłam do grubego pliku papierów, wetkniętego pionowo pomiędzy książki telefoniczne a ściankę regału. Znajdowały się tam kalendarze z kilku poprzednich lat, zachowywane przeze mnie pieczołowicie ze względu na rozmaite notatki i numery telefonów, nigdy nieprzeniesione do notesu. Wielokrotnie okazywały się zgoła bezcenne. – Czekaj, poszukamy. Grudzień dziewięćdziesiąt siedem, marzec dziewięćdziesiąt osiem, za daleko... wrzesień dziewięćdziesiąt osiem, o, to już bliżej... Jest!

Ten akurat kalendarz wisiał u mnie w postaci długich i wąskich kartek, z każdym dniem oddzielnie i dostateczną ilością miejsca na zapiski. Znalazłam szósty listopada.

– Piątek – ogłosiłam uprzejmie. – I lepiej wiem, co robiłaś, niż ty.

– A co ja robiłam?

– Co do poranka, nie wtrącam się, ale mam tu zapisane, czternasta-piętnasta Marta. TV. I doskonale pamiętam, że zbiegowisko trwało do północy, z tym że opokę stanowiłyśmy my obie, a reszta się zmieniała. To było wtedy, kiedy wypadło nam załatwianie wszystkiego na kupie i trzeba było tych ludzi jakoś od siebie odseparować. Bardzo skomplikowane popołudnie, a na końcu ktoś rozwalił donicę z asparagusem i dobrze zrobił, bo najwyższy czas był, żeby go przesadzić do większej. Asparagusa pamiętam najlepiej.

– A...! – ożywiła się Martusia radośnie. – To wtedy kłóciłyśmy się o scenariusz z *Romansu wszech czasów*! Co to znalazła się w nim *Krowa niebiańska*! Zgadza się. To było szóstego listopada?

– Tak mam zapisane...

– No to rzeczywiście były trudne chwile, doskonale pamiętam!

– Nie chcę ci wymawiać, ale trzy osoby dobiły znienacka.

– Ale to później. Przedtem się wszystko zgadzało!

– Bo na początku konferencja trzymała się jeszcze tematu...

Podinspektor Cezary Piękny wtrącił się w nasze wspomnienia.

– Już rozumiem, że panie spędziły kilka godzin wspólnie. Nie ukrywam, że interesuje mnie czas pomiędzy siedemnastą a północą. Czy mogą panie sobie przypomnieć, kto tu wtedy był?

Zaczęłyśmy sobie przypominać, aczkolwiek chętnie, to jednak z wysiłkiem. Martusia wiedziała lepiej.

– Ze scenariuszem skończyłyśmy po czwartej i była chwila przerwy. O wpół do piątej, jako pierwszy, przyleciał Kajtek, to wiem, bo przyniósł kasety, a zaraz potem Dominik i ten nasz ulubieniec...

– I ja próbowałam przegryźć mu gardło, a ty załatwiałaś w cztery oczy coś tam w drugim pokoju z Dominikiem i z tym, jak on się nazywa...

– Janczewski. Zgadza się. Jak wróciłam tutaj, to już było pełno ludzi...

Cezary Piękny przystąpił do zapisywania sobie każdego naszego słowa. Martusia wymieniła mu personalia gości, bo to ona je znała, a nie ja. Jakoś nam wyszło, że postacią, która interesuje go najbardziej, jest Dominik.

Co do Dominika obie mogłyśmy przysięgać na wszystkie świętości, że od chwili przyjścia zaraz po wpół do piątej, nie opuścił mojego mieszkania aż do północy, kiedy ostatni służbowi goście zdecydowali się pomieszkać u siebie. Wyszli razem, Dominik, Martusia, mój plenipotent, jeden młody reżyser i Marta Klubowicz, która świeżo skończyła zdjęcia do *Całego zdania nieboszczyka* w ruskiej wersji i opowiadała, jak tam było. Dominik sprawy służbowe miał już odpracowane wcześniej, ale siedział do końca ze względu na Martusię, w owym momencie bowiem chyba ją kochał.

Cezary Piękny przyjął do wiadomości nasze zeznania i spytał, kto jeszcze mógł to zbiegowisko pamiętać.

– Każdy, kto miał je zapisane – zapewniłam go. – O ile nie wyrzucił kalendarza. Ale jakaś umowa wstępna została wtedy podpisana, z datą, więc może pan sprawdzić. Podpisywał mój plenipotent i ten... jak mu tam...

– Tarnowicz – powiedziała Martusia.

– Dziękuję paniom...

– Zaraz – przerwałam mu od razu. – Niech pan chociaż powie, kto z nich wszystkich jest podejrzany i dlaczego? Przecież to telewizja! Niech mnie pan nie straszy, że ten cały Słodki Kocio i ten cholerny Trupski-Lipczak mają coś wspólnego z telewizją! Nie mają prawa mieć, ja to wymyśliłam!

Podinspektor musiał się chyba trochę do nas przyzwyczajać, a może kołatał się w nim cień wdzięczności za to, że, narażając się na jakieś tam konsekwencje, ujawniłam jednak śmiertelne zejście Słodkiego Kocia, czym, bądź co bądź, zepchnęłam dochodzenie ze ślepego toru. Gdyby z uporem widzieli w nim dusiciela drugich zwłok... Albo miał nadzieję, że ciągle coś ukrywamy i w atmosferze bardziej towarzyskiej wyjdzie to na jaw...? W każdym razie westchnął ciężko i odpowiedział prawie jak człowiek.

– Wręcz przeciwnie. Telewizja nam tu tylko przeszkadza i chcemy wreszcie wyeliminować ostatecznie bezpośredni udział kogoś z tego środowiska. Tyle mogę paniom powiedzieć, że szóstego listopada zaistniało wydarzenie, w którym zabójca Ptaszyńskiego bez wątpienia uczestniczył. Jeśli zatem podejrzany znajdował się gdzie indziej, jako sprawca odpada i unikamy niepotrzebnej roboty.

– Dominik! – ucieszyła się Martusia. – A obie mówiłyśmy panu od razu, że on się na mordercę nie nadaje!

– Należało jednak to sprawdzić.

– No to, chwalić Boga, mamy go z głowy. Ty masz – zwróciłam się do Martusi. – Przestaną cię gnębić wyrzuty sumienia o to kasyno.

– Już dawno mnie nie gnębią i wybij sobie z głowy, żeby gnębiły!

Cezary Piękny wtrącił się, bo miał do nas jeszcze jakieś interesy. Szczególnie do Marty.

– O ile wiem, pani w dniu zabójstwa była w kasynie. Czy nic tam przypadkiem nie zwróciło pani uwagi? Nikt się nie zachował jakoś nietypowo, dziwnie, może przytrafiło się coś, co pani zapamiętała?

Martusia spojrzała na niego i łypnęła okiem na mnie. Zachowałam kamienną twarz, żeby jej nie zbijać z pantałyku i nie odbierać Czarusiowi nadziei. Wiadomo przecież, że uwagę roznamiętnionych graczy może zwrócić na siebie wyłącznie zjawisko potężne, pożar szalejący za plecami, strzał, który rozwala ekran automatu przed nosem albo trafia krupiera, nagłe wyłączenie prądu, stanowiące przeszkodę w grze... Drobiazgi przechodzą niedostrzegalnie, więc co ona mogła zapamiętać? Inni tam siedzą tacy, co nie dla gry przyszli, w hazard się nie wdają, patrzą pilnie i widzą wszystko...

A jednak Martusi coś w oko wpadło.

– Owszem – rzekła zdecydowanie. – Jeden taki koło mnie, po pięć złotych grał, komórkę przyłożył do ucha, zlazł ze stołka i wybiegł. I nie wrócił. A na kredycie miał przeszło tysiąc punktów, i nie wiedzieli, co z tym zrobić. Zauważyłam, bo pytali mnie o niego.

– Kto pytał?

– Obsługa oczywiście. Pytali, kto tu siedział, o, już po bardzo długim czasie, a ja wiem, że wyleciał z komórką przy uchu, bo akurat mi w tym momencie grało, na karetę, więc mogłam się rozejrzeć dookoła. Nie mam pojęcia, kto to był, nie znam człowieka.

– Jak wyglądał?

– Nie wiem. Nie miał brody i nie był łysy, rozumie pan, nic mu na głowie nie świeciło, a od łysiny blask bije. Nie bił.

– Ale coś więcej? Stary, młody, gruby, chudy...

Martusia zmarszczyła brwi i widać było, że z całego serca chce Czarusiowi pomóc, co nie najlepiej jej wychodzi.

– Nie stary – rzekła stanowczo. – Nie gruby... Ale i nie chudy! Duży. Takie miałam wrażenie, że duży, jak z tego stołka zlazł i wybiegał, jakoś dużo człowieka w oczach mi zostało. I chyba raczej młody... Nie miał nic rażącego, żadnych zielonych włosków, kolorowych apaszek, złotych kolczyków... Zauważyłabym.

– A nie spytałby pan tak o niego pana Stasia albo pana Zbyszka, albo pana Miecia...? – podsunęłam delikatnie i z subtelną naganą.

– I kto to mówi, pani? – zgorszył się piękny Cezary. – Pani chyba powinna z góry wiedzieć, co ja od nich usłyszę. Siedzieli tyłem i żywego ducha nie widzieli, a z nazwiska nie znają w ogóle nikogo. Plotki owszem, ale nie zeznania!

– Ja za tego mojego też głowy nie dam! – zastrzegła się Martusia pośpiesznie. – Proszę mi nie kazać przysięgać przed sądem! Nie rozpoznam faceta!

Pan major jakoś łatwo się z jej zastrzeżeniem pogodził. Siedział przez chwilę w milczeniu i nad czymś rozmyślał.

Nie wytrzymałam.

– A ten Grocholski co? – spytałam niecierpliwie. – Pożar dostał pan od nas, mógłby pan coś powiedzieć z elementarnej wdzięczności. Rzeczywiście ktoś mu bombę podłożył na piętrze, tak jak ludzie gadali?

– Rzeczywiście – przyznał piękny Cezary, ku mojemu zdumieniu, bez najmniejszego oporu. – I panie chyba wiedzą, że w celu zniszczenia dokumentów, które tam były zgromadzone? Ponadto chwilę dostarczania bomby pani oglądała osobiście – zwrócił się do mnie. – Ta furgonetka ze sprzętem elektronicznym... Owszem, bomba znajdowała się w nowej drukarce i była odpowiednio ustawiona.

– I co?

– Nic.

– Jak to, nic? Takiej furgonetki nie można odnaleźć?! Zaraz, a te wszystkie samochody? Te z Marriotta i tego z kitką i z nosem...?

– Z nich wszystkich tylko jeden miał prawdziwe numery – rzekł Czaruś Piękny z kąśliwą uprzejmością. – Wóz stałego dostawcy Marriotta, który im przywozi szparagi i brokuły, a zabiera dla siebie kości na przemiał. Z żadnymi aferami nie ma nic wspólnego, zostało to sprawdzone bardzo dokładnie. Reszta fikcyjna.

– I na co nam było zapisywać i zapamiętywać? – rzekła z goryczą Martusia.

– Całe szczęście, że nie leciałam niepotrzebnie przez trzy piętra! – westchnęłam równocześnie z satysfakcją. – Pomyśleć, że po zapisaniu pamiętałam...

Cezary Piękny najwyraźniej w świecie czegoś jeszcze od nas chciał, ale jakoś nie mógł tego sprecyzować. Byłam pewna, że albo pytanie pozwoli nam odkryć pilnie strzeżoną tajemnicę, albo sam nie wie, jak i o co pytać. Chętnie bym mu pomogła, ale nic mi nie przychodziło do głowy.

– Czy pani jest pewna... – zaczął z wahaniem, ale przeszkodziła mu nagle Martusia.

– A dlaczego właściwie udusili tego uduszonego Lipskiego-Trupczaka? – spytała niecierpliwie. – Bo może też nam się prawda przyda?

Osobliwe zdanie miało działanie ogłuszające. Wiedziałam, że coś powiedziała nie tak, nie mogłam jednakże na poczekaniu uświadomić sobie co. Pięknego Cezarego rąbnęło chyba podobnie.

– Widział zabójcę Ptaszyńskiego – odparł jakoś odruchowo. – Należało go uciszyć radykalnie...

W tym momencie zamilkł i nie powiedział nic więcej. Zrezygnował z uzupełniania wiedzy, pożegnał się i poszedł sobie. Zostałyśmy same, obie nieco zaskoczone.

– Tyle to każdy ćwok umiałby zgadnąć – stwierdziłam po chwili z niesmakiem. – Za dużo zobaczył, więc proszę won. Zdaniem Anity, sprzedałby informację na aukcji, kto da więcej...

– I komu to właściwie potrzebne?

– No myśl logicznie, wrogowi zabójcy albo zleceniodawcy. Jeśli w ogóle w grę wchodzi zleceniodawca, aż mnie ciekawi, jaką straszliwą forsę mógł być komuś winien. Ten zleceniodawca, mam na myśli. Wolał trzasnąć Słodkiego Kocia niż zwracać dług!

– Może nie miał tyle, biedny człowiek...

– A na płatnego zabójcę miał?

– Nie wiem, ile kosztuje płatny zabójca. Ale jeśli drogo, może po prostu rąbnął go własnoręcznie? Broń palna, nawet z tłumikiem, wypada chyba taniej...?

Przez długą chwilę, bez żadnych racjonalnych powodów, rozważałyśmy kwestię kosztów zbrodni, potrzebnych nam jak dziura w moście. Próbowałyśmy odgadnąć osobę tego potężnego dłużnika, bez żadnego rezultatu. W chwili kiedy udało nam się oprzytomnieć i wrócić do właściwego tematu, zadzwoniła komórka Marty, a zaraz potem mój domowy telefon. Poszłam ze słuchawką do drugiego pokoju, żeby uniknąć zakłóceń akustycznych.

– Już wiem, komu ten Trupski najbardziej właził na odcisk – powiedziała Anita bez żadnych wstępów. – To jest niejaki Kubiak, potajemny księgowy wszystkich mafii, hochsztaplerów, aferzystów i członków rządu. I kogo tam jeszcze chcesz. Jak sama wiesz, tutaj można wykryć więcej niż w kraju.

– Kubiak, Kubiak... Czekaj, słyszałam takie słowo... Kubiak...

Przypomniałam sobie nagle. Kasia mówiła coś o jakimś Kubiaku...

– A, już wiem! I co ten Kubiak?

– Ekonomista i prawnik. Podobno... sama rozumiesz, ja z jego usług nie korzystam... Dokonuje rozliczeń, pilnuje porządku, pożyczki, długi, terminy płatności i tak dalej. Wie wszystko o wszystkich, bo wszyscy do niego lecą.

– Po co?

– Po informacje. Kto może pożyczyć, a kto nie. I odwrotnie, komu można, a komu nie. Utajnione zabezpieczenie, istnieje albo nie. Tajne konta, no, wszystko, co tylko zechcesz. Milczy jak głaz, lepszy od szwajcarskich banków, dawno już zaczął, a teraz prosperuje na całego. Od lat wiadomo, że w niego jak w studnię, więc cieszy się ogólnym zaufaniem. A Trupski, już ci mówiłam, wciskał się wszędzie jak taka glista i Kubiakowi mógł narobić koło pióra. Sprzedać czyjąś tajemnicę i zepsuć mu opinię, istny wrzód na tyłku. Więc może Kubiak postanowił się go pozbyć?

Zastanawiałam się przez chwilę.

– Na rozum biorąc, brzmi to logicznie. Kubiak ma prowizję?

– A co, uwierzyłabyś, gdybym ci powiedziała, że to taki wszechświatowy altruista, który uparł się iść żywcem do nieba?

– Ale ekonomista i księgowy w mokrą robotę nie powinien się wdawać!

– Toteż w życiu nie uwierzę, że wdał się osobiście! Ale mógł być dyplomatycznym inspiratorem. Wiedzy posiada dosyć.

– Prawdę mówiąc, wolałabym, żebyś to wszystko powiedziała policji.

– Jakiej policji?

– Duńskiej.

– Pomijam taką drobnostkę, że akurat jestem w Hamburgu...

– Ale wracasz do Kopenhagi?

– Wracam, owszem...

– No więc duńskiej...

– Co, na litość boską, duńską policję obchodzi polski Kubiak?!

– No jak to, przestępca...

– Jaki znowu przestępca?! Zwykły, skromny, legalny doradca ekonomiczny! A tego, że wchodzi swobodnie do komputerów we wszystkich bankach świata i w małym palcu ma wszelkie zabezpieczenia, żadna siła mu nie udowodni! Duńska policja ma to w odwłoku!

– Ale przecież cię przesłuchiwali...

– Kto?!

– Policja.

– Jaka policja?

Zdenerwowałam się do tego stopnia, że spróbowałam oderwać paznokciami uschnięty pęd asparagusa. Tyle mi z tego przyszło, że złamałam sobie paznokieć.

– Duńska, jak sądzę, nie? Polska nie zdążyła, bo wyjechałaś.

– Żadna policja świata jednego słowa ze mną nie zamieniła – powiedziała Anita stanowczo. – Poza francuską, która mi przyłupała mandat za parkowanie. Mówię to wszystko tobie, bo może ci się na coś przyda, a poza tym mam nadzieję, że się czegoś dowiem od ciebie.

– O mój dobry, wielki, jedyny Boże! – powiedziałam ze zgrozą.

– Ejże, coś nie gra? – zainteresowała się Anita.

– Nic nie gra. Wszystko nie gra. Właśnie przestałam rozumieć cokolwiek i będę musiała rozwikłać jakieś niepojęte okropieństwo. Jesteś pewna, że nie składałaś zeznań na policji na prośbę naszych władz?

– Jeśli, to bezwiednie. A mogę ci przysiąc, że przez ten cały czas ani razu nie byłam pijana. W ogóle nie pamiętam, kiedy się ostatnio urżnęłam, chyba potwornie dawno temu...

– I nic nikomu nie mówiłaś, tylko to mnie...?

– Nic nikomu. Jak Boga kocham. Pytać owszem, pytałam. Ale dyplomatycznie. No, trochę snułam wspomnienia... Nie masz mnie chyba za kretynkę?

Nie, nie miałam jej za kretynkę. Różne szatańswa mogła wykombinować, ale głupia nie była z pewnością. Coś tu nie grało tak przeraźliwie, że aż powietrze zaczęło warczeć.

Zmobilizowałam się umysłowo.

– Bóg ci zapłać za Kubiaka. I za Trupskiego. Nie wiem, co teraz będzie, muszę się poważnie zastanowić. Jakiś kant szaleje pod moim sufitem.

– Masz na myśli budownictwo czy anatomię?

– Jedno i drugie...

– Ale czekaj, bo jeśli jest poważna afera, ja chcę mieć pierwszeństwo. Musisz mi wszystko powiedzieć w pierwszej kolejności!

– Już bym ci powiedziała, jak odnaleziono zwłoki Słodkiego Kocia, gdybym nie była chwilowo ogłuszona. Musisz trochę poczekać. Ponadto proszę bardzo, mogę nawet snuć ci powieść w odcinkach, chętnie ją z tobą skonsultuję, tylko jak ja mam cię łapać? Gdzie cię znowu diabli zaniosą?

– Teraz przez jakiś czas posiedzę w Kopenhadze, ale dobrze, dam ci mój utajniony numer komórki. Trzy osoby go znają, ty będziesz czwarta...

Zapisałam ten numer na marginesie programu telewizyjnego, najbliższego kawałka papieru, jaki miałam pod ręką, i Anita się wyłączyła. Porządnie otumaniona wróciłam do Martusi.

– U ciebie coś jest? – spytała Martusia, dziko zdenerwowana, usiłując bezskutecznie trafić komórką we właściwą przegródkę torby. – Jakieś prądy, atmosfera, jakieś takie metafizyczne fluidy?

– Kiedyś, strasznie dawno temu, były pluskwy. Ale po pierwsze, nie moje, po drugie, pozbyłam się ich w trzy dni, a po trzecie, zwyczajne, nie metafizyczne. Rozumiem, że coś się stało? Czekaj, wezmę piwo, bo chyba doznałam wstrząsu.

– Wstrząsu to ja doznałam, a nie ty!

– Wstrząsy nie muszą bywać jednoosobowe! – zaprotestowałam dość niemrawo, idąc do lodówki. – Mogłyśmy doznać obie. Mów od razu, kto dzwonił?

– Dominik!

– A...! I uczuciowo tobą...?

– Jakie tam uczuciowo! Daj tego piwa, bo ja nic nie rozumiem. Awanturę mi zrobił zwyczajną, że go policja ciągała przez ten pożar cholerny i przez to włamanie do nas, do telewizji, nikt tam się nie włamywał, ale te kasety ukradli i co on o tym wie, a on gówno wie i wszystko razem przeze mnie, i skąd ja znam Grocholskiego, i skąd myśmy wiedzieli, że on się będzie palił, a Dominik pojęcia o tym nie ma, za to wie, że ja wiem, a w dodatku niemożliwe, żeby w tym pokoju hotelowym nic nie słyszał i natychmiast mają dostać kasety z pożarem! Jakąś mordę straszną mu pokazali na fotografii i kazali rozpoznawać, a skąd on ma znać takie mordy, a Wrednego Zbinia Tycio zna lepiej, więc dlaczego jego pytają, a nie Tycia! I co on z tym w ogóle ma wspólnego i w co ja go wrobiłam...!

Powstrzymałam ją w rozpędzie.

– Nic nie rozumiem jeszcze bardziej. Czy nie możesz tego powtórzyć odrobinę mniej chaotycznie?

– Ja ci powtarzam dokładnie! To nie ja mówię chaotycznie, tylko on! Aż się jąkał z tego bredzenia! Będą nas wszystkich przesłuchiwać, Kajtka i Pawełka też!

– Ratunku – powiedziałam słabo i napiłam się piwa, oczyma duszy mętnie widząc te kilogramy, które właśnie mi przyrastają.

Martusia też się napiła i zamilkła, patrząc na mnie. Mętlik w moim umyśle zaczął przybierać jakieś dziwne formy.

– I do czego ci, wobec tego, były stare pluskwy...?

Martusia zakrztusiła się tak, że musiałam ją łupnąć w plecy.

– Joanna...! Ty chcesz mnie dobić...?!

– To raczej ja się czuję dobita. Nie chodziło mi ściśle o pluskwy, miałam na myśli metafizykę.

– No bo ja nie wiem, jakieś prądy tu u ciebie, za każdym razem, jak tu jestem... no dobrze, prawie za każdym, jakieś koszmary się lęgną i kretyństwa ktoś donosi! Czego ja się jeszcze za chwilę dowiem i czy przyjdzie może jakiś z pistoletem po prośbie...?!

– A niech przyjdzie, piwa mogę mu dać i nawet kasety, wszyscy już przecież mają kopie... Czekaj, teraz ja ci powiem, co usłyszałam, i potem to razem rozważymy, bo nic mi się nie zgadza, a jedno przez drugie może da się wyjaśnić. To Anita dzwoniła...

Usiadłyśmy wygodniej, powtórzyłam teksty od Anity, przez króciutką chwilę Martusia, skołowana Dominikiem, jeszcze nie doceniała problemu, po czym klapka jej odskoczyła. Jakaś odwrotność czegoś zaczęła z tego wychodzić, u nas policja rzuciła się na ludzi nadmiernie, a na Anitę wcale, więc co to właściwie miało znaczyć?

– Porównajmy te obie treści – zaproponowałam. – Może to coś da?

– Są dokładnie przeciwne sobie – zawyrokowała Martusia stanowczo. – O ile histeryczne krzyki Dominika mają w ogóle jakiś sens.

– Sensu bym nie wykluczała, bo znaleźli przecież Słodkiego Kocia, więc musiało nimi szarpnąć. Szczególnie jeśli go nie rozpoznali, co jest całkiem możliwe, bo i naruszony zębem czasu, i najprawdopodobniej pozbawiony dokumentów...

– A to Czaruś Piękny nie ma żadnych skojarzeń?

– Jeśli nie powlekli do kostnicy mnie, widocznie coś ukrywa.

– A za to o przypalonym Grocholskim kłapie gębą na prawo i na lewo?

– No, skoro była kradzież pożaru... A Dominik jest władzą w redakcji... To co on ma ukrywać, sami znaleźli ofiarę do zeznań...

– Kto?

– Gliny.

– Które gliny w końcu?

– A wiesz, że nie wiem... Mówię przecież, trzeba się zastanowić...

Zabrzęczała moja komórka, odezwał się w niej Witek.

– Tu jestem przypadkiem, pod twoim domem. Mogę wpaść?

Zachęciłam go bardzo gorliwie, bo w obliczu kołowacizny, jaka stała się nagle naszym udziałem, mógł się nadzwyczajnie przydać. Pomoże w rozważaniach, a może nawet sam coś dołoży.

Witek pojawił się po dwóch minutach. Usiadł na fotelu, sapnął i zdecydował się wypić najpierw jedno małe piwo, a potem dużą kawę. I jedno, i drugie było w pełni osiągalne.

– Nic nie rozumiem – oznajmił. – Czego się śmiejecie? To nie jest żaden dowcip, naprawdę nic nie rozumiem!

– My też – zapewniłam go. – Miałyśmy nadzieję, że nam coś wyjaśnisz.

– Ja wam? Myślałem, że wy mnie!

– Dobrze, my tobie też – obiecała Martusia, wciąż jeszcze rozweselona. – Ale najpierw powiedz, czego ty nie rozumiesz. Rozumiesz – zwróciła się do mnie – może on powie jakoś składniej niż Dominik i nie będzie się jąkał.

– Nie będę, jak Boga kocham. Szkoda mi czasu. Dostałem przez umyślnego wezwanie do glin.

Patrzyłyśmy na niego, czekając dalszego ciągu. Witek pytająco patrzył na nas.

– I co? – popędziłam go z naciskiem. – Mów od razu o wszystkich okolicznościach towarzyszących, bo samo wezwanie do glin to jeszcze nic takiego.

– Mogłeś nie zapłacić jakiegoś mandatu albo uciec z miejsca wypadku – podsunęła Martusia.

– Znikąd nie uciekałem. No dobra, po kolei. Tego trupa w piwnicy pokazywali wszystkim dookoła, żeby go ktoś rozpoznał, bo dobrze zgadłyście, dokumentów przy sobie nie miał. Niczego w ogóle nie miał...

– To ja pierwsza tak doskonale zgadłam! – pochwaliła się Martusia z satysfakcją.

– No i proszę, jak się wyrabiasz przestępczo...! Czekaj, niech mówi dalej.

– Ten mój klient, o którym wam mówiłem, ten zabalsamowany, też go oglądał i przez niego doszli do mnie – ciągnął Witek. – Tam, w okolicy, nikt się do niego nie przyznał, wybrakowany mafiozo obok poznał go na pewno, ale się wyparł, albo ze strachu, albo z radości, że się go pozbył...

– Może miał mieszane uczucia, bo i forsa mu się skończyła? – wtrąciłam pośpiesznie.

– Może miał – zgodził się Witek. – W każdym razie wyparł się, w życiu takiego nie widział ani w naturze, ani na fotografii, wcale mu nie uwierzyli, ale nic mu nie mogli zrobić, bo do zaników pamięci każdy ma prawo. Ten mój rzeczywiście mógł go nie znać, chociaż widywać owszem, widywał, to wiem od niego prywatnie. Strasznie węszą, kto to może być, i tego właśnie nie rozumiem, bo przecież mówiłyście glinom o tym swoim zaginionym trupie z Marriotta, nie?

– Otóż to! – powiedziałam z ponurym i bezrozumnym triumfem.

– Powinni sami zgadnąć, że to on, i potem już łatwo sprawdzić. Więc co to ma znaczyć? Wy żadnych wezwań nie macie?

– Na razie nie...

– Nic straconego – zapewniła pocieszająco Martusia. – Wnioskując z bredni Dominika, tylko patrzeć, jak dostaniemy.

– Przez trupa? – zainteresował się Witek.

– Nie, przez pożar.

– A im się jedno z drugim kojarzy?

– Nie, to nam się kojarzy – sprostowałam. – I niekoniecznie w rzeczywistości. W scenariuszu. Musimy chyba spisać sobie tłustym drukiem, jakoś tak w dwóch słupkach obok siebie, co jest prawdziwe, a co wymyślone, bo inaczej oskarżą nas o wprowadzanie władzy w błąd.

– Ale nic wam za to nie grozi, najwyżej wyślą was na badania psychiatryczne...

– Nie chcę! – zaprotestowała Martusia z energią. – Nie mam na to czasu!

– Toteż ci mówię, spiszmy w słupkach...

– Zaraz – przerwał nam Witek. – Ja tak po kawałku, po kawałku, różne takie informacje zbieram, bo znam ludzi, a każdy zawsze coś tam wie. Faceta rzeczywiście rąbnął dłużnik, a to jest jeden taki, wspólnik wielkiego biznesu, gruntami operują, a czają się na komunikację.

– W jakim sensie?

– A w takim, że z komunikacją państwową coraz gorzej, tu się likwiduje, tam się likwiduje, kto nie ma samochodu, końmi w końcu zacznie jeździć. A z końmi kłopot, bo to owsem karmić trzeba, a tu ziemia ugoruje, rolnictwo podupada...

– Przestań opowiadać o końcu świata!

– Ja nie mówię o końcu świata, tylko o rozumnych planach biznesmenów. Dalekosiężnych. To wielka spółka na skalę europejską, weszli do niej ludzie z potworną forsą, no i ten jeden...

– Nazywa się jakoś?

– Pewnie tak, ale nikt sobie publicznie znanym nazwiskiem pyska nie wyciera. Ten jeden, tak wygląda, że tylko udawał, że ma środki własne. Na pożyczkach pojechał, a teraz nie tylko nie mógł oddać, ale w ogóle nie miało prawa wyjść na jaw, że jest zadłużony. Usiłował po cichutku prolongować, ale mafia to nie bank szwajcarski. W rezultacie rąbnął gościa, możliwe, że w nerwach.

– I tego, co go widział, też musiał rąbnąć konsekwentnie – uzupełniłam.

– Zgadza się...

– Skąd to wszystko wiesz? – zainteresowała się Martusia. – To tak w tych przestępczych sferach takie rzeczy sobie wszyscy wzajemnie opowiadają?

– Znikąd nie wiem, przecież mówię – wyjaśnił Witek cierpliwie. – Poskładałem do kupy różne plotki, jakieś tam gadanie, bełkoty, no i tak mi wyszło. Mogę się trochę mylić, ale ogólnie chyba całość gra.

– I gliny powinny wiedzieć to samo – powiedziałam z namysłem. – Pożar dostali, Czaruś zabrał. Po cholerę się czepiają Dominika? Ej, Witek! A nie wyszło ci przypadkiem z tej zbieraniny, że to ktoś z telewizji? Nie żaden skromny pracownik, jakiś tam kierownik, dyrektor, radca prawny, tylko gruba szycha od samej góry?

– A kto to jest, ta gruba szycha od samej góry? Wie w ogóle ktoś, jakie siły natury rządzą telewizją? Bo ja nie mam pojęcia.

– Martusia...? – spytałam niepewnie.

– Na pewno nie ja – powiadomiła nas Marta z silnym naciskiem. – Zarząd. Prezes. Minister...

– O, jak już zaczynasz o ministrach, to ja wysiadam. Nie, dziękuję, do diabła z takim trupem, który mnie wciska w polityczne bagno. Wszystko mi jedno, kto jest zabójcą, może być jakiś członek rządu. Oleksy na przykład...

– Na litość boską, dlaczego Oleksy...?!!!

– A czy ja wiem? Bo go rozpoznaję z twarzy. Nie wygląda na takiego, który by strzelał pociskami dum-dum i własnoręcznie dusił faceta. Najmniej podejrzany. Skłonna jestem mniemać, że nawet karpia na Wigilię morduje u niego ktoś inny, a on siedzi w najdalszym kącie sypialni z zatkanymi uszami.

– Co do uszu, wątpię – zauważył rzeczowo Witek. – Nie ma potrzeby. Karp w żadnym wypadku nie gęga ani nie kwiczy...

– No to niech nie zatyka. Chciałam powiedzieć, że o tych zabójstwach w zasadzie wszystko wiemy, osoba sprawcy nie ma znaczenia w gruncie rzeczy i dałabym temu spokój całkiem, gdyby nie to, że właśnie zaczęłam nic nie rozumieć. Tak samo jak i wy. No owszem, pożar, zgadza się, Grocholski, jeśli to ten sam, który mi się tłucze w pamięci, były prokurator, zainteresowanie nim wydaje się dość uzasadnione, myśmy go sobie wtryniły do serialu jako radcę prawnego i możliwe, że w naturze przypadkiem też jest czymś takim. Kasety chcieli spalić czy weksle, to już ganc pomada. Więc, ostatecznie, nawet ta pogawędka z Dominikiem da się wytłumaczyć, ale mimo to ciągle tu czegoś nie rozumiem.

Martusia i Witek już od początku mojego przemówienia zgodnie kiwali głowami. Najwyraźniej w świecie wszyscy byliśmy jednakowego zdania.

– To teraz mogę się napić kawy – powiedział Witek.

– Ja ci zrobię! – wyrwała się Martusia. – Umiem i wiem, gdzie ona co ma. Muszę się zastanowić, a zajęcia gospodarskie mają na mnie pozytywny wpływ.

Bardzo chętnie zostawiłam jej te zajęcia gospodarskie. Uzgodniłam z Witkiem, że po przesłuchaniu w policji natychmiast nam wszystko opowie. Kołatały mi się gdzieś wątpliwości, czy nie powinno to być raczej przesłuchanie u prokuratora, skoro zbrodnia weszła w fazę śledczą, w policji składa się na ogół doniesienie o przestępstwie, ale nie czepiałam się przesadnie. Witek wysunął supozycję, że może samo odnalezienie zwłok zalicza się do fazy donoszenia i do prokuratury jeszcze nie doszło, zgodziłam się na to, chociaż z wielką niechęcią i ciągle coś mi się wydawało strasznie dziwne i niezrozumiałe.

– Już wiem! – oznajmiła Martusia, wkraczając z kawą. – Ten Kubiak!

– Jaki Kubiak? – spytał Witek podejrzliwie.

Olśniło mnie, zanim mu zdążyła odpowiedzieć, ale pozwoliłam jej wyjaśnić.

– Ten, o którym Anita mówiła przez telefon. Główny księgowy pożyczkowego interesu. Albo on powinien być zabójcą, albo to jego powinni zamordować. I to by dopiero miało prawdziwy sens!

– Nic nie wiem o żadnym Kubiaku i nie mam pojęcia, co Anita mówiła, chociaż wiem, kto to jest Anita. – powiedział stanowczo Witek. – Miałyście mi też coś wytłumaczyć, ale zdaje się, że do tego jeszcze nie doszło.

– No to teraz ci wytłumaczymy...

Zostawiłam to zadanie Martusi, sprawdzając przy okazji, czy rozmowę telefoniczną powtórzyłam jej ściśle i zarazem badając jej pamięć. Pamięć Martusi zdała egzamin celująco, niczego nie musiałam korygować.

– Ale przecież nie wiemy, czy to nie Kubiak – zauważył Witek po namyśle, wysłuchawszy całego sprawozdania. – Gadanie, że dłużnik, wchodzi w zakres plotek. Że nie wolno ujawnić, pasuje. A cholera wie, co on, ten Kubiak, robi oficjalnie. Może jest wiceministrem finansów...? W wiceministrach u nas już nikt się nie połapie.

– Może skromniutkim skarbnikiem którejś partii...? – mruknęłam niepewnie, bo w partiach w moim własnym kraju sama się już od dawna nie mogłam połapać.

– Może siedzi w NIK-u...? – podsunęła Martusia.

– W Agencji Rolnej...! – krzyknęłam w radosnym natchnieniu.

– A to wy prowadzicie to dochodzenie czy gliny? – zainteresował się Witek znienacka.

Dzięki tym prostym słowom spłynęła na nas chwila opamiętania. Martusia prychnęła ze wstrętem. Dolałam piwa jej i sobie.

– Cholera – skomentowałam z irytacją. – Jak to jednak wciąga, jakiś taki kretyński upór umysłowy. Człowiek czegoś nie rozumie i za wszelką cenę pcha się, żeby dokonać odkrycia i pojąć. Stąd się pewnie brały wynalazki. A ja sobie wypraszam politykę, palcem nie tknę tych trupów, chociaż skąd tyle rejwachu ze Słodkim Kociem, a tak mało z Lipczakiem-Trupskim, też nie do pojęcia...

– Sama wybrałaś trudniejszego trupa – wytknęła Martusia.

– Osobiście znajomy, więc pcha się natrętniej. Ale dosyć tego, zostawiamy ich własnemu losowi i wracamy do scenariusza. Materiału mamy tyle, że tylko brać i wybierać, wszelką politykę przerabiamy na kontakty prywatne, a do zbrodni pchnie bohaterów wielka miłość, zazdrość i tym podobne niewinne doznania. No, trochę tam tych służbowych komplikacji im zostawimy, ale w porównaniu z czarowną rzeczywistością, to będzie samo niebo!

Moją deklarację Martusia powitała najżywszą aprobatą. Witek trochę się skrzywił.

– Ja tam też w tych moczarach i grzęzawiskach nie gustuję, ale ciekawość mnie korci. No nic, zobaczymy, co z tego wyniknie. Ślepnąć i głuchnąć w każdym razie nie zamierzam.

Pochwaliłyśmy tę decyzję. Konferencję udało nam się zakończyć w stanie umysłowym, nie bardzo odbiegającym od normalnego.

Późnym wieczorem zaś na nowo zdenerwowana Martusia zadzwoniła do mnie z domu z informacją, że właśnie dostała wezwanie do stawienia się w policji w charakterze świadka...

* * *

Komunikat Witka przetrzymałam prawie bezboleśnie. Niewiele miał do gadania, kazali mu powtórzyć, że przywiózł klienta, opisać scenę wpychania go do domu z piwnicą po drodze, uściślić, jak długo go zna i co o nim wie, podać nazwisko kumpla i właściwie na tym koniec. Zgodnie z pierwotnymi zamiarami o niczym więcej nie miał najmniejszego pojęcia, więc nawet nie trwało to długo.

Odpowiednią ilość czasu odczekałam cierpliwie, na co pozwoliło mi wyłącznie zajęcie się pracą twórczą i usmażenie placków z nadzienia do kurczaka, bez kurczaka. Smażenie takich placków zawsze trwa okropnie długo, bo wymaga małego ognia. Na dużym ogniu byłoby szybciej, ale za to węgiel z patelni musiałabym od razu wyrzucać do śmieci.

Następnie, bez zapowiedzi telefonicznej, przyszedł Bartek. Nie z miłości do mnie, to pewne. Poprzedniego wieczoru był u Marty, kiedy przyniesiono jej to wezwanie, i umówili się, że po wizycie w komendzie ona przyjedzie do mnie, on też, i tu się spotkają. Był przekonany, że o tym wiem.

W godzinę później zaś Martusia, w okropnych nerwach, latała po moim całym mieszkaniu. Zważywszy, iż od okna do drzwi balkonowych miała przeszło trzynaście metrów w linii prostej, jej emocje znalazły dla siebie miejsce.

– Ja tak nie mogę, siedzi facet i pisze ręcznie! Rozumiesz?! Ręcznie...!!! A drugi wali w maszynę do pisania, żeby chociaż elektryczną, a skąd! Taką, jak ta twoja najstarsza, jakiś zdezelowany remington czy mercedes...!

– Moja jest olivetti – zdołałam wtrącić cichutko.

– Żeby coś sprawdzić, taki dzwoni, a tam telefon zajęty!!! O komputerach słyszeli, że dzieci w szkole mają, internet to dla nich senne marzenie!!! Jakim cudem oni mogą cokolwiek zrobić...?!!!

– No to ci przecież mówiłam, że oprzyrządowanie zwyczajnej policji jest jeszcze gorsze niż szpitalne – próbowałam ją ułagodzić. – Gdzieś tam jacyś coś mają, kartoteki i zdjęcia...

– Kartoteki...!!! Mogą szukać w tych kartotekach, jak tu u ciebie szesnastej strony wydruku! Gdzie masz szesnastą stronę?! Gdzie?!!! – wrzasnęła nagle okropnie.

Wzdrygnęłam się cała, bo rozmaitych szesnastych stron miałam u siebie bardzo dużo, ale ich miejsca pobytu istotnie trudno było określić. Krzyki Martusi natomiast wcale mnie nie dziwiły, wiedziałam o poziomie wyposażenia komisariatów i komend naszej policji, która tymi starymi remingtonami miała walczyć z przestępczością, uzbrojoną w najnowocześniejsze zdobycze cywilizacji. Czyste kpiny, śmiech pusty ogarnia i trwoga...

Nie sama technika jednakże tak Martusię zdenerwowała, tylko treść zeznań. Zdołała się wreszcie trochę uspokoić, poniechała gimnastyki i usiadła na kanapie jak człowiek. Bartek troskliwie nalał jej piwa.

– Jeśli wczoraj nie rozumiałam nic, to dzisiaj rozumiem jeszcze mniej – powiedziała ponuro. – Wypytywali mnie o ten pożar jak szaleńcy, o włamanie do mnie i do telewizji. I skąd wiedziałam, że tam się pali, ale to było proste, od Pawełka. I co się tam działo w hotelu, po co przyszłam i co wiem o Dominiku. I to już chyba dawno powinni wiedzieć, nie? Czy ten Czaruś kolekcjonuje sobie tajemnice służbowe? I nie miałam pojęcia, czy coś mówić o tobie, bo w tych ich pytaniach ciebie wcale nie było i nic kompletnie o Kocim Ptaszku, więc mi się w końcu wyrwało, że Czaruś nas przesłuchiwał, a ich to wcale nie obeszło. A w dodatku zapomniałam, jak się ten Czaruś nazywa, no owszem, Cezary, ale co dalej? I ten pod coś tam... Grzecznie dali mi do zrozumienia, że chyba bredzę.

– Podinspektor Cezary Błoński – powiedziałam jeszcze bardziej ponuro niż ona. – Może on jest, nie daj Boże, służby specjalne...?

– To co, to między nimi taki mur stoi? Żelazna kurtyna?

– To może i rzeczywiście nie należało o nim mówić i oni musieli udawać, że ci nie wierzą. Wygląda na to, że nie powiązali jednego z drugim?

– W ogóle niczego z niczym nie powiązali!

– To nie ma siły, ja też się muszę napić piwa...

– A ja się muszę z wami zgodzić, bo niby o wszystkim wiem, ale tak samo nic nie rozumiem – oznajmił milczący dotychczas Bartek i otworzył mi nową puszkę. – Gliny, to nie jest dla mnie ciało obce, czasem się z nimi człowiek styka. Wyposażenie wyposażeniem, niemożliwe jest, żeby tak idiotycznie działali. Oni wcale nie są tacy głupi, wiedzą na ogół cholernie dużo i skojarzenia miewają prawidłowe. Całe szczęście, że nie musicie opierać się na faktach i możecie pisać, co wam się spodoba.

Te ostatnie słowa zabrzmiały tak pocieszająco, że od razu doznałam ukojenia, a Martusia ożywiła się, można powiedzieć, normalnie, wręcz optymistycznie. Rzeczywiście, bez względu na rozwój głupiego dochodzenia, nasz scenariusz mógł rozkwitać dowolnie i widać już było, że jakiekolwiek androny byśmy napisały, życie i tak je przerośnie.

Niemniej jednak mgliste podejrzenia już się w moim wnętrzu zalęgły i nie chciały mnie zostawić w spokoju.

– Zaraz, czekajcie – powiedziałam stanowczo, przerywając Martusi i Bartkowi ustalanie kwestii wnętrz do wielokrotnego wykorzystania. – Będę nachalna i bezczelna i do niego zadzwonię.

– Do kogo? – spytali równocześnie.

– Do Czarusia. Zostawił ten swój prywatny numer, żeby dzwonić jakby co. Wymyślmy jakieś jakby co, bo głupio pytać wprost, co tu chachmęcą.

– W ogóle nie powinno się dzwonić z pytaniem, tylko z informacją – zauważyła Martusia rozsądnie.

– Toteż właśnie. Nie musi być konkret, wystarczy silne podejrzenie. Co podejrzewamy?

– Wszystko...

– To trochę za dużo...

Myśleliśmy przez chwilę intensywnie, ale niekoniecznie twórczo.

– Wiem! – wrzasnęłam. – Anita! Kubiak...!

– Jeśli ten Kubiak jest prawdziwy, zaskarży cię do sądu – ostrzegł Bartek. – Nie ukrywam, że mnie się myli, co wymyślacie, a co się dzieje naprawdę.

– Czy myśmy z Czarusiem rozmawiały o Płucku? – spytała nagle Martusia.

Zaskoczyła mnie. Nie umiałam sobie tego przypomnieć.

– Pojęcia nie mam. Nie pamiętam. Ale i tak Kubiak, jako pretekst, lepszy...

Znalazłam numer osobistej komórki pięknego Cezarego i zaczęłam dzwonić. W przeciwieństwie do poprzedniego razu, kiedy połączyłam się z nim natychmiast, teraz w żaden sposób nie mogłam go dopaść. Urzędowy głos bardzo miło i grzecznie wygłaszał jakieś informacje, możliwe, że zrozumiałe dla młodszej części społeczeństwa, ale nie dla mnie. Żadnych komunikatów nie zamierzałam zostawiać, wręcz odwrotnie, chciałam podstępnie uzyskać odpowiedzi. Przerzuciłam się na telefon stacjonarny, też bez skutku. Zaczął we mnie rosnąć dziki upór.

– Ja go złapię, drania – wymamrotałam pod nosem i wypukałam numer wprost do pałacu Mostowskich.

Tych numerów w notesie miałam dosyć dużo, przy czym pozapisywane były tak dziwnie, że dopiero po długim dochodzeniu mogłam stwierdzić, który do czego należy. Tym razem nie miałam czasu na głupstwa i przypadkiem od razu trafiłam na wydział zabójstw. Ucieszyłam się, bo powinien pasować.

Przedstawiłam się bardzo uprzejmie i zażądałam dojścia do podinspektora Cezarego Błońskiego, który, wedle mojej wiedzy, prowadzi sprawę zabójstwa w Marriotcie, a jeśli nawet nie prowadzi, to w każdym razie jest w nią wmieszany. Kontaktował się ze mną i prosił o informacje, zostawił numer, który nie odpowiada...

No i zaczęła się wielka polka z przytupem.

To już nie ja uparłam się znaleźć pięknego Czarusia, tylko oni, moje ukochane gliny. Mówiłam wszystko, co o nim wiem, opisywałam wygląd zewnętrzny, co do legitymacji, to owszem, przyznałam, że ją pokazywał, ale nie mam pojęcia, jak powinna wyglądać, więc mógł to być abonament parkingowy, tyle że z fotografią. Podałam ten zostawiony przez niego numer komórki. Wysunęłam supozycję, że może komenda główna potajemnie nadzoruje komendę stołeczną, supozycja nie wzbudziła zachwytu po tamtej drugiej stronie. Nie zgodziłam się rozłączyć, dopóki go nie znajdą, zgodziłam się za to przyjechać do nich na przykład jutro i zeznać, co wiem o sprawie, pod warunkiem że wpuszczą mnie na ich wewnętrzny parking, trwało to wszystko do uśmiechniętej śmierci, aczkolwiek doznałam wrażenia, że w pałacu Mostowskich jakiś komputer mają. Martusia i Bartek poniechali konwersacji wzajemnej i przyglądali mi się w milczeniu, Martusia na palcach przyniosła następne zimne piwo.

Wreszcie odłożyłam słuchawkę.

– Podinspektor Cezary Błoński w ogóle nie istnieje – oznajmiłam złym głosem, w którym niewątpliwie dźwięczały ślady bardzo mieszanych uczuć.

Martusia i Bartek jeszcze przez chwilę milczeli, patrząc na mnie z lekką zgrozą. Po czym strząsnęli z siebie umysłowy paraliż.

– No, no – powiedział Bartek z czymś w rodzaju podziwu. – Toś ich nieźle docisnęła. Nic dziwnego, że obie z Martą tak do siebie pasujecie.

– Jesteś pewna, że nie próbowali ukryć przed tobą tych służb specjalnych? – spytała Martusia nieufnie.

– Nie – odparłam stanowczo. – Sami się zdenerwowali. Bardzo chcieli być kamiennie spokojni, ale w końcu zachowali się jak ludzie. I mogłam przecież powiedzieć, że nie przyjdę i nic nie powiem, bo nic nie wiem, nie? A oni wolą, żeby im jednak raczej mówić. Szukali go uczciwie.

– To może i dobrze, że mu nie powiedziałaś wcześniej o tym Kubiaku – zauważył Bartek.

– I o Płatku – dołożyła żywo Martusia. – O ile sobie przypominam, gadania o Płatku przy nim nie było, to nasze, scenariuszowe. Ale popatrz, nie do wiary, w takiego konia nas zrobił...?!

– A bo niezły – przyznałam w zadumie. – I zobacz, długo się trzymał, zaczął popuszczać w szwach powolutku, delikatnie, bez żadnej rażącej przesady. Dopiero na końcu się złamał, jak mu się wyrwało, że Lipczaka-Trupskiego też trzeba było rąbnąć. Musiała ta rola być dla niego cholernie męcząca, chociaż ogólnie się nadawał, ci ze służb specjalnych rzeczywiście tacy byli.

– To ja dziękuję, nie chcę służb specjalnych!

Bartek otworzył usta, ale zdusił na nich jakieś słowa i nic nie powiedział. W nagłym niepokoju zaczęłyśmy sobie przypominać, jaką też wiedzę piękny Czaruś od nas uzyskał, i snuć przypuszczenia, z czyjego ramienia działał. Cała reszta w mgnieniu oka stała się zrozumiała całkowicie, jakim cudem rozmaite komisariaty i komendy miały na poczekaniu połączyć ze sobą pożar na Bluszczańskiej, jedne zwłoki w Marriotcie, bo o drugich nie mieli pojęcia, anonimowego nieboszczyka na pustej parceli, mafię pożyczkową i do tego jeszcze stare akta prokuratora? W ogóle by im to pewnie nie wyszło, bo o Słodkim Kociu wiedziała tylko Anita i ja... no i sprawcy, ale oni by z donosem na siebie kurcgalopkiem nie lecieli. Bez Czarusia nic tu nikogo nie miało obowiązku dziwić, a Dominik zwyczajnie histeryzował.

– A zauważ, że Słodkim Kociem udało nam się go jednak ustrzelić – przypomniałam z satysfakcją. – Musiał stać po przeciwnej stronie barykady, skoro o nim nie wiedział. A że nie wiedział, głowę daję.

Martusia zgodziła się ze mną.

– Powiesz im jutro wszystko? – spytała, nieco zatroskana.

– A powiem, dlaczego nie? Mam im żałować? Z Kubiakiem i Pyłkiem włącznie, bo co nam szkodzi?

– No nie, oszalałaś, będą i mnie przesłuchiwać, okropna strata czasu!

– Ciebie nie muszą, nie byłaś świadkiem niczego poza pożarem, a to już mają odpracowane. A, i Witka nie wrobię! Zaświadczę, że deptał po szczurach... No i w ogóle będzie im łatwiej, bo do starych akt prokuratora mają swobodny dostęp, a dalej niech się martwi pani Celinka.

– Jaka pani Celinka?

– Zaufana powiernica Bożydara, ta z toto-lotka, słyszałaś przecież, byłaś przy tym...

– A, wiem...

Po krótkiej naradzie zdecydowałyśmy się jeszcze zawiadomić o rozwoju wydarzeń także i Witka, żeby nie był gorszy i też wszystko zrozumiał. Sprawiedliwie dołożyłyśmy Anitę, którą udało mi się złapać przez komórkę na promie między Niemcami a Danią. Zapowiedziała na później obszerną rozmowę telefoniczną ze mną, bo bardzo ją ta kołomyja zainteresowała i chciała sobie wszystko nagrać na wszelki wypadek.

Bartek całą tę procedurę informacyjną przeczekiwał cierpliwie, z czego wywnioskowałam, że w Martusi zakochał się poważnie. Po czym rzekł:

– Jak tak słucham, co mówicie, to mi się przypomina, że o tym Kubiaku chyba słyszałem. To znaczy, nie miałem pojęcia, że on się nazywa Kubiak, i do tej pory wcale nie jestem tego pewien, ale coś mi w ucho wpadło, że w razie jakichś prywatnych operacji finansowych, wielkie pożyczki mam na myśli, warto iść do takiego jednego, który życie pieniężne kraju ma w małym palcu. Możliwe, że to ten. Ja osobiście nie mam do niego interesu, więc róbcie, jak chcecie. Ale gdyby się dało teraz wrócić do tych wnętrz serialowych, bardzo bym się ucieszył, bo niektóre rzeczy powinno się wcześniej załatwić...

No więc wróciliśmy do scenariusza i wnętrz...

* * *

Też podinspektor, tym razem chyba prawdziwy, major Paweł Krupitrzak, całkiem sympatyczny, zatroskany, słupa kamiennego nie udawał... Jasne, że opowiedziałam mu wszystko, usiłując się streszczać, żeby nie spędzić w komendzie stołecznej całej doby. O ukrycie faktu znalezienia zwłok nie zgłaszał pretensji, chyba z góry uznał oskarżanie mnie za beznadziejne, bo od razu roztoczyłam przed nim szeroki wachlarz możliwości. Mogłam myśleć, że facet jest pijany. Mogłam trochę źle widzieć i nie zauważyć tych tam rozmaitych kolorystycznych efektów. Mogłam taktownie omijać go wzrokiem. Mogłam w ogóle być zwyczajną kretynką i sklerotyczką, czego nie da się podciągnąć pod żaden paragraf.

Słodki Kocio w rezultacie przeszedł mi ulgowo.

Ponadto w obliczu pięknego Czarusia moje skromne wykroczenie okazało się całkowicie pozbawione znaczenia, cała reszta wydarzeń zaś nad wyraz przydatna. Możliwe nawet, że zamieniliśmy ze sobą kilka szczerych słów...

Martusia, acz nerwowo, to jednak cierpliwie czekała na mój telefon, bo łapać mnie w policji wydawało się nam nietaktowne. Od razu po wyjściu z pałacu Mostowskich pocieszyłam ją, że przesłuchanie jej nie grozi, w Czarusia uwierzyli i bez niej. Możemy spokojnie zająć się pracą zawodową.

Za to, ledwo wróciłam do domu, zadzwoniła Kasia.

– Chyba ja w złą godzinę z panią rozmawiałam – powiedziała, nie bardzo jakoś zmartwiona. – Ktoś narobił zamieszania i nie wiem, wujaszek czy pani?

– Obawiam się, że ja – odparłam ze skruchą. – Ale bezwiednie. A co się stało?

Kasia nie wytrzymała i wydała z siebie lekki chichot.

– Pani Celinka się objawiła. Czekała na mnie, jak wróciłam z pracy, cała w nerwach i we łzach. Coś strasznego ją spotkało, wdarli się do niej jacyś, twierdzili, że policja, ale ona nie wierzy, przewrócili jej do góry nogami całe mieszkanie i szukali pozostałości po wujaszku. I wcale nie o to jej chodziło, że musiała potem pół nocy sprzątać, tylko o to, że on już dawno ją porzucił, a oni jej teraz przypominają tę klęskę życiową. Żadnej pamiątki jej nie zostawił, wszystko zabrał, więc wypytywali, co tam było, a ona owszem, nie wytrzymała, poczytała sobie trochę, nic z tego nie zrozumiała, tyle że rozpoznała nazwiska, no i teraz możliwe, że coś jej się wyrwało. Więc przerażona bardzo strasznie chce uprzedzić wujka, bo może mu zaszkodziła, więc niech ja coś zrobię, żeby on się z nią zobaczył. Już się rozpędziłam, nawet gdybym wiedziała, gdzie on jest. Ja pani oczywiście to wszystko streszczam, bo z niej cykało po kawałku przez trzy godziny. Moim zdaniem znalazła sobie doskonały pretekst, żeby go znowu dopaść, ale jakaś afera z pewnością się rozgrywa. Pani wie, o co chodzi? To jest dalszy ciąg tego kryminału, który mi pani opowiadała?

– Chyba tak. Kiedy to było? To wdarcie złoczyńców i ta wizyta u ciebie?

– Złoczyńcy przedwczoraj wieczorem, a u mnie była wczoraj.

Pokiwałam i pokręciłam głową, zapomniawszy, że Kasia nie może tego widzieć.

– No to zdaje się, że zdążyli w ostatniej chwili, chociaż nie wiem, co im z tego przyszło. Afera się rozwija, owszem, opowiem ci wszystko, jak się więcej wykryje, chociaż i tak jest już śmiesznie.

– Najbardziej ją wystraszyło, że coś powiedziała o tym Trupskim, ale nie mam pojęcia co, i ona sama też chyba nie wie.

– To głupia widocznie. Wcale nie Trupski najważniejszy. Chociaż, diabli wiedzą...

Udało mi się wreszcie pozbyć torby i kurtki i zmienić pantofle, bo telefon usłyszałam w drzwiach wejściowych i słuchawki dopadłam w pełnym rynsztunku. Nie ulegało wątpliwości, że panią Celinkę napastowało tajemnicze coś, co reprezentował piękny Czaruś. Powolutku zaczynałam tracić cierpliwość do rozgrywek mafijnych, ale owo najście doskonale mi się dopasowało do scenariusza i uczuć czysto ludzkich, owszem, miałyśmy tam bohaterkę, w której podobne wydarzenie obudziłoby wielkie emocje, bardzo dla nas użyteczne. Doskonałe uzasadnienie idiotycznego postępku, oczywiście, przez mężczyznę każda kobieta może popełnić kretyństwo...

Kiedy zadzwoniła Martusia, siedziałam przy pracy, bardzo zadowolona z życia.

– Ja się spóźnię do ciebie, co? – powiedziała, jakby nieco zdyszana. – Albo może nawet przełożymy na jutro?

Zgodziłam się bardzo chętnie, nie wnikając zupełnie w przyczyny przekładania. Cała scena układała mi się wręcz idealnie i lągł się z niej nawet dalszy ciąg, ona go musi gonić po jednych kierunkach ruchu, udając, że czyni to tylko dla jego własnego dobra, mamy tu wreszcie te roboty drogowe, które koniecznie chciałyśmy pokazać...

Nie miałam zielonego pojęcia, jak się w rezultacie z Martą umówiłam, i jej wizyta nazajutrz o jedenastej rano zaskoczyła mnie niebotycznie. Odblokowałam domofon, zostawiłam otwarte drzwi i biegiem wróciłam do komputera, ponieważ ten dalszy ciąg nadal mi się układał i musiałam wszystko zapisać w obawie, że później zapomnę, o co mi chodziło. Niekoniecznie dokładnie, wystarczyło streszczenie, dwa akapity...

– No więc, na moje oko, oni wszystko zatuszują – powiedziałam, odrywając się wreszcie od tekstu. – Zabójca Słodkiego Kocia i Lipczaka-Trupskiego w życiu nie zostanie wykryty!

Martusia, która już zaczęła urządzać sobie miejsce pracy na kanapie za stołem, na moment znieruchomiała.

– Ty mówisz o tym, co piszemy, czy o tym, co się dzieje? – spytała podejrzliwie.

– O życiu. Co do twórczości, wymyśliłam najmarniej dwa odcinki, zaraz ci wydrukuję. Teraz przechodzę na realia.

– Ten tam jakiś w komendzie stołecznej tak ci powiedział?

– No coś ty...! Nie ma takiego gliniarza ani takiego prokuratora, któremu by podobne słowa przez gardło przeszły! Chyba że byłby twoim mężem przez piętnaście lat, mielibyście czworo dzieci i w łóżku na twoim punkcie dostawałby szału.

Martusia zastanowiła się z licznymi papierami w rękach.

– Wszystko jest niezbędne? – spytała ostrożnie. – Musi być czworo dzieci? Nie wystarczyłoby jedno, ewentualnie dwoje?

– Nie. Siedmioro, byłoby jeszcze lepiej.

Usiadła wreszcie, kładąc papiery byle jak przed sobą.

– Naprawdę ilość dzieci ma wpływ na niedyskrecje i jakieś tam różne wyjawianie tajemnic...?

Sama się musiałam zastanowić, dlaczego zakorzenił się we mnie akurat taki pogląd. Uparcie wydawało mi się, że im więcej dzieci, tym większe zaufanie męża do żony. Życie, co prawda, wielokrotnie już wykazało, że mężczyźni zdradzają kobietom sekrety w sytuacjach intymnych nawet i bez żadnych dzieci, ale osobiście jakoś nie mogłam w to uwierzyć. Natomiast przy siedmiorgu dzieciach i piętnastu latach małżeństwa... Miał już dość czasu ten facet, żeby stwierdzić, czy żona z gębą po mieście lata, czy też milczy jak ten głaz cmentarny...

– Głowy nie dam, ale uważam, że powinna mieć – odpowiedziałam Martusi. – Co do zatuszowania, jest to moja prywatna dedukcja. Słodki Kocio to nie taki znów skarb bezcenny, żeby się o niego zabijać, a Trupskiego oddzielą i sprawców dla niego znajdą ze dwudziestu. A dwudziestu żaden sąd nie skaże.

– Skąd wiesz?

– Z dawnych doświadczeń. Nawet jeśli jest tylko dwóch, a powinien być jeden, obu muszą uniewinnić.

– To co my teraz zrobimy?

– Z czym?

– No jak to z czym, z naszym trupem w scenariuszu!

Zdziwiłam się.

– Nic nie zrobimy, to znaczy, wszystko zrobimy, to znaczy, zrobimy, co chcemy! Użyjemy go po prostu i sama zobacz, jak nam ten szantaż doskonale wychodzi! Dwa wątki idą równolegle, tu zaginione kasety, a tu ta zakochana idiotka, która się mści...

Martusia chciwie wydarła mi z ręki cały plik papieru.

– Ale Jacka i Marioli nie możemy zaniedbać, bo ich widz zapomni...!

– Nic nie zapomni, są w każdym odcinku. I popatrz, mamy dwa rodzaje zazdrości, jedna uzasadniona, a druga przeciwnie, obie szkodliwe. A w dodatku każda z tych głupich bab chce się zemścić i ma to, sama zobacz, różny ciężar gatunkowy.

– Wcale nie wiem, czy ja potrafię realizować takie strasznie naukowe określenia... Ale wiesz...? Mnie się te trupy zaczynają coraz więcej podobać. I znalezienie drugich zwłok może być bardzo malownicze...

Przez chwilę rozpatrywałyśmy kwestię piwnic na Woronicza. W życiu tam nie byłam i nie wiedziałam nawet, czy w ogóle istnieją, Martusia też nie była pewna, pół piętra niżej owszem, znajdowały się duże studia, ale co pod nimi? Jakieś kotłownie, składowiska rupieci? Ponadto przyczyny, dla których ktokolwiek miałby się tam udawać, okazały się trudne do wymyślenia. Tak trudne, że mój umysł odmówił nagle zgody na współpracę.

– Ale wiesz, że ja muszę być kompletnie głupia – powiedziałam znienacka i bardzo krytycznie, całkowicie zmieniając temat.

– To ciekawe – zainteresowała się Martusia. – Mnie się wydawało, że nie kompletnie. Czasami masz jakieś takie przebłyski...

– Kompletnie – uparłam się. – Czarusia powinnam była rozszyfrować od pierwszego kopa. Tymczasem, jak skończona idiotka, prawie do końca święcie w niego wierzyłam.

– Ja też, więc znalazłaś się w doskonałym towarzystwie...

– Ale ja o tych rzeczach wiem więcej. Te pytania, które nam zadawał, te wszystkie fakty, o których nie miał pojęcia i dowiadywał się od nas, te daty, akta i dokumenty, do których nie miał dostępu... I mnie nic do głowy nie przyszło! Oślica ekstraordynaryjna.

– Jeśli ekstraordynaryjna, to przynajmniej nie taka całkiem zwyczajna, zawsze to pociecha, nie?

– Nikła. Ale zmylił mnie cholernik tą kamiennością. Mógł pytać podstępnie...

– A nie...?

– Chała. Udawał tylko, że pyta podstępnie. I powiem ci... Gdyby nam się udało przypomnieć sobie jego wszystkie pytania, rozgryzłybyśmy całe śledztwo i okazałoby się, że świetnie wiemy, kto kogo rąbnął, dlaczego i z czyjej inspiracji. Że też ja nie mam magnetofonu w domu!

– Zdawało mi się, że masz?

– Mam, taki mały dyktafon, rozlega się w nim wszystko z wyjątkiem ludzkich głosów. Przestałam go używać, kiedy zamiast tekstu własnego wysłuchałam dźwięku silników wszystkich samochodów w okolicy. Bardzo to było ogłuszające.

– No to trudno. Przepadło. Bartek nie dzwonił?

Tą kolejną zmianą tematu poczułam się zaskoczona dopiero po chwili, bo Martusia spytała jakoś obojętnie. Nie tak od razu przyszło mi na myśl, że właściwie dlaczego Bartek miałby dzwonić do mnie, skoro nie zaczęliśmy jeszcze nawet dobierać rekwizytów, do których autor mógłby się wtrącać, a do Martusi ma dostęp dowolny, zawsze ją przecież może złapać na komórkę. Chyba że pojechał do Krakowa, gdzieś tam po drodze jest takie miejsce bez zasięgu...

– Dlaczego miałby dzwonić? – spytałam z idealnie tępym zdziwieniem. – Jest może w Krakowie?

– Nie wiem, gdzie jest. W tym rzecz...

Obojętność nagle w niej pękła. Cisnęła długopis na zadrukowane kartki, potoczył się, zleciał po drugiej stronie stołu i wturlał się pod bibliotekę. Obie patrzyłyśmy na to przez moment, nie ruszając się z miejsca.

– Niech go szlag trafi – powiedziałam. – Bo co? Coś się stało?

Martusia całkowicie zrezygnowała z ukrywania emocji.

– Bo chyba zraził się do mnie. Też go chyba straciłam i mnie przykro, wiesz...? Chciałam wmówić w siebie, że jest mi wszystko jedno, ale nieprawda. Wcale mi nie jest wszystko jedno!

– Co znowu zrobiłaś?

– A jak ci się zdaje?

– Kasyno...!

– A jak...? Niepotrzebnie znalazłam się koło „Victorii"... Bo właściwie byłam z nim umówiona na wieczór, no dobrze, na taki bardzo wczesny wieczór, a potem się okazało, że jest wpół do dziesiątej. Dzwoniłam, ale wyłączył komórkę. No więc zostałam tam dłużej...

– Wygrałaś czy przegrałaś?

– Wygrałam, przegrałam, wygrałam, przegrałam, znów wygrałam... W ruletkę. Potem przegrałam wygraną i wyszłam na zero. On już nie dzwonił i do tej pory nie dzwoni, więc ja też przestałam. W domu, na sekretarce, zostawił mi wiadomość bardzo obszerną: „Skoro cię nie ma, zadzwonię później". I cześć. Chyba jestem w rozterce?

– Jesteś, jesteś – zapewniłam ją. – A co Dominik...?

– Na Dominika mnie otrząsa!

– Dobre i tyle...

– No wiesz...! Ale Bartek mnie denerwuje. Co on sobie właściwie myśli? Też chce mi uszlachetniać charakter?

– Uszlachetniać nam charaktery to oni wszyscy chcą. Nie zwracaj na to uwagi. Możliwe, że poczuł się rozczarowany, niekoniecznie kasynem, równie dobrze uraziłby go twój pobyt na przykład w ogrodzie zoologicznym.

– A gdybym tam była służbowo?

– Zadzwoniłabyś, że musisz...

– No dobrze, niech będzie. Zniknęłam mu z oczu. To dlaczego do tej pory nie dzwoni?

– Bo się pewnie obraził, co uważam za głupie, ale wytłumaczalne. Ostatecznie, od czasu do czasu, mężczyzna to też człowiek...

Z pewnym oporem Martusia przyznała mi słuszność. Po krótkim namyśle wykluczyła z tej reguły Dominika, co miało na mnie zbawienny wpływ. Mój fanaberyjny umysł, mając do wyboru rozważania nad Dominikiem albo hipotetyczne lochy i kazamaty telewizji, stanowczo opowiedział się za tym drugim. Poszłam po piwo, o którym Martusia jakoś zapomniała.

– Wracamy do tematu – zarządziłam, otwierając puszkę. – Postanowiłam właśnie, że piwnice na Woronicza są, piętro niżej niż te duże studia, prowadzą do nich boczne schody...

– Jaka ty mądra jesteś – pochwaliła mnie Martusia, z przyjemnością wpatrzona w napój. – Takie miałam wrażenie, że mi czegoś brakuje... Dlaczego boczne?

– Nie wiem. Jakaś ciasnota w oczach mi się jawi. I w tych piwnicach kotłownia to nie, ogrzewanie od początku mieli zdalaczynne, ale magazyn starych bubli, graciarnia, a nawet, proszę bardzo, resztki taśm sprzed pół wieku.

Martusia omal się nie zakrztusiła ze zdziwienia.

– Pół wieku temu ten budynek istniał?!

– Przeciwnie, rosły tam kartofle. Ale istniał film i taśmy w ogóle były filmowe, a gdzie telewizja się lęgła, to ja już sama nie pamiętam. Nie ma znaczenia, skądś tam wszystko przeniesiono i zwalono na kupę, i załóżmy teraz, że leży. W tej rupieciarni upchnęli Trupskiego i nie mogą go znaleźć... Zaraz, czekaj, Trupski u nas to kto? Bo mi się pomyliło...

Tajemnicze piwnice na Woronicza nadzwyczajnie wzmogły naszą inwencję twórczą. Zdecydowałyśmy się połączyć Grocholskiego i Trupskiego-Lipczaka w jedną osobę, z czego od razu wynikło, że powinien stracić życie o kilka odcinków dalej. Spali się później, już po śmierci, wszystkie kłopoty spadną na żonę, znakomicie, pojawi nam się nowa postać, ta żona, musi być barwna i wnieść dodatkowe elementy. I piękna, spowoduje lekkie zamieszanie w kontaktach męsko-damskich, proszę, samo życie, niech się nikomu nie wydaje, że tu już wszystko pójdzie z górki...

W tym miejscu, niestety, przestawił się umysł Martusi.

– Nie uważasz, że od czasu do czasu trochę z górki powinno polecieć? – spytała z rozgoryczeniem. – Jak długo można mieć same schody?!

– Czterdzieści trzy lata. A na takiej na przykład Sycylii, prawdopodobnie całe życie...

– To za długo. Jak myślisz, co ja mam zrobić z tym Bartkiem? Nie mówię, że umrę z rozpaczy, ale mnie denerwuje. Słuchaj, zadzwoń do niego! Ty, a nie ja!

Osobiście nie miałam nic przeciwko dzwonieniu do Bartka.

– Proszę cię bardzo, przynajmniej się dowiem, gdzie jest, bo samą mnie to ciekawi.

– Tylko nie mów, że to ode mnie! Wymyśl coś!

– Bez trudu. Chociażby te piwnice. Niech tworzy scenerię...

Bartka jednakże nie udało mi się złapać. Żaden jego telefon nie odpowiadał, a komórkę miał wyłączoną. Nagrałam mu się na wszelki wypadek, komunikując o nowym pomyśle scenograficznym, i dałam spokój.

Martusia zgarnęła nagle wszystkie papiery, nie bacząc na kolejność stron. Zdążyłam pomyśleć, że szykuje nam niezłą frajdę z porządkowaniem tego chłamu, bo niektóre strony były podwójne, a tekst na nich różny, ale nie miałam kiedy zgłosić protestu.

– W tej sytuacji ja muszę odreagować – oznajmiła stanowczo. – Odwaliłyśmy wielką robotę i dosyć tego. Wczoraj byłam w „Victorii", więc dzisiaj jadę do Marriotta. I nic nie mów...!!!

– Zwariowałaś?! Ja...?! Też jadę.

– Dokąd?

Zastanowiłam się. Pod wpływem wydarzeń kasyno również zaczęło mnie korcić. Wcale nie chciałam jechać tam, gdzie i ona, bo prawdziwy hazardzista w kasynie lubi być sam, znajome towarzystwo przeszkadza do nieprzytomności. Coś łagodnego...

– Do „Grandu". Nie mam chęci na wysiłki. Posiedzę sobie przy takim kojącym, idiotycznym automacie. Zaraz, co myśmy wypiły...?

Wyszło nam, że jedną puszkę piwa na początku, a potem jedną na końcu, razem po całej puszce na głowę, ale w odstępie prawie czterech godzin. Nikt mi nie wmówi, że coś takiego w człowieku zostaje. Na wszelki wypadek podmuchałyśmy w alkomat, bo miałam taki przyrząd w domu, i za pierwszym razem wyszło nam po półtora promila, więcej skala nie obejmowała, co wydało nam się mało prawdopodobne, za drugim i trzecim jednakże strzałka zatrzymała się w okolicy zera. Do czwartego dmuchania straciłam cierpliwość.

Rozstałyśmy się, gnane tą samą namiętnością.

* * *

Po dwóch godzinach zagrała mi komórka. Mała salka w „Grandzie" stwarzała atmosferę intymności, mogłam rozmawiać, ile mi się podobało.

– Joanna, przyjedź tu natychmiast – powiedziała Martusia zdenerwowanym szeptem. – Ale już, bez względu na wszystko!

Wyłączyła się, uniemożliwiając głupie pytania. Automat, jak dotąd, zeżarł mi pięćdziesiąt złotych, bo grałam na takim po dwadzieścia pięć groszy, i właśnie prezentował równe zero, a z napojów używałam wody mineralnej z cytryną. Rozumiałam, że coś się musiało stać...

Dojazd z „Grandu" do Marriotta trwał osiem minut, miałam fart do świateł, a korek akurat był w przeciwną stronę.

Nigdy nie mogłam pojąć charakteru korków w moim rodzinnym mieście. Owszem, nagła zmiana pogody, deszcz, w dodatku o zmroku, na to zgoda, wszyscy nagle zaczynają idiocieć. Rano do pracy i od trzeciej, po pracy, też niech będzie. Ale z jakiej przyczyny o wpół do piątej po południu, kiedy powinni wracać ze Śródmieścia do domu, znienacka jadą z peryferii do środka miasta, druga strona jezdni zaś, ta, która właśnie powinna być zapchana, świeci radosną pustką...? Dlaczego, na litość boską, o siódmej wieczorem kierunek południe-północ, od Mokotowa po Łomianki, stanowi litą masę stojącą zderzak w zderzak...? Z jakiego, do diabła, powodu o dziesiątej rano przebić się nie można przez na przykład aleję Niepodległości i Chałubińskiego? Jeszcze żeby Bartycka, w porządku, tam się załatwia interesy... W Paryżu umiałam przewidzieć, gdzie i kiedy będzie korek, a w Warszawie nigdy! Co za nieobliczalny naród...

Ku własnemu zdumieniu zatem weszłam do kasyna po dziesięciu minutach.

Martusię bez wielkiego trudu znalazłam przy ruletce i delikatnie popukałam w ramię. Obejrzała się, szybko pchnęła żetony na trzy byle jakie kornery i wstała z krzesła. Oddaliłyśmy się w kierunku nieczynnego na razie stołu do blackjacka.

– Dobrze, że zdążyłaś – powiedziała półgłosem bez wstępów. – Przy tym ostatnim stole po dwadzieścia pięć złotych siedzi facet. Przyjrzyj mu się. Przyjrzyj się wszystkim i sprawdź, czy go rozpoznasz. Jakoś nieznacznie, niech on cię nie zauważy!

Nie wytrzymałam.

– Bo kto to jest?

– W tym rzecz, że sama zobacz!

Przy ostatnim stole, zważywszy wysokość stawki, nie było wielkiego tłoku. Tkwiło tam dwóch Japończyków i trzech naszych, z czego dwóch siedziało, a jeden stał. Japończykom przyjrzałam się z dużym powątpiewaniem, bo i tak pewnie nie potrafiłabym ich później rozróżnić, naszych natomiast obrzuciłam baczniejszym spojrzeniem. Jednym okiem co prawda, drugie bowiem zajęło się odruchowo elementami gry, ale dzięki temu moja akcja rozpoznawcza wypadła naturalniej.

Wszystkich trzech miałam naprzeciwko siebie i widziałam ich twarze. Żadna nie wydała mi się znajoma, aczkolwiek przy jednej coś mi drgnęło. Szczupły facet, dość wysoki, w wieku zbliżającym się do średniego, krótko ostrzyżony, ogolony dokładnie... Czy ja go kiedykolwiek widziałam...?

Im dłużej na niego patrzyłam, tym bardziej wydawało mi się, że coś w nim jest. To był ten stojący. Odwrócił się do kelnerki i nagle ujrzałam go z profilu.

– No, jeśli chciał stać się do Bydgoszczy, powinien zrobić operację plastyczną nosa – powiedziałam wzgardliwie do Martusi, znów wyciągnąwszy ją z grona przy jej stole. – Oczywiście, że to ten z kitką i z wąsami! Kretyn, niechby sobie przyczepił siwą brodę na Świętego Mikołaja albo ogolił się na zero, dużo mu z tego przyjdzie! Ten garbek na nosie zostaje, drugiego takiego w życiu nie widziałam.

– No więc właśnie, nie chciałam cię sugerować. Też go nie rozpoznałam od frontu, tylko z nosa. To on! Co teraz?

– Nie mam pojęcia. Warto by się chociaż dowiedzieć, jak on się nazywa.

– Potrafisz? Tu nie chcą mówić.

– Nie chcą. Nie wiem, czy mi się uda. Spróbuję. Może sprowadzić kogoś jeszcze?

– Kogo?

– Gliny...? Nonsens. Niech pierzem porosnę, jeśli jakiś tajniak tu się nie plącze... Kajtek... nie, Kajtka mógł widzieć. Cholera, Bartek byłby dobry...

– Nie przypominaj mi, co...?

– Witek! Czekaj, spróbuję ściągnąć Witka!

Witek znajdował się właśnie na Saskiej Kępie, ale obiecał, że za pół godziny przyjedzie. Przez ten czas dyplomatycznie uczepiłam się pana Stasia.

Pan Stasio był dżentelmenem w drugiej połowie średniego wieku, aparycją zaś dziś jeszcze mógł budzić żywsze bicie serca jednostek płci przeciwnej.

O ile jednak zdołałam się zorientować, nie płeć stanowiła sedno jego życia i nawet nie czysty hazard, jako taki. Miewaliśmy niekiedy wspólnę interesy, załatwiane ku obopólnemu zadowoleniu. Chwilowo miał przestój.

– Wie pan, od lat mnie gnębi jedna zgryzota – zwierzyłam mu się tak sobie, po przyjacielsku. – I na wyścigach, i tutaj, ciągle to samo...

– Co za zgryzota? – zainteresował się grzecznie pan Stasio.

– Nazwiska. Setki ludzi zna się z twarzy, dziesiątki z imienia, a z nazwiska, ja przynajmniej, prawie nikogo. I potem przychodzą straszne chwile, umawia się człowiek, do kogoś trzeba zadzwonić albo co i proszę bardzo, nagle stwierdzam, że, Jezus Mario, jak on się nazywa?! Pan Kazimierz na przykład, a to, okazuje się dyrektor departamentu albo doradca prawny prezydenta, a ja przez telefon pana Kazia proszę. Ma pan pojęcie, jak to wychodzi? Kompromitacja ogólna. Co przez lata przeżyłam, to moje! I dopytać się o kogoś samym imieniem, też niezła sztuka!

Pan Stasio okazał mi współczucie i wyraził pełne zrozumienie.

– Ci tutaj – kontynuowałam, czyniąc wskazujący gest brodą – to samo. Pani Basia na przykład, kiedyś mi zależało, żeby ją złapać i co? I bez nazwiska drętwa chała. Teraz znów mam kłopot.

– A kto pani potrzebny?

– Dwóch, ale jednego akurat nie ma, a drugi to ten, o, tam, przy ruletce po dwadzieścia pięć. Za Japończykiem stoi.

Pan Stasio spojrzał i okiem nie mrugnął.

– Rzadko tu bywa. Pomógłbym pani, ale też nie wiem. Recepcja może...?

– Recepcja nie lubi.

– A do czego on pani?

Popatrzyłam na pana Stasia z ciężkim wyrzutem.

– Mogłam się w nim zakochać, nie? I chcieć go poderwać na neutralnym terenie. Wiek nie ma znaczenia. No mogłam czy nie?

Pan Stasio wyraził skruchę, bo też istotnie jego pytanie było wysoce nietaktowne, ukomplementował mnie zdziwieniem, że to ja mam podrywać faceta, a nie facet mnie, po czym obiecał pomoc. Obydwoje doskonale wiedzieliśmy, że obietnicy nie dotrzyma, ale dzięki temu upewniłam się ostatecznie w przynależności gościa do jakiejś mafii.

Pozostał mi Witek. Wyszłam do holu we właściwej chwili, pojawił się po minucie i od razu uświadomiłam sobie idiotyzm tego, co robimy, i wszystkie kłopoty. Do kasyna wejść nie mógł, nie dość, że był bez krawata, to jeszcze w dżinsach, jak miałam pokazać mu palanta z nosem? Pożaru na kasecie nie oglądał. Chwycić nagle mafioza za rękę i wywlec na zewnątrz...?

Usiedliśmy przy stoliku na galeryjce i wyjawiłam cały problem.

– Rozumiem, że mam go śledzić, dowiedzieć się, gdzie mieszka, i sprawdzić, jak się nazywa – powiedział Witek, nie kryjąc zbytnio sarkazmu. – Ja mogę, tylko chciałbym wiedzieć, kiedy on stąd wyjdzie. Bo może nad ranem?

– Otóż to – przyświadczyłam z troską. – A od drzwi go nie zobaczysz, przy ostatnim stole się pęta. Już jak tu przez całą minutę czekałam na ciebie, wiedziałam, że głupio robimy. Szkoda, że nie jesteś ubrany...

– Goły, mam wrażenie, też nie jestem...?

– Krawat mogłabym jeszcze z kogoś zedrzeć i pożyczyć ci, ale portek nie da rady...

– A właściwie na co wam to? Co chcecie zrobić z tym facetem?

Uczciwie przyznałam, że nie mam pojęcia. Gdzieś tam, w środku, kołatało mi się głębokie przekonanie, że bez względu na osiągnięcia policji, obie z Martusią niczego się nie dowiemy. Mogłyśmy właściwie sobie odpuścić, prawdziwy zbrodniarz potrzebny nam był jak dziura w moście, ale ta jakaś upiorna ciekawość śledcza nie dawała mi spokoju i w dodatku zaraziłam nią Martę. Możliwe, że i Bartka. Tylko Witek jeszcze wydawał się odporny.

– Ja się po ludziach dowiem... – zaczął pocieszająco i w tym właśnie momencie facet z nosem wyszedł z kasyna. Bez pośpiechu zaczął schodzić po schodach, pokazawszy po drodze całą twarz, en face i z profilu.

– To ten! – wysyczałam dziko. – Leć za nim...!

Witek nawet nie drgnął.

– A po co? Ja doskonale wiem, kto to jest, a za nim lecieć nie będę, bo mógłbym już nie wrócić. Niektórzy różni znają go całkiem dobrze.

– Jacy niektórzy różni?

– I moi kumple, i te mafijne patafiany. Nie wszyscy, wyraźnie mówię, niektórzy.

– I kto to jest?

– Kontroler. Pośrednik. Podwładny tego Kubiaka, o którym było gadanie, tego, co trzyma w ręku wierzytelności. Na trzy strony działa, z tym że z żadnym rządzeniem się nie wygłupia, wykonuje polecenia, pilnuje i bierze forsę. Możliwe, że czasem zadziała osobiście, ale to rzadko.

– Nazywa się jakoś?

– Dlaczego nie? Szczepan Paścik. Mieszka sobie elegancko przy Dąbrowskiego, blisko Wołoskiej. Trzy pokoje na drugim piętrze.

– Rozśmieszyłoby mnie do szaleństwa, gdyby to było mieszkanie po wujence Marcie – powiedziałam mimo woli po chwili milczenia.

– Bo co?

– Bo tam wujek, jeszcze za życia, własną ręką zrobił skrytkę, wiem gdzie, a żaden normalny ludzki umysł na nią nie trafi. Wujenka mogła ją pokazać następnemu lokatorowi, jak się przenosiła do luksusowego domu tak zwanej opieki. Już nie żyje, więc na pewno nikomu innemu nie pokaże.

– Prawdę mówiąc, mnie by też coś takiego cholernie rozśmieszyło – przyznał Witek. – Co teraz?

Mimo oszołomienia rewelacjami, zaczęłam trochę myśleć.

– Czekaj, a czy on zawsze tak wygląda jak dzisiaj? Nie zmienił uczesania, nie zgolił wąsów...?

– Jakich wąsów? Żadnych wąsów, żadnej brody nie miał i tak wygląda, jak wygląda.

– To znaczy, że do pożaru się przebrał. Przylepił wąsy, włożył perukę, z frontu rzeczywiście trudno go było poznać. Tylko z nosa! Taki garbek, słowo daję, rzadko się zdarza! Nie wiem, do czego nam się przyda, i nawet nie wiem, czy gliny go namierzyły. Ty myślisz, że co teraz?

Witek się zastanowił i zamówił sobie kawę. Nie chciałam kawy, uparcie trwałam przy tej wodzie mineralnej z cytryną, tęsknie wyobrażając sobie dziesięć, a może nawet piętnaście deko, które ze mnie spada. Przy takich emocjach powinno się tracić kalorie, zaraz pójdę i coś zagram, może mną wstrząśnie...

Zabrzęczała moja komórka i odezwał się w niej Bartek. Źle go było słychać.

– Gdzie jesteś? – zdenerwowałam się. – Z każdego zdania słyszę tylko po pół słowa!

– W drodze, wyjeżdżam właśnie ze Szczecina – powiedział wyraźniej. – Fakt, tu jest zły odbiór. Nie ma tam u ciebie Marty?

Co, u diabła, robił w Szczecinie...?

– Niekoniecznie u mnie, ale owszem, jest. Blisko. Pod tym samym dachem. Oddziela mnie od niej średnio liczne towarzystwo bez znaczenia.

– Znaczy, obie jesteście w kasynie?

No i proszę, jak doskonale umiał zgadywać...!

– W kasynie, a bo co?

– Nic. Z dwojga złego... Nie mów jej, że dzwoniłem...

Znów wjechał w brak odbioru i przestałam rozumieć urywane skrzeki. Poczekałam chwilę cierpliwie.

– ...jutro będę – powiedział, znacznie wyraźniej niż poprzednio. – Wiem dużo rzeczy. Więc nie mów jej, sam z nią załatwię.

– A jak ona zacznie płakać? – spytałam szybko, żeby wykorzystać to jakieś miejsce, doskonałe telekomunikacyjnie.

– Nie wierzę – odparł Bartek i na tym się nasza konwersacja urwała. Miejsce widocznie zmieniło oblicze, ten kawałek trasy ze Szczecina okazał się bardzo niedobry i odporny na wynalazki.

Witek przez ten czas nie tylko dostał kawę, ale nawet zdążył się zastanowić.

– Ja się do niczego nie wtrącam – oznajmił stanowczo. – Gość, jako klient, ma prawo być znany, jeśli wzywa taksówkę, podaje nazwisko i adres. Raz czy dwa, to ja go mogę nie pamiętać, ale częściej owszem. Jak mnie kto zapyta, nie muszę ukrywać, nie zastrzegł sobie. Z donosem nie lecę, mowy nie ma, o niczym nie wiem. Bywa, że człowiek wozi wielokrotnego dusiciela i nie ma o tym pojęcia, i nie jest to żadne łgarstwo, gdyby chciał się wszystkimi interesować, zwariowałby od tego. No więc ja, to nie, ale wy możecie, tak przy okazji albo jakoś podstępnie... Skoro mówisz, że latał koło pożaru...

– Sam to możesz zobaczyć na kasecie.

– Bardzo chętnie. Ale też się nie przyznam. A pożar łączy się wam... Zaraz, bo się zgubiłem. Łączy się naprawdę czy tylko w tym waszym scenariuszu?

– Z czym?

– Ze zbrodniami.

Zastopowało mnie trochę, bo też się zgubiłam, szczególnie po ostatnich zmianach i poprawkach. U nas szantaż, w naturze długi... Boże drogi, coraz trudniej opierać się w tym kraju na realiach, chyba zacznę pisać bajki albo wyłącznie powieści historyczne... Chociaż nie, jeszcze mi zostają prywatne stosunki międzyludzkie, od tysiącleci takie same...

– Szczerze mówiąc, cholera go wie – wyznałam uczciwie. – Ale na rozum biorąc, powinien. No nic, coś zrobimy. Okazuje się, że miewamy doskonałe pomysły, chociażby ściągnąć cię tutaj.

– No owszem, z przyjemnością napiłem się kawy...

Martusia nie zauważyła ani wyjścia tego Szczepana z nosem, ani upływu czasu, miała szczęśliwą passę. Niecierpliwie odpędziła mnie ręką, kiedy znów popukałam ją w ramię.

Pełna doskonałego zrozumienia odczekałam długą chwilę, trzy obroty kulki, usunąwszy się nieco na ubocze, po czym dusza powiedziała mi, że to koniec. Teraz ona zacznie przegrywać. O kimś drugim wie się takie rzeczy znacznie lepiej niż o sobie, przy czym dzika emocja nie mąci umysłu. Pozwoliłam jej postawić jeszcze raz, jak było do przewidzenia, przegrała, sięgnęła po następne żetony i wtedy wkroczyłam energiczniej.

– Bardzo ważne rzeczy i już wiem, kto to jest, ten z nosem! – wysyczałam jej w ucho tak strasznym szeptem, że musiało nią wstrząsnąć. Powstrzymała dalsze obstawianie i odwróciła się do mnie.

– O Boże, co robisz, mam passę...!

Nie pozwoliłam jej wrócić do stołu.

– Już nie. Zrób przerwę. Witek go zna i mieszka w lokalu po wujence Marcie, gdzie jest tajemnicza skrytka, prawa ręka Kubiaka, sam podpalał, sam strzelał, mamy zabójcę, prawdziwego, trzeba będzie zawiadomić gliny, a dla nas to może być prawa ręka Wrednego Zbinia i tylko pomyśl, jakie by to dało korzyści, nawet bez sprawy sądowej...

Więcej bredni nie zdołałam wymyślić, a ten cały melanż był niezbędny, żeby rozbić jej uwagę przynajmniej na dwa kierunki. Udało mi się, Martusia na moment zamarła, rozterka z niej wręcz eksplodowała, rzuciła okiem na stół, gdzie już nastąpił koniec obstawiania, spojrzała na mnie, potem znów na stół. Kulka znieruchomiała, żaden z jej numerów nie wyszedł.

– Zabieraj ten wygrany chłam, musimy porozmawiać! – zarządziłam z potężnym naciskiem.

Z hazardzistą kłócił się w Martusi człowiek pracy. Była wściekła na mnie i ta kulka jeszcze jej się turlała po całym jestestwie od środka, można powiedzieć, po lewej stronie. W momencie ostatniej przegranej człowiek pracy przeważył.

– Jestem do przodu czternaście i pół tysiąca – powiedziała z ulgą, odbierając pieniądze z kasy. – Może i dobrze, że mnie oderwałaś, bo mi szło falami. Usiądźmy gdzieś i mów wszystko, bo nic nie zrozumiałam!

Miejsc do siadania było niewiele, kasyno się zapełniało. Znalazłyśmy dwa krzesła w kącie.

– Pewnie, że nic nie zrozumiałaś, bo mówiłam same głupoty. Naprawdę wygląda to tak...

Przekazałam jej całą wiedzę, uzyskaną od Witka. Martusia uznała Witka za rodzaj bóstwa. O Bartku nie napomknęłam ani słowem aż do chwili, kiedy udało nam się uporządkować informacje i podjąć jakieś, możliwe że sensowne, decyzje. Wtedy dopiero powiedziała, gniewnie i z rozgoryczeniem:

– No i proszę, Bartek się okazał niepotrzebny, Witek lepszy...

– Zależy do czego – zwróciłam jej uprzejmie uwagę. – Osobiście podejrzewam, że Bartek cię kocha.

– Zwariowałaś...! Skąd wiesz?

– Dusza mi to mówi. I różne tam inne takie... doświadczenia życiowe.

Przez dłuższą chwilę Martusia obserwowała ruch wokół nas.

– Straszny tłok – stwierdziła z niechęcią. – Wracam do domu!

Wcale nie wyszłam razem z nią. Nigdzie nie było powiedziane, że musimy wracać do domu o tej samej porze. W każdym razie odjechałam wygrana...

* * *

– Ja to zrobiłem wyłącznie dla was – oznajmił Bartek, siedząc u mnie przy stole i nawet bez żadnego wstrętu patrząc na parówki w sosie chrzanowym, które postawiłam mu przed nosem. – Mnie osobiście ten Szczecin potrzebny był jak wrzód na tyłku. Ale wiedziałem przecież, że się nie uspokoicie, dopóki coś tu się nie wyjaśni, a ja tam znam parę osób... No a ten Lipczak udawał, że mieszka w Szczecinie, policji ci wszyscy ludzie prawdy nie powiedzą, mnie owszem, więc proszę bardzo, załatwiłem, co mogłem.

Rzecz jasna, obydwoje z Martusią złapali się i umówili za moim pośrednictwem, aczkolwiek pierwotnie Bartek wyobrażał sobie, że dogada się z nią sam, bezpośrednio. Nie doceniał jej nadwrażliwości po Dominiku i, szczerze mówiąc, ja sama nie byłam pewna, czy coś tam się w niej nie zasupła i nie odbije czkawką. Na szczęście jednak Martusia była jednostką zdrową psychicznie. I nie głupią.

Z Bartkiem, co prawda, przez telefon rozmawiała tonem, który pożar prerii zdołałby ugasić, ale natychmiast potem zadzwoniła do mnie z płomienną samokrytyką. No, może trochę przeplataną inwektywami pod jego adresem... Bartek zadzwonił zaraz po niej, godnie nadęty i rozgoryczony, z informacją, że przyjdzie, bo ma bardzo istotne wiadomości w kwestii zbrodni. Oczywiście, jeśli sobie życzę...

Życzyłam sobie wprost szaleńczo i ustaliłam godzinę, bardzo rozumnie biorąc poprawkę na ich cechy charakterów. Bartek, wbrew pozorom, musiał być potwornie zestresowany, bo spóźnił się tylko pół godziny, omal nie niwecząc moich planów, Martusia jednak, zgodnie z moimi przewidywaniami, przyleciała dobrze przed czasem i prawie wszystko zdążyłam z nią omówić. O ile oczywiście te pogmatwane wybuchy emocji można było nazwać rozmową.

Najbardziej zdenerwowały ją trzy elegancko wydrukowane kartki, które na samym wstępie podetknęłam jej pod nos. Wypisałam na nich, bardzo porządnie i w punktach, wszystkie znane nam od początku i poznawane stopniowo fakty, dotyczące wydarzeń prawdziwych, obok nich zaś, kursywą, wynikające z nich pomysły scenariuszowe. Wyglądało to bez mała jak pokazowy scenopis i Martusią wstrząsnęło. Trudno było w pierwszej chwili ocenić, pozytywnie czy negatywnie.

– Co ty mi tu dajesz, czy ty już nie masz ludzkich uczuć?! To jest to od Witka...? Oszalałaś, w tym stanie ja mam wyciągać trafne wnioski...! Słuchaj, on się na mnie obraził, ale to przecież ja się na niego obraziłam...! No dobrze, już dobrze, możliwe, że to ja zaczęłam, ale czy to już zaraz trzeba walić z grubej rury...?!

Milczałam, pełna nadziei, bo widać było, że jednym okiem i malutkim kawałkiem umysłu oddaje się lekturze i coś tam zaczyna jej błyskać.

– Jak ona się nazywała...?!!! – wrzasnęła nagle rozdzierająco.

Prawie się przestraszyłam.

– Kto, na litość boską...?

– Ta gruba rura! A, już wiem, katiusza! Ryczała podobno strasznie w czasie wojny...? Ryczała?

– Ryczała ze zgrzytem.

– No więc czy on też musi od razu ze zgrzytem...?! Czy żaden mężczyzna nie może spokojnie znieść... No niech będzie, że ja jestem nietypowa, a ty to co...? A dzieci masz? Masz! A może ja bym też chciała mieć...?! Jesteś pewna, że podpalał ten Paszczak... nie, Paścik...?

Mieszanina dzieci z Paścikiem nie przeszkadzała mi w najmniejszym stopniu.

– W tym rzecz. Na marginesie, Paszczak to z Muminków... Poczytaj spokojnie i trochę pomyśl. Skonsultujemy to z Bartkiem, jak tu przyjdzie. On był w Szczecinie.

– Więc jednak...? Mówił coś takiego, ale musiałam udawać, że z nim nie rozmawiam... Jak to...? Tu przyjdzie...?!

– A gdzie ma iść? Do Pałacu Kultury? I co tam będzie robił?

– Tam też jest kasyno... – bąknęła Martusia niepewnie i opamiętała się. – To ja wychodzę. Nie, przeciwnie, nie wyjdę, nawet gdybyś podpaliła mieszkanie! Dlaczego mi nie dasz piwa...?!!! W domu nie miałam, w telewizji nie było...

– Są ostatnie dwie puszki, więcej Bartek przyniesie...

– Tym bardziej nie wyjdę.

– Ale dostaniesz, pod warunkiem że będziesz jadła parówki w sosie chrzanowym, bo mi trochę za dużo wyszło i sama nijak nie dam im rady...

Z tej, między innymi, przyczyny przed Bartkiem również stanęły parówki w sosie chrzanowym.

Zadzwonił do drzwi prawie punktualnie, to znaczy wedle mojej oceny za wcześnie, spóźniony zaledwie o pół godziny. Liczyłam go na więcej. Rzecz oczywista, cały czas pamiętałam doskonale, że z mężczyzną głodnym w życiu się człowiek nie dogada, najedzony natomiast łagodnieje i łatwo idzie na rozmaite ustępstwa. Utorowałam Martusi drogę. Zamierzałam zostawić ich samych i udać się do kuchni pod pozorem podgrzania tych cholernych parówek, które wcale tego nie wymagały, bo wielki gar doskonale trzymał ciepło, ale rychło okazało się, że nie chcą. Martusia przedarła się jakoś przez swoje zasieki uczuciowe, możliwe, że Bartek w nich utkwił, w każdym razie obydwoje odczuli nagle gwałtowną potrzebę mediatora i kazali mi natychmiast wracać do pokoju. Nie omieszkałam wrócić z pożywieniem.

Nie wiem, czy Bartek był głodny, ale jeść zaczął odruchowo i prawa natury chyba wkroczyły.

– Zły byłem na nią taki, że o mało mnie szlag nie trafił, ale już mi trochę przeszło – powiedział do mnie. – O mało nie pojechałem prosto do Krakowa, wcale się z tobą nie widząc i bez pożegnania – to oczywiście do Martusi. – Ale skoro już robię z siebie idiotę, niech z tego będzie jakiś pożytek – to do nas obu.

Gorąco pochwaliłam pogląd. Martusia nie wytrzymała.

– Bo jak mnie przez chwilę nie ma... – zaczęła z namiętnym protestem.

– Zamknij się! – uciszyłam ją gniewnie. – Jakaś elementarna sprawiedliwość musi istnieć! Nic gorszego niż niepewność! A ty – zwróciłam się z kolei do Bartka, bo jakoś wszyscy mówiliśmy do siebie równocześnie – czego się po niej spodziewasz? Widziały gały, co brały, wiesz, że ona hazardzistka...

– Narkomanka hazardowa – podsunęła Martusia gorliwie, ale raczej takim delikatnym głosikiem.

– ...i charakter ma w połowie okropny! No wiesz czy nie?!

– Teraz już chyba wiem...

– A ty sam się puknij i popatrz na siebie! Ile razy nawalasz, bo siedzisz w robocie, bo ci akurat coś przyszło do głowy, miasto się może palić, ona w nerwach konać, a ty nawet nie zawiadomisz! W ogóle nie pamiętasz, że reszta ludzkości istnieje! Poczucia czasu nie masz za grosz! Co było z rysunkami dla mnie? Po jakichś lasach cię łapałam!

– Czy to ma znaczyć, że ja jestem winien? – oburzył się Bartek.

Obrony poniekąd wymagała tu Martusia, więc nie mogłam sobie pozwalać na pełną sprawiedliwość. Należało przynajmniej pootwierać im jakieś furtki i odbudować naruszone mosty.

– Winien może niekoniecznie, ale zrozumieć powinieneś. A jeśli nie zrozumieć, to chociaż przyjąć do wiadomości. Namiętność jest silniejsza od człowieka! Na siebie popatrz, mówię!

– Ale to w pracy...

– A co za różnica? Twoja praca to jest twoja namiętność, fioł i największe szczęście w życiu i wszyscy o tym doskonale wiemy. Każdy ma prawo do własnej osobowości! Wolałbyś taką krowę, co tylko na tobie wisi i reszty świata dla niej nie ma, i choćbyś pękł, na chwilę z myśli jej nie zejdziesz?

Bartek jakby się lekko otrząsnął i sos chrzanowy kapnął mu z widelca na spodnie, czego nawet nie zauważył. W oczach na moment mignęło mu przerażenie.

– Niech Bóg broni – zapewnił żarliwie. – Ale jak ja rypię przez pół kraju... Niechby ona chociaż komórki nie wyłączała!

– Kocham cię! – powiedziała nagle Martusia do mnie z jakąś radosną wdzięcznością i przerzuciła się na Bartka. – Nie będę – obiecała ze skruchą. – Jeśli nie będziesz pyskował...

– A co ja mam pyskować, niech tylko wiem, co się z tobą dzieje...

Uznałam za słuszne wyłączyć się z konwersacji i poszłam do kuchni, gdzie bardzo długo podejmowałam decyzję w kwestii zaparzenia herbaty. Zaparzyć ją, zaparzyłam, ale do pokoju przyniosłam dostarczone przez Bartka piwo, które już się zdążyło ochłodzić. Parówki, osobliwa rzecz, ciągle były gorące, co przestało mnie dziwić, kiedy stwierdziłam, że cały czas stały na malutkim gazie. Zgasiłam go, bo zaczynały przywierać od dna.

Mogliśmy wreszcie wrócić do tego Szczecina w atmosferze pełnego porozumienia.

– On był tam po prostu zameldowany, ten Lipczak – powiedział Bartek. – Tyle bywał co kot napłakał. Tak się składa, że ja tam mam kuzyna w komendzie miasta i jesteśmy w dobrej komitywie, wszystko się zgadza, Lipczak prowadził handel informacjami. Warszawa porozumiała się z nimi, jego zdaniem Lipczak po prostu za głęboko nos wetknął, za dużo zobaczył, no i cześć. Ucho od tego dzbana się urwało. Połowa jego klientów urżnęła się ze szczęścia, a połowa płacze. Ptaszyńskiego też znali, chociaż trochę pośrednio, i mam tego absolutnie nikomu nie mówić, ale wam powiem. Prezes spółki... no, już chociaż spółkę sobie darujmy... ma sitwę z takim jednym z Warszawy... Od razu wam powiem, że żadne nazwisko nawet po pijanemu przez gardło mu nie przeszło. Nie wiem, kto to jest, ale fakt, że tylko Ptaszyński mógł z niego dług ściągnąć, i przemocą, i szantażem, więc poszło zlecenie. Uciszyć gościa, dokumenty odebrać i będzie z głowy.

Urwał na chwilę, wypił trochę piwa, westchnął i kontynuował:

– Prywatne znajomości też tam mam. Okazuje się, że Lipczak był i nagle wyjechał, jak do pożaru. Tak mi powiedział jeden z tych zadowolonych, otóż podobno dostał wiadomość, że w Warszawie coś się rozstrzygnie, nie on dostał, tylko Lipczak... Ktoś ze świecznika zadziała, żeby primo, nie płacić, a secundo, pozbyć się rozmaitych dowodów. Lipczak, dziwna rzecz, nie był pewien, kto to jest, więc czym prędzej przyjechał, pokój w Marriotcie trzymał w rezerwie, różne rzeczy tam załatwiali, podobno miał się tam spotkać z Ptaszyńskim. Tyle się dowiedziałem, a mnie samego gówno to obchodzi, więc postarałem się wyłącznie dla was, bo ja wiem doskonale, że Joanna się nie odczepi, a Marta już się od niej zaraziła. Wystarczy wam?

– Aż za dużo – zaopiniowała z lekką zgrozą Martusia.

– Ściągnęłabym Witka – zaproponowałam, pełna emocji, bo doskonale się wszystko zgadzało. – Gdzie ja mam komórkę? A, tam...

Komórka leżała pod komputerem. Zerwałam się z fotela pod lampą i rzuciłam w drugi koniec pokoju. Dokładnie w tym samym momencie niepojętym sposobem spod szafy bibliotecznej wyturlał się długopis, którym Martusia dopiero co ciskała w zdenerwowaniu, i trafiłam na niego stopą. Pojechałam jakoś dziwnie, nie zabiłam się, ponieważ chwycił mnie Bartek, który akurat podniósł się grzecznie, żeby mi tę komórkę podać, ale razem wziąwszy, zrobiliśmy coś takiego, że noga mi się zwinęła w kostce. Nie, nie złamałam jej, przyhamowana przez Bartka, z impetem usiadłam na stole, tym cholernym niskim jamniku, na popielniczce, szczęśliwie dostatecznie płaskiej, żeby mi nie zagroziła dodatkowymi obrażeniami. Mogłam mieć najwyżej siniaka na tyłku. Kostka jednak postanowiła się obrazić za niewłaściwe potraktowanie.

Zbadaliśmy ją wszyscy z wielką troską.

– Zwyczajne skręcenie – zawyrokowałam. – Wiem, co z tym robić, bo w dzieciństwie już raz mi się coś podobnego przydarzyło. Później też, chociaż to były torebki stawowe, ale mam taką maść, może jeszcze nie jest przedawniona... A nawet jeśli... Martusia, idź do łazienki i przynieś wszystkie tubki, jakie znajdziesz, ja ją rozpoznam. Wiem, że trzeba posmarować, owinąć bandażem elastycznym i nie chodzić przez trzy dni. Żaden problem, z przyjemnością te trzy dni spędzę na siedząco przy komputerze...

Zważywszy, iż jedyna rzecz, jakiej nie da rady dostarczyć do domu pacjenta, to rentgen, z góry zrezygnowałam z prześwietlenia. Znałam doskonałego pana doktora ortopedę, w ostateczności mogłam go do siebie zaprosić, ale cały mój organizm informował, że pomysł z maścią i bandażem jest właściwy. Tyle że naprawdę dać sobie spokój z ruchliwością i trzy dni nie chodzić.

Po paru chwilach zamieszania i unieruchomieniu mojej nogi mogliśmy wrócić do tematu, bo Martusia i Bartek uwierzyli w moją wiedzę w kwestii terapii. Później okazało się, że słusznie.

Komórkę dał mi do ręki Bartek, Witek zgodził się przyjechać, parówkami w sosie chrzanowym obsłużyła go Martusia. Nieco później, z rozpędu i osobistych skłonności, pozmywała jeszcze prawie wszystkie naczynia.

Omówiliśmy sprawę wspólnymi siłami i właściwie, jeśli szło o realia, wiedziałam już wszystko.

* * *

– Kocham cię – powtórzyła Martusia przez telefon nazajutrz o poranku. – Jak się czujesz?

– Doskonale – zapewniłam ją. – Jutro będę trochę brudna, bo mam kłopoty z myciem, łazienka nie chce przyjść do mnie, muszę ja do niej. Jeśli siedzę na tyłku, nic mnie nie boli, przetrzymam bez problemu. Chciałabym wiedzieć, dlaczego od wczoraj tak mnie szaleńczo kochasz?

– Bo trafiłaś w środek tarczy. Pierwsza żona Bartka wisiała na nim jak bluszcz. Co ja mówię, jak pasożyt! Nie mógł oddychać bez jej wiedzy!

– Nie mówiłaś mi o tym...?

– Bo wiem dopiero od tygodnia. Wcześniej była mowa o pedanterii, teraz wyszło na jaw, że ona jest czepliwa. Nie ma świata poza chłopem, którego ma na własność i sama do niego należy. Okazuje się, że dzwoniła do niego i zawiadamiała go, że idzie wynieść śmieci! Jak Boga kocham! W środku wszystkiego, roboty, konferencji, przejazdu przez miasto, w wychodku, telefon od niej, co właśnie robi, jaki ma zamiar, gdzie się udaje... Obłęd! Ten mój kumpel, który z nią się ożenił, w Krakowie go ostatnio spotkałam, nie zdążyłam ci powiedzieć, ma to samo, ale jemu się to podoba! Taki szczęśliwy i ukojony, że trzyma rękę na pulsie żony!

Popatrz, nawet do rymu...! Boże, co za dziwni ludzie istnieją na świecie! Ależ trafiłaś...! Przypomniałaś mu o tym w najdoskonalszej chwili! Kocham cię!!!

– Nie wiem, czy słusznie – powiedziałam uczciwie. – Wyszło mi przypadkiem.

– Uwielbiam twoje przypadki...!

Zaraz potem pomyślałam, że była w tym chyba odosobniona. Zadzwonił do mnie prawdziwy pan podinspektor z pałacu Mostowskich o trudnym dla cudzoziemców nazwisku Krupitrzak i uprzejmie zaprosił mnie na rozmowę. Najlepiej zaraz jutro.

– A otóż, panie majorze, nic z tego – rzekłam smętnie i wcale nie jadowicie. – Ktoś, niestety, musi przyjść do mnie, bo chwilowo nie chodzę. A uważam, że znoszenie mnie i wnoszenie po schodach, a potem wożenie w wózku inwalidzkim, będzie zbyt uciążliwe. Żadna złośliwość, ortopedę, jeśli pan chce, zaraz mogę sobie zamówić, żeby było formalnie, ale nogę skręciłam w naturze. Nic takiego, tyle że z chodzeniem trzy dni muszę poczekać. No, teraz już dwa i pół. Więc jak pan uważa.

Podinspektor Krupitrzak myślał bardzo krótko.

– Jeśli nie ma pani nic przeciwko temu, z przyjemnością sam złożę pani wizytę. Powiedzmy, dziś o piątej? Ale rozmowę, rozumie pani, będziemy nagrywać.

– Jak dla mnie, może pan ją nawet ryć w marmurze. Proszę uprzejmie, będę zachwycona!

Odłożyłam słuchawkę i zastanowiłam się. Nawet latanie do drzwi było dla mnie uciążliwe, przedpokój miałam dosyć długi... Kogo by tu...

– Martusia – powiedziałam w telefon. – Rzucaj wszystko i przyjeżdżaj o wpół do piątej. Potem musisz udawać, że cię wcale nie ma.

– Bo co? – zainteresowała się Martusia wręcz zachłannie.

– Odbędzie się zasadnicza pogawędka z glinami. Prawdziwy podinspektor przyjedzie i chyba odwalimy wszystko do końca, potem nam zostanie wyłącznie nasza praca twórcza. Uważam, że powinnaś podsłuchiwać, co dwa uszy, to nie jedno.

– Masz na myśli dwoma rękami, dwoma paniami...?

– Skąd, to forma dla debili. Dwoje uszu! Jeśli nie wiedzą, że istnieją dwie ręce i dwie panie, to jak mogą dojść do dwojga uszu? Takie wyszukane komplikacje gramatyczne przestały być dostępne dla obecnego pokolenia. Podsłuchuj, czym chcesz, choćby dwamy nogamy, ale uważam, że nam się przyda bezgranicznie! Naprawdę całą resztę napiszemy śpiewająco!

– Żeby jeszcze śpiewająco podpisać kosztorys... – wymamrotała jakoś pod nosem Martusia. – A choćby mruczando... Jasne, oczywiście, że przyjadę! Masz jakiś fartuch kuchenny?

– Mam kilka. Bo co?

– Będę udawała pomoc domową! Niedorozwiniętą! Może być?

Pochwaliłam pomysł i zajęłam się pracą zawodową, bo w obliczu nieruchawości była mi najłatwiej dostępna i czas przy niej szybko leciał.

Martusia przeszła wszystko, co mogłam sobie wyobrazić.

Przyjechawszy odpowiednio wcześnie, w kwadrans odwaliła całą metamorfozę. Fartuch wybrała sobie najobszerniejszy ze wszystkiego, co posiadałam i czego nigdy nie używałam, a tego rodzaju prezenty praktyczne dostawałam od najwcześniejszej młodości, więc pole do działania miała ogromne. Co prawda, przy poszukiwaniu fartuchów wyleciały z szafy wszystkie ręczniki i chustki do nosa, ale jej skłonności porządkowe pozwoliły bez trudu pozbyć się góry szmat przed szafą. Jak je upchnęła w środku, było nie do pojęcia, a jednak jej wyszło. Następnie zmazała z twarzy cały makijaż i na jego miejscu zrobiła coś trupiego, co nawet pasowało do jej postury. Gdyby była gruba, nieźle wyszłaby czerwoność, niestety, figura modelki wymagała jakichś innych efektów, zielonkawa bladość uczyniła z niej żonę alkoholika i znękaną matkę dziewięciorga dzieci, ponadto włosy ulizała sobie białkiem jajka, nie posiadałam bowiem lakieru. Jajko zgodziłam się poświęcić bez żalu. Sińce pod oczami wyszły jej wprost znakomicie. Takiej pomocy domowej, przysięgam na kolanach, nie zatrudniłabym za skarby świata, w obawie, że mi przy byle wysiłku zwyczajnym trupem padnie.

Ledwo zdążyłam zrobić jej pamiątkową podobiznę, zadzwonił do drzwi pan podinspektor.

Musiała ta Martusia wywierać naprawdę znakomite wrażenie, bo nie zwrócił na nią najmniejszej uwagi.

Jako człowiek rozsądny, nie żądał ode mnie zaświadczenia lekarskiego, chociaż najzdrowsza osoba świata może sobie dla kamuflażu owinąć nogę bandażem elastycznym. Widocznie wlokła się za mną opinia z dawnych lat, że kocham policję, niegdyś milicję, i chętnie służę wszelkimi wyjaśnieniami, zarazem piekąc przy ich ogniu swoją własną pieczeń. Musiał zapewne nie mieć nic także przeciwko mojej pieczeni.

– Ta pani rozmowa z rzekomym podinspektorem narobiła dużo złego – rzekł na wstępie takim tonem, jakby spełniał tylko jakiś obowiązek, sam nie mając do mnie o to najmniejszej pretensji. – Ale trudno, przepadło. Co pani wie o pierwszym mężu pani Larsen?

Ustrzelił mnie rzetelnie.

– Proszę Marty! – zawołałam słabym głosem w stronę kuchni. – Niech mi tu Marta poda piwo! Ja spod takiego ciosu na sucho nie wyjdę... Pan woli kawę czy herbatę?

– Nic, dziękuję, ja jestem na służbie.

– Zawracanie głowy. Gdybym zeznawała u was, nawet najprzeraźliwiej służbowo, dalibyście mi coś do picia. Poza tym nagrywa pan, więc w razie czego będzie wiadomo, kto pana otruł.

– Kawę w takim razie...

Idealnie głupkowata sługa podała napoje niczym kelner u Ritza. Nie wiem, jakim cudem nie pękła, bo przecież śmiać się nie miała prawa.

Nie kazałam panu majorowi powtarzać pytania.

– Pierwszego męża Anity znałam, proszę pana, z widzenia. I ze słyszenia. Anitę poznałam później, już w Danii, i nie miałam pojęcia, że to właśnie ona była pierwszą żoną Jasia Szczepińskiego. W tych najdawniejszych czasach wiosennej młodości wiedziałam, że był gachem jednej mojej koleżanki ze szkoły, niewiernym w dodatku, ona przez niego bardzo rozpaczała i były jakieś awantury. Potem się nasze drogi rozeszły, ale z kolei od Anity dowiedziałam się, że właśnie przez to się z nim rozwiodła w dwa lata po ślubie. Średniego wzrostu blondyn, kościsty, z wyrazistym nosem, tak go pamiętam, podobno nieprzeciętnie zdolny i bardzo bezwzględny. Więcej, niestety, nie wiem.

– A ta rozpaczająca koleżanka jak się nazywała?

– Do obrzydliwości zwyczajnie. Alusia Kowalska. Przykro mi, że nie jakoś oryginalnie, bo Aluś Kowalskich może być w tym kraju parę tysięcy.

– Orientuje się pani może, co on robił, ten pierwszy mąż pani Larsen? Na pewno był pierwszy?

– Poślubiła go, mając siedemnaście lat, więc trudno uwierzyć, że mógłby być drugi. Od Alusi Kowalskiej coś tam o żonie słyszałam, ale to nie była moja bliska przyjaciółka, nie mnie się zatem zwierzała. A co robił, pojęcia nie mam, możliwe, że próbował studiować na dwóch uczelniach naraz... Ale nie, tego niech pan nie traktuje poważnie, to jest mój wymysł! W każdym razie mam wrażenie, że był szalenie operatywny, inteligentny, błyskotliwy i działał.

– Jak działał? W czym?

– A diabli go wiedzą. Działacz, istniało wtedy takie określenie, wedle moich doświadczeń musiał obficie kłapać gębą i znać mnóstwo ludzi. Całe to działanie z tamtych czasów to była sztuka dla sztuki i osobiście miałam, i mam, do tego śmiertelny wstręt.

– Pan Górniak to chyba również był działacz...? – wytknął mi podinspektor delikatnie.

Pomyślałam, że Martusia pewnie stara się nie oddychać i zaniepokoiłam się o jej zdrowie. Na rozmówcę popatrzyłam tak potępiająco, jak tylko mogłam.

– Zawsze pan swoim świadkom wypomina głupotę...? No owszem, był, ale własną ręką założyłam sobie opaskę na oczy. Nie ma granic dla zidiocenia zakochanej kobiety, nie wie pan o tym? Za to mój wstręt dzięki niemu zdecydowanie się pogłębił.

– Znał tego Jana Szczepińskiego?

– A skąd ja mam to... – zaczęłam i nagle coś mi w pamięci błysnęło. – Zaraz... O rany, tak! Chyba tak... Nie, trudno, ja do pana nagadam, a pan sobie sam wnioski wyciągnie, tyle powiem, ile mi się przypomina. Dawno temu... Przy okazji opowiadania jakichś anegdot z młodości, wspomniałam takie głupie wydarzenie, pojęcia nie mam o żadnych okolicznościach towarzyszących, ale Alusia Kowalska w licznym gronie krzyknęła ze łzami: „Nie byłam wtedy kochanką Jasia!", dzięki czemu wszyscy się dowiedzieli, że teraz jest. Opowiadałam to panu Górniakowi, a on się bardzo zainteresował, wymieniłam nazwisko Jasia. Pan Górniak mnie wtedy kochał, więc coś mu się wyrwało, miał tajemniczo-radosny wyraz twarzy, Anita go też zainteresowała, ale ona już dawno siedziała w Danii i nigdy się z nią nie zetknął. I tyle. Ale na moje oko coś o tym Szczepińskim musiał wiedzieć.

Podinspektor, popijając kawę, przez długą chwilę przyglądał mi się w zadumie. Bardzo byłam ciekawa, o co mnie teraz zapyta.

– Pani naprawdę nie ma na sumieniu żadnych krętactw, drobnych oszustw, podstępnych rozgrywek...? Nie ma pani nic do ukrycia?

Zdziwiłam się.

– Tylko głupoty, do których wstyd się przyznać, ale co do reszty, to ja, proszę pana, nie mam czasu na przestępstwa. I nie umiem, antytalent doskonały. Nawet podatki płacę uczciwie, chociaż bardzo niechętnie. Gdybym potrafiła tu coś zełgać, uczyniłabym to natychmiast, niestety, nie wiem jak. Bo co? Dlaczego pan pyta?

– Bo rozmawia pani ze mną jak z prywatnym znajomym. Nawet nie usiłuje pani kłamać. Po latach pracy takie rzeczy już się wyczuwa...

– Niech pan się nie martwi, zaraz zacznę – zapewniłam go pocieszająco. – Zaskoczył mnie pan tym mężem Anity, ale już sobie przypomniałam, o czym tak naprawdę mieliśmy rozmawiać. To zołza, swoją drogą, słowem się nie zająknęła, a jestem pewna, że odgadła, że to ten jej mąż...!

– Co ten jej mąż?

– Tajemniczy inspirator zbrodni w Marriotcie, twórca naszego kochanego trupa, wielka postać w wysokich sferach rządowo-finansowych. Pewnie zmienił nazwisko, żeby się odciąć od przeszłości. Cichy zwierzchnik Paszcza... nie, przepraszam, Paścika, wróg Grocholskiego... Ciekawe, czy mąci także i w telewizji, tego nie wiem, a szkoda.

Podinspektor psychikę miał odporną, nie drgnął nawet, kiwał tylko głową dosyć smętnie.

– No cóż, takich informacji ja pani udzielać nie będę, sama pani rozumie... Boję się, że już pani zgadła, jak to było.

– Pan też zgadł. Lipczak... Trupski... Ejże, czy oni sobie nie zmienili nazwisk w tym samym czasie? Trupski i Szczepiński?

Podinspektor milczał, można powiedzieć, znamiennie.

– To znaczy, że tak. Z jakichś powodów, wszystko jedno z jakich. Lipczak przyjechał z nadzieją, że wreszcie dorwie tajemniczego bossa, pokój w Marriotcie miał, i to ten z drzwiami, obok Dominika, moim zdaniem tam poczekał i był świadkiem, jak wysłannik eksSzczepińskiego rąbnął Słodkiego Kocia. Podglądał. Zostawił zapalniczkę, dlatego później czepiali się Dominika... Siedział cicho, aż zabrali zwłoki, to znaczy, nie wiem, czy siedział, może poleciał do baru czymś się pokrzepić. Słodki Kocio miał zniknąć radykalnie, zdematerializować się, utlenić. Lipczak się chyba zdradził albo coś mu się wyrwało, albo spróbował od razu wykorzystać wiedzę... Z kimś się spotkał, osobiście podejrzewam, że przyszedł do niego Paścik i udusił go własnoręcznie, im mniej świadków, tym lepiej, na miejscu Paścika sama bym przyszła. Okazało się, że jakichś dokumentów przy nich nie znaleźli... Zaraz, może ze Słodkim Kociem byli umówieni na wymianę, forsa za papiery...? Weksle, umowy...? A tu chała, więc Paścik podłożył bombę Grocholskiemu. Sejf się nie rozpadł, to wiem, co dalej zrobili, nie jestem już pewna, nie śledziłam żony Grocholskiego. Wielce szanowny mój były, mam na myśli pana Górniaka, na tych dowodach pisemnych sypiał w upojeniu, ale sądzę, że nie były to jedyne egzemplarze, więc wszystko macie...

– Nie wszystko – zaprzeczył podinspektor bardzo spokojnie i grzecznie. – Nasz rzekomy funkcjonariusz zdążył z panią porozmawiać wcześniej...

– Cholera – skomentowałam po chwili niezadowolonego milczenia. – Było się pośpieszyć... Ale jeżeli ja to wszystko zrozumiałam i prawie mogłabym udowodnić, to wy chyba tym bardziej? Jak ten mąż Anity teraz się nazywa?

– Tego pani z pewnością nie powiem.

– To nie. Ta gangrena też chyba nie powie. Ale przecież wyjdzie to na jaw, zakończycie dochodzenie, sprawca gębę otworzy...?

– Jaki sprawca?

– Mnie wychodzi, że ten Paścik...?

Podinspektor wypił reszteczkę kawy i starannie obejrzał filiżankę, w której nie było absolutnie nic interesującego.

– Wie pani, takie zarzuty należy niezbicie udowodnić...

Nie, nawet mnie wcale szlag nie trafił. Właściwie od początku spodziewałam się czegoś podobnego. Prokuratura, oczywiście!

– Rozumiem, że w ogóle przyszedł pan do mnie, bo Anita za skarby świata nie mogła sobie przypomnieć, jak się nazywał jej pierwszy mąż – powiedziałam z rozgoryczeniem. – Oszalała chyba, przecież wiedziała, że ja wiem. O, niech pan będzie kamiennie spokojny, nie zamierzam się czepiać, mam co innego do roboty, ale może jednak coś z tego wyniknie?

– Co do sprawcy – powiedział podinspektor, z uporem i wielką uwagą wciąż oglądając filiżankę, jednolicie brązową, nabytą przeze mnie w jakimś niemieckim sklepie jako możliwie najcieńszą, odbiegającą jednak mocno od chińskiej porcelany – to, mam wrażenie, była pani kiedyś na rozprawie przeciwko zabójcom Gerharda...? Na własne uszy słyszała pani, jak sprawcy gębę otwierali, że użyję pani własnych słów...?

Zaciekawiło mnie nagle, co też nie oddychająca wcale Martusia z tego rozumie. Za młoda była, żeby mieć jakiekolwiek pojęcie o ówczesnych kulisach prawa i sprawiedliwości, o ile takie szlachetne określenia w ogóle mogą tu wchodzić w grę... Byłam przy tym, można powiedzieć, a też, za przeproszeniem, gówno wiedziałam. Podinspektor miał obowiązek wiedzieć więcej.

– Naprawdę uważa pan, że ta cała impreza zostanie umorzona? – spytałam z potępiającym niedowierzaniem. – Myślałam, że to tylko takie moje pesymistyczne przepowiednie?

Podinspektor odstawił wreszcie filiżankę na spodek.

– Podobno było u pani włamanie? Dwa lata temu, sprzęt z numerami, sprawcy znani... Co z tego wynikło? Nam się wydaje, że umie pani trochę myśleć?

Po krótkim zastanowieniu uznałam, że mówi mi komplement.

– Może i umiem, ale nie chcę. Chcę widzieć rezultaty. Po dziesięciu latach konkubinatu z panem Górniakiem obrzydły mi własne wnioski, których słuszności żadna siła ludzka nie jest w stanie potwierdzić, ja się, proszę pana, mogę mylić na każdym kroku. Martu... Proszę Marty, wyszło mi piwo! Do cholery, naprawdę nie będzie to miało żadnych widocznych skutków?! No więc dobrze, ja sama kogoś zabiję! Jeszcze nie wiem kogo... Zważywszy obecne zajęcie, może kogoś z telewizji, ale, słowo daję, czy ja mam na to czas i siły? Niechże mi pan coś podpowie!

Martusia podała mi piwo tak, jakby wniosła je siła nadprzyrodzona.

– Czy łaskawemu panu jeszcze trochę kawy? – spytała jękliwym głosem, zawierającym w sobie jakiś dziwny skrzek, który mnie wręcz przeraził. Jezus Mario, czego ona tam doznaje za kulisami...?!

– Nie, dziękuję, już wychodzę – odparł podinspektor zupełnie zwyczajnie. – Sama się pani zapewne zorientuje, ale będę pani bardzo wdzięczny... Nie, co ja mówię, przecież nikt nie zahamuje plotek. Radziłbym pani jednak ograniczyć rozgłaszanie własnej wiedzy i tych własnych niepewnych wniosków dla pani własnego dobra. Nie będziemy już pani nękać...

Podniósł się, wyszedł zza stołu z miłym uśmiechem.

– Żegnam panie, miło mi było poznać... Ja przecież wiem, że panie współpracują...

– Ty głupia jesteś, zaćmienie umysłowe na ciebie spadło! – rozszalała się Martusia natychmiast po zamknięciu za nim drzwi. – Trzeba było ściągnąć Martę, to ona jest aktorką, a nie ja! Połapał się!!!

Nie miałam wątpliwości, że ma na myśli Martę Klubowicz.

– Martę mógł rozpoznać z twarzy! Nie mam w domu czarnej peruki, a tylko to ją zmienia! I ona akurat ma jakieś próby do czegoś, skąd ją miałam wziąć?!!! I gdyby ona tu była, a nie ty, gówno byś usłyszała!!!

Martusia, dziko zdenerwowana, zdzierała z siebie utensylia kuchenne i usiłowała rozmierzwić przylizane włosy. Obie znalazłyśmy się w łazience, odkręciła wodę, chwyciła prysznic.

– Polej mi! Od razu, póki zimne! Od gorącego się zetnie, nie chcę mieć na głowie jajka na twardo! Szampon, daj mi szampon! To potworne, to wszystko, jestem ogłuszona!

– No i proszę, jaka ta młodzież teraz mało odporna – powiedziałam pobłażliwie, kiedy już wycierała sobie włosy ręcznikiem. – A myśmy znieśli nie takie rzeczy i jakoś żyjemy. W państwie przecudownego bezprawia...

– To ja już wolę chyba Dziki Zachód... Gdzie masz suszarkę?!

Dałam jej suszarkę. Emocje sprawiły, że trudno nam było przerwać konwersację, ale lustro przy kontakcie znajdowało się tylko w łazience. Usiadłam na wannie, susząca włosy Martusia ustawicznie odwracała się ku mnie, tracąc z oczu własną twarz. Bardzo to było niewygodne.

– Wszystko razem brzmiało przerażająco – rzekła odrobinę spokojniej, kiedy już powróciła do normalnego wyglądu i udało nam się usiąść w pokoju przy stole, z piwem pod ręką. – Chociaż, moim zdaniem, rozmawiałaś z tym pod-coś-tam skrótami myślowymi. Ale ja jestem bardzo inteligentna i jedną dziesiątą udało mi się zrozumieć. Gówno z tego wyniknie? Wszyscy wiedzą, kto kogo zabił, i nikt nie zostanie oskarżony ani skazany? Na litość boską, czy naprawdę żadnego innego trupa nie można było znaleźć...?!

– Sam wszedł w ręce. I ogólnie niezły. Oczywiście, że nic z tego nie wyniknie...

– Co to było, te jakieś sprawy Gerharda?! Znam nazwisko, wiem, kto to był...

– To wiesz więcej ode mnie, bo ja się potem od tego odczepiłam. Oskarżonych zapewniono, że bez względu na wyrok wyjdą z tego ulgowo, więc trzymali pysk na kłódkę, a może nawet sami nie wiedzieli, kto ich pchnął i do czego. Potem, kiedy się okazało, że obietnice nie zostały dotrzymane, nie mieli już nic do gadania, ale też za to głowy nie dam. Znane sprawy, podobne do tej ze Słodkim Kociem, ale nie mogę wiedzieć o wszystkim, skoro pozbyłam się mojego osobistego prokuratora...

– Chyba musiałaś upaść na głowę, żeby się go pozbywać...

– Z punktu widzenia pracy twórczej i wiedzy ogólnej, z pewnością. Ale teraz i tak byłby już na emeryturze. Czekaj, myślmy racjonalnie. Anita w życiu nie powie, jak się obecnie nazywa jej pierwszy mąż, o ile to w ogóle wie, co nie jest pewne. Nie lubi go, co do tego nie mam wątpliwości, inaczej by nic nie powiedziała. Tak między nami mówiąc, mnie on się nie podobał.

Martusia zainteresowała się natychmiast.

– Jak ci się nie podobał? Dlaczego?

– Tę mordę miał jakąś krzywą, a nos się kłócił z asymetrią. Gdybym znalazła się z nim na bezludnej wyspie, długo ta wyspa musiałaby na zaludnienie poczekać...

– I co?

– I nic. Na bezludną wyspę diabli nas, na szczęście, nie zanieśli. Wracając do współczesności, niewiele się zmieniło, tyle że teraz rządzi forsa, a nie układy. Układy w malutkim stopniu i też z forsą związane. Kim jest obecnie Jasio Szczepiński, pojęcia nie mam I nic mnie to nie obchodzi, dochodzenie w kwestii dwóch trupów w Marriotcie, jak sama słyszałaś, zostanie umorzone, ponieważ prokuratura nie uzna dowodów...

– Jak to?!

Zdenerwowałam się.

– Martusia, to nie policja jest taka strasznie głupia, że żadnego przestępcy nie może złapać. Oni ich mają w małym palcu. Szajki, kradnące samochody, włamywaczy, morderców rozmaitych, handlarzy narkotykami i bronią, mogą ci ich pokazać w każdej chwili. To prokuratury!

Martusia patrzyła na mnie z taką zgrozą, że poczułam się zmuszona wyjaśnić jej jak sołtys krowie na miedzy.

– Pamiętasz, nie tak dawno, przemyt kradzionych samochodów do ruskich? Taki celnik, który ich łapał bezproblemowo, miał do wyboru: poderżnięte gardło, własne i całej rodziny, albo pięćdziesiąt tysięcy złotych. Co byś wybrała? Wszyscy woleli pięćdziesiąt tysięcy i trudno im się dziwić. A teraz jest to samo, z tym że mniej ordynarnie, prokurator będzie miał wypadek samochodowy, córkę jakiś łobuz poderwie, może gaz mu w domu wybuchnie, nie zgadnę wszystkiego. Albo uzna, że dowodów brakuje. Mniejsze szajki, większe szajki... Mamy aferę na wysokim szczeblu, masz pojęcie, ile to stwarza możliwości? Szczególnie że ten tam jakiś, pozbywszy się i Słodkiego Kocia, i Lipczaka, przestraszywszy Grocholskiego, pięknie wyszedł do przodu. Chociaż, z drugiej strony, możliwe, że zadziałał trochę za ostro i zostanie ukrócony, ale to najwyżej zmieni stanowisko i wyleci z jakiegoś biznesu. I tyle.

– Mnie się to nie podoba, wiesz? – skrzywiła się Martusia po chwili z wielkim niesmakiem.

– Mnie też nie.

– No dobrze, a fałszywy Czaruś? Kto to jest? I co z nim będzie?

– Nic.

– Jak to, nic...?

– A co ma być? Przychodzenie z wizytą do jakiejś baby i pogawędka... nawet z dwiema babami... w najmniejszym stopniu nie jest karalna. To co chcesz, żeby z nim było?

– Ale się podszył...!

– A otóż to! – westchnęłam bardzo ponuro, wzruszając ramionami, bo błysnęła we mnie wielka mądrość, coś jakby taki krótki wybuszek, domagający się natychmiastowego ujścia. – Kto powiedział, że się podszył? On sobie tylko zażartował, „Gregory Peck jestem", powiedział, a chacha. A myśmy z nim rozmawiały, bo się nam spodobał, przystojny chłopiec, więc o co biega? Rozmawiać można na tematy dowolne.

– Przecież jesteśmy pełnoletnie! Dwie sztuki świadków...!

– Iiiii tam, takich świadków... We łbach nam się pokiełbasiło, bo może leciałyśmy na niego, a on nas nie chciał, więc teraz mu świnię podkładamy. Zobaczysz, jeśli go spotkasz na ulicy, on ci się nawet nie ukłoni, a jeśli udowodnisz, że z tobą rozmawiał, będzie bardzo przepraszał, jest mu strasznie przykro, ale nie ma pamięci do twarzy...

– Chyba pęknę...!!! – wrzasnęła Martusia.

Zerwała się, chwyciła dwie puszki po piwie, zgniotła je z wściekłą gwałtownością i siłą wbiła do mojego podręcznego kosza na śmieci, i tak już pełnego różnych rzeczy, głównie papierów i tekturowych opakowań. Zawahała się na środku pokoju, popędziła do kuchni, wróciła z nową puszką, w ostatniej chwili powstrzymała się, żeby nie rąbnąć nią w stół, i wreszcie padła z powrotem na kanapę z głośnym i przeciągłym pufnięciem.

– To znaczy, że popełnianie u nas zupełnie dowolnych przestępstw jest idealnie bezkarne, tak? To dlaczego my nie popełniamy?!

Mój wybuszek wielkiej mądrości już się skończył po nagłym pyknięciu, więc nie umiałam jej odpowiedzieć na to pytanie rozsądnie i naukowo. Bo ja wiem, dlaczego? Z głupoty chyba...

– Popełnij jakieś – zaproponowałam. – Zabij po prostu któregoś wroga.

Posępnie unosząca szklankę do ust Martusia zastygła na moment, a potem błysnęła w jej twarzy iskra ożywienia.

– Wrednego Zbinia. Tak. Gdybym tylko znalazła okazję! Bez sekundy wahania, bez śladu wyrzutów sumienia! Ty wiesz, co to bydlę nam robi?!

Nawet gdybym wiedziała, też by mnie poinformowała, bo się z niej ulewało istną kaskadą.

– Nie zdążyłam ci powiedzieć! Dziś rano, oderwałaś mnie telefonem od bluzgania na niego, wstrzymał nam podpisanie kosztorysu! Nina Terentiew wściekła, Tycio zły jak diabli i taki zmięty w sobie, dyrektor anteny z długopisem w ręku tak wyglądał, jakby mu syczało do środka, polecenie przyszło od Wrednego Zbinia, wstrzymać! Nie pytaj mnie, dlaczego! Nikt nie wie! Wszyscy mogą sobie zgadywać do upojenia! Mówiłam, że to pluskwa, gnida, wesz...!!!

– To ja więcej nie piszę – powiedziałam stanowczo.

– Joanna, nie rób mi tego! Nie odrzucone, tylko wstrzymać! Nina Terentiew chyba się zacięła, ona mi pomoże się przebić! Ach, zabić go, jaka by to była przyjemność!!!

Mimo groźby, iż poniecham pisania, przeleciało mi przez myśl, że to by nie było dobrze. Już mi się rysował ten wątek prywatny, Wredny Zbinio piękny, Malwina... czy któraś tam... z miłości lata za nim i śledzi, stąd wychodzą na jaw różne rzeczy... Kogo ona ma śledzić, jeśli Marta Zbinia zabije...?

– Ale mnie by zamknęli – kontynuowała Martusia po chwili grobowym głosem. – Chyba że wymyślisz jakiś sposób, żeby na mnie podejrzenie nie padło, bo bać, to się mnie żaden prokurator nie boi. W ogóle nie znam osobiście ani jednego. A na te jakieś potworne łapówy nie mamy pieniędzy...

– Nic nie wiem o tym kretyńskim Wrednym Zbiniu, dopiero od was pierwszy raz o nim usłyszałam i nawet nie mam pojęcia, kim on w ogóle jest. I nie mów mi tego, bo to bezcelowe, ja i tak nie zapamiętam tych stanowisk służbowych i nie mam zamiaru uczyć się na starość niuansów politycznych. Najwyżej mogłabym się dowiedzieć, gdzie on mieszka i czym jeździ...

– Nie wiem, gdzie on mieszka...

– No to gdzie bywa. W interesach albo prywatnie. W jakiej knajpie żre. Do fryzjera może chodzi... nie, nie musi, fryzjer przyjdzie do niego. Jeździ na jaki urlop albo co...

Rozważanie trybu życia i poczynań Wrednego Zbinia, który obecnie stał się także i moim wrogiem, bo, ostatecznie, żyjąc z pracy, traciłam przez niego ładne parę miesięcy roboty na darmo, zajęło nam trochę czasu. Nie żeby miało to być takie bardzo produktywne, ale sama myśl o usunięciu padalca z tego świata sprawiała przyjemność. Martusi zabrzęczała komórka.

– Dominik – zakomunikowała krótko, wyłączywszy ją po rozmowie, w której brała nikły udział, głównie słuchając drugiej strony. – Zdołowany kompletnie. On już nie chce takiego życia z Wrednym Zbiniem nad głową, Tycia zniesie, wszystko zniesie, Wrednego Zbinia nie i samego siebie też nie. Ma nadzieję, że zaraz przyjadę i ukołyszę go na łonie.

– A gdzie on jest?

– Nie wiem. Nie powiedział wyraźnie, a ja, na wszelki wypadek, wolałam go nie pytać.

Pochwaliłam przezorność. Jeszcze by się złamała i pojechała do niego, chociaż widać już było, że bardzo niechętnie. Jakoś jej ten Dominik mijał.

– Gdzie Bartek? – wyrwało mi się mimo woli.

Martusia rozjaśniła się wyraźnie.

– O, jak ty mnie rozumiesz! – westchnęła z wdzięczną czułością. – Rano pojechał do Krakowa i sam nie wie, kiedy wróci. Jutro albo za dwa dni. Myślałam, że przez ten czas zajmiemy się pracą, bo mam tylko montaż wieczorem...

– Wybij sobie z głowy – zaprotestowałam stanowczo. – Dla telewizji darmo pracować nie będę, szkoda mojego czasu. Teraz już przepadło albo umowa, albo wracam do własnego zawodu!

– Ale masz nogę!

– Do komputera się doczołgam. A pisać mogę, co mi się spodoba. I dzwonić mogę do wszystkich, zbierając informacje zbrodnicze, noga mi w tym nie przeszkadza.

– No dobrze, ale przecież zawsze ze scenariusza możesz zrobić książkę, jeśli nam nie pójdzie, ale ja ci mówię, że pójdzie, nawet gdybym naprawdę musiała zabić Wrednego Zbinia.

Mimo wszystko jednak dałam się namówić. Może tylko dlatego, że pojawiła się szansa zrobić z Wrednego Zbinia wyjątkowo wstrętny czarny charakter...

* * *

Moja kostka u nogi odzyskała zdrowie już po trzech dniach, chociaż tak całkowicie przestała mnie boleć dopiero po dwóch tygodniach. W tajemnicy przed Martusią przerobiłam trzy odcinki serialu, tworząc z najniższej kondygnacji budynku na Woronicza wręcz średniowieczne kazamaty, bo tak wychodziło atrakcyjniej. Przyznawać się do tego nie miałam zamiaru, niech oni sobie nie myślą, że się wygłupiam z pisaniem bez umowy.

Martusia zawiadamiała mnie głównie przez telefon o postępach w negocjacjach, a ściśle biorąc, o ich braku. Jakieś niezrozumiałe zaklopsowanie tam nastąpiło, nikt go nie umiał wyjaśnić, a nawet jeśli ktoś umiał, milczał kamiennie i udawał tępaka. Zdaje się, że ze zdenerwowania cały swój wolny czas dzieliła pomiędzy Bartka i kasyno, z przewagą kasyna, bo Bartek wykańczał jakąś robotę w Krakowie.

Trzynastego dnia mojej kończącej się już nieruchawości zadzwoniła dość wczesnym wieczorem.

– Dobrze, że ja nie lubię słodyczy – powiedziała przyciszonym głosem i bardzo przejęta. – Tu koło bufetu jestem, tego z ciastkami, żeby mnie nie widzieli ze środka, i gdybym te rzeczy lubiła, oszalałabym z łakomstwa, bo wyglądają prześlicznie!

– Ale chyba nie po to dzwonisz, żeby mi powiedzieć, jak wyglądają? Ja wiem, że prześlicznie. Też, chwalić Boga, od nich odwykłam.

– Nie, ale słuchaj! Pamiętasz, Czaruś Piękny pytał mnie o takiego, co siedział koło mnie i poleciał, zostawiając na kredycie całą wygraną. Pamiętasz?

Pamiętałam doskonale i nawet zdążyłam wyrobić sobie pogląd, że był to jeden z tych dwóch, którzy wywlekali Słodkiego Kocia po śmierci, i został wezwany telefonicznie w trybie alarmowym, przez co zaniedbał automat i zwrócił na siebie uwagę. Czas mi się nawet zgadzał.

– Pamiętam. I co?

– I on znów siedzi koło mnie. Myślałam, że go nie rozpoznam, ale coś ma w sobie. W ramionach, w plecach. I znów jest go dużo. To on!

– I co nam z tego? – spytałam z lekkim zniechęceniem.

– Nie wiem. Joanna, rusz się! Może ktoś więcej powinien o nim wiedzieć? Może siedzi i czeka, aż go wezwą do następnego trupa...?

Wynikało z tego, że Martusia ma poglądy podobne.

– I naprawdę uważasz, że wybrali sobie Marriotta na Czerwoną Oberżę...?

– No coś ty! Ale Pałac Kultury...? Co, zły? Słuchaj, ja bym na wszelki wypadek zawiadomiła prawdziwe gliny. Co ty w ogóle jesteś taka niemrawa?

Wzruszyłam ramionami sama do siebie.

– Bo i tak nam nic z tego nie przyjdzie. Do bani takie złoczyństwa, które się rozgrywają gdzieś całkiem poza nami i nawet się człowiek o żadne szczegóły nie dopyta. Ruszyło mnie Słodkim Kociem, bo go znałam prawie osobiście i nawet miałam błysk nadziei, ale już widzę, że to inne płaszczyzny i wszystko obce, i ofiara, i zbrodniarz.

– No i co z tego, do scenariusza przydatne! A ja bym, wyjątkowo, chciała wiedzieć, co zrobią. Zadzwoń do tego Kupstrzyka czy jak mu tam...

Nagle poczułam, że właściwie też bym chciała wiedzieć, co zrobią.

– Wyłącz się. Dzwonię!

Podinspektora Krupitrzaka w miejscu pracy nie zastałam, ale był tam ktoś zorientowany w sprawie, kto bardzo grzecznie podziękował za informację i obiecał ją wykorzystać. Zażądałam uściślenia obietnicy, jak, mianowicie, będą tę informację wykorzystywać? Pojąkał się chwilę, ale wreszcie powiedział, że, być może, ktoś tam przyjedzie, obejrzy go sobie i zadecyduje co dalej. Spytałam na to, po czym zamierza go rozpoznawać i czy zna może osobiście Martusię. Ów zorientowany po drugiej stronie zakłopotał się nieco i wyraźnie było widoczne, że bardzo chce się ode mnie odczepić, ale ciągle zachowywał nieskalaną grzeczność. Dawne złe we mnie wstąpiło i zaproponowałam jadowicie, że, wobec tego, może ja też tam przyjadę, a mnie rozpoznają z pewnością. Ku mojemu zdumieniu rozmówca bardzo się z tej propozycji ucieszył i gorąco zachęcił mnie do jej realizacji.

W rezultacie, całkowicie wbrew pierwotnym zamiarom spędzenia spokojnego wieczoru w domu, po dziesięciu minutach znalazłam się w Marriotcie. Korków po drodze nie było nawet na lekarstwo i wszędzie trafiałam na zielone światło zapewne dlatego, że koniecznie chciałam wykorzystać byle które czerwone, żeby cofnąć o cztery minuty zegar w tablicy rozdzielczej, który się niepotrzebnie śpieszył i ciągle mnie mylił. Nic z tego, dojechałam na miejsce, można powiedzieć, jednym ciągiem.

Martusię przy automacie wypatrzyłam od razu. Obok niej siedział i pukał w przyciski jakiś młody facet, rzeczywiście duży, ale poza tym bez żadnych rzucających się w oczy cech szczególnych. Z drugiej strony tkwił Japończyk, więc żadne pomyłki nie mogły wchodzić w grę. Podeszłam do niej.

– Siedź spokojnie, graj dalej i nie zwracaj na mnie uwagi – wyszeptałam jej do ucha zza pleców.

Martusia drgnęła gwałtownie i puknęła w niewłaściwy guzik.

– O, cholera! Nie zaskakuj mnie tak! Wcale nie chciałam tego dublować!

– Nie patrzę – zapewniłam ją ze skruchą.

Rzeczywiście nie patrzyłam, bo interesowały mnie osoby w wejściu. Powinien tam się znajdować jakiś wysłannik władzy śledczej, goniący za mną chciwym okiem, żeby przeze mnie rozpoznać Martusię, a przez Martusię tego dużego obok...

Dublowania już się nie dało cofnąć. Martusia z determinacją puknęła w cokolwiek.

– Wyszło! – kwiknęła radośnie. – To już zaskakuj mnie, ile chcesz. Pomaga!

Teraz już mogłam spojrzeć, chociaż i tak dźwięki wskazywały, że trafiła. Prawie mi dech odjęło, bo na froncie dostała damę i cudem chyba znalazła za nią króla. Pograło jej dłuższą chwilę, odwróciła się ku mnie na stołku i zapaliła papierosa.

Obie równocześnie łypnęłyśmy spod oka na dużego obok. Grał, nie zwracając na nic żadnej uwagi. Hałas dookoła panował wystarczający, żeby szeptanej rozmowy nikt nie zdołał dosłyszeć.

– No i co? – wyszeptała niecierpliwie Martusia.

– Nie mam pojęcia – odszepnęłam. – Może tam się jakiś plącze w wejściu i ogląda ciebie i jego.

– Mnie po co?

– Żeby wiedzieć, który to on.

– To już chyba wie, nie?

– Chyba wie.

– I co zrobią?

– A skąd ja mam to wiedzieć? Chyba nic.

– Jak to, nic?!

– No nie zakują go przecież w kajdany! Pograj jeszcze, a ja się rozejrzę...

Duży facet obok spojrzał nagle na zegarek, puknął w aut i zaczął wypuszczać swoją wygraną, zwiększając tym hałas. Wydało mi się to podejrzane.

– Ty graj, a ja wyjdę i będę udawała, że gadam w komórkę – wyszeptałam. – Popatrzę, czy on wyjdzie i czy ktoś za nim pójdzie.

Martusia kiwnęła głową i wróciła do gry. Przezornie wyszłam od razu, wygrzebałam z torby komórkę i przytknęłam ją do ucha, jednym okiem wpatrując się w nadzwyczaj apetyczne ciastka, a drugim w częściowo dla mnie widoczne wnętrze kasyna. Dostrzegłam, że facet zlazł ze stołka i udał się w kierunku kasy.

Udając, że patrzę bezmyślnie, co mi zapewne doskonale wychodziło, rozejrzałam się po foyer. Jakiś jeden siedział na fotelu przy stoliku blisko wind i gapił się w przestrzeń, ale tego znałam z widzenia w zasadzie jako gracza, drugi, wyglądający na gościa hotelowego, stał przy balustradzie, patrzył w dół i machał do kogoś rękami. Pan Miecio siedział przy stoliku na bocznej galeryjce, najwyraźniej czekając na klienta, pana Miecia też znałam. Nikogo więcej nie było, nie licząc kilku osób w wejściu na salę, ci jednakże zaliczali się chyba do obsługi.

Uparcie ględząc do wyłączonej komórki, doczekałam upragnionego momentu. Duży facet od Martusi wyszedł spokojnym krokiem, nagle skręcił i w dzikim tempie popędził w dół po schodach.

W foyer nic nie uległo zmianie. Jakiś jeden nadal siedział w swoim fotelu, pan Miecio nadal czekał na klienta, ten przy balustradzie nadal z radosnym uśmiechem machał rękami w kierunku holu na dole. Za facetem nie wyleciał nikt.

Odczepiłam się od komórki, czując rozczarowanie i niepokój. Zlekceważyli nasze informacje? Nie zdążyli przyjechać? Niepotrzebny im w ogóle ten młody byk do uprzątania trupów? To po cholerę nakłonili mnie do przyjazdu, nie mogli powiedzieć wprost, że go znają i nie muszą oglądać i śledzić?

Ten przy balustradzie przestał wreszcie machać, osiągnąwszy widocznie swoje cele, bo uczynił gest aprobaty, z kciukiem do góry, i udał się do wind. Pomyślałam, że w obliczu czterech możliwych dróg opuszczenia tego drugiego piętra, metoda pozornie beztroskiego machania z góry do kogoś na dole, przy wyjściu, byłaby najlepsza i sama bym ją zastosowała. Posądziłabym machającego o przynależność do służb wywiadowczych, bez względu na jego wygląd, gdyby nie to, że wątpiłam w zaangażowanie takiej ilości ludzi do tak nędznego zadania. Młody goryl wydawał mi się średnio ważny, policja powinna w ogóle znać to środowisko, a poza tym, zdążyliby w tak błyskawicznym tempie wszystkich ich porozstawiać we właściwych miejscach...? Chociaż, z drugiej strony, Anita twierdziła, że to młoda kadra, świeży narybek... Postanowiłam być natrętna, zadzwonić do pana majora z nietaktownym pytaniem, ale to już raczej z domu.

Wróciłam do Martusi.

– No i co? – spytała chciwie, przerywając grę i odwracając się ku mnie.

Usiadłam przy automacie, opuszczonym przed chwilą przez naszego podejrzanego.

– Pojęcia nie mam. Albo rozwinęli żywą i skomplikowaną akcję, albo nie zrobili w ogóle nic.

– No wiesz...!

– Mogłam jeszcze, jakoś podstępnie i po kumotersku, dopytać się o jego nazwisko, bo skoro wszyscy tu znają mnie, mam chyba prawo znać przynajmniej niektórych, nie? Ale teraz już za późno, łatwo pokazać faceta palcem, trudniej go opisać. Przepadło.

– To co zrobimy?

– Nic. Jeśli okaże się nam potrzebny w scenariuszu, po prostu wymyślimy go. A, prawda, bez umowy nie piszę!

– Ale myśleć możesz?

– Na tematy uboczne. Teraz, skoro już tu jestem, pomyślę, w co grać...

* * *

– Jesteś jasnowidząca – oznajmiła Martusia z przejęciem, wkraczając w moje progi. – Obie jesteśmy jasnowidzące! Mówiłaś, że masz śledzie...?

Miałam śledzie, owszem, zrobiłam je przed dwoma dniami sposobem z reguły przeze mnie stosowanym, najłatwiejszym pod słońcem, który, nie wiadomo dlaczego, sprawiał, że wychodziły doskonale. Powiedziałam o nich Martusi przez telefon, kiedy jakoś ostrożnie zawiadomiła mnie, że chyba będzie miała niezmiernie ważne informacje i prawdopodobnie przyjdzie z Bartkiem. Zakomunikowała mi to jakoś tak, że nie byłam w stanie odgadnąć, czego owe informacje mogłyby dotyczyć, spraw służbowych czy uczuciowo-prywatnych.

Oprócz śledzi, miałam również wysoce interesujące wieści, ale przez telefon milczałam o nich, bo Martusia rozmawiała tak, jakby jej coś przeszkadzało. Ponadto moje wieści były niepełne, miałam nadzieję na więcej i oczekiwałam dalszego ciągu.

– A gdzie Bartek? – spytałam podejrzliwie, bo weszła sama.

– A nie mogłybyśmy raczej rozmawiać o śledziach? Co tak apetycznie pachnie? Cebulka?

– No pewnie, że cebulka. Wolisz razowy chlebek czy bułeczkę? Pośredniego pieczywa nie mam.

– Razowy chlebek.

Wyjęłam słoik z lodówki.

– Tylko tyle...? – rozczarowała się Martusia.

– Coś ty, mam jeszcze drugi. Troszeczkę większy. Już chcesz, czy może jednak poczekamy na Bartka?

– A po jakim czasie one się zaśmiardną?

No i proszę, słusznie podejrzewałam, że coś tu nie gra. Podjęłam decyzję sama, zostawiłam odłogiem śledzie i zabrałam do pokoju piwo i szklanki. Martusia bez protestu poszła za mną.

– Co za głupotę znowu wywinęłaś? – spytałam surowo, otwierając puszkę.

Martusia z jękiem opadła na kanapę.

– O, już nie mogę nawet myśleć o tym! Porobiło się coś takiego, że on myśli, że ja wróciłam do Dominika, przez tego palanta wszystko, że ja dla Dominika hazard rzucę, a dla niego mowy nie ma, obluzgałam go chyba trochę, bo mnie zdenerwował, wszyscy mnie zdenerwowali!!!

– Jeśli zimne piwo nie zrobi ci dobrze od wnętrza, możesz je sobie wylać na głowę – przyzwoliłam jej zjadliwie.

– Zwariowałaś, nie widzisz, że mam nowe, piękne uczesanie?!

– Piwo dobrze robi także i na włosy...

– Joanna, nie denerwuj mnie!!! I pomyśleć, że był taki temat cudownie pocieszający, a teraz o kant tyłka go potłuc, bo to się wiąże jedno z drugim, istny łańcuch! Kłębowisko łańcuchów!

Dolałam jej piwa, zastanowiłam się i poszłam po zapasową puszkę. Martusia prychała przed siebie, w przestrzeń, jakimś takim kocim sposobem, najwidoczniej pełna uczuć przeraźliwie mieszanych. Chwilami błyskało w niej coś jaśniejszego.

– Powiedziałaś, że jesteśmy jasnowidzące – przypomniałam jej. – Bardzo mnie to zainteresowało. Cośmy takiego nadzwyczajnego zgadły?

Jaśniejsze na twarzy Martusi rozbłysło żywiej.

– To jest właśnie ten pocieszający temat! Słuchaj, coś się dzieje. Ty masz pojęcie, rzeczywiście polecieli grzebać w starych taśmach archiwalnych, straszna tajemnica, o której wszyscy wiedzą i nikt nic nie wie. Wzięli ze sobą Dominika... o, tu już się zaczyna okropne...

– To czekaj, dokończ przedtem pocieszające. Wszyscy wiedzą i co?

– I nikt nic nie wie, mówię przecież. Podobno naprawdę wyłapali jakieś materiały kogoś tam obciążające, podobno znaleźli jakiś stary spis, inwentaryzację, niewprowadzoną do komputera, nie wiadomo nawet, kto tam kiedyś nawalił albo coś ukrył, bardzo straszne wykroczenie. I słuchaj, nie do wiary, ale naprawdę przez tego twojego Słodkiego Ptaszka... Nie, Ptasiego Kotka...

– Słodkiego Kocia Ptaszyńskiego.

– Wszystko jedno. To jest trup wszechstronny! Z tym że nie wiadomo, w kogo rąbnie, nie musi to być ktoś z telewizji, chociaż kto tylko ma jakiegoś wroga, snuje sobie optymistyczne supozycje i z tego się robi jeszcze większy bałagan. Istny pożar burdelu, ale w takim ciaśniutkim zakresie, bo każdy wodą w pysku gulgocze...

– Ale trochę im się wyrywa?

– Inaczej by pękli! Tycio w nerwach, Dominik musi coś podejrzewać, bo histerii dostał, z tego archiwum zmył się jakoś, przyleciał i na pierś mnie upadł jak ta pani Wiśniewska...

– To nie była pani Wiśniewska, tylko pani Simpson – skorygowałam delikatnie. – Edwardowi Ósmemu...

– Co...? A, masz rację... Chodźmy gdzieś i chodźmy gdzieś, wyrwać się z tego piekła, skamlał i żebrał, już go nie miałam sumienia dołować tak ostatecznie, wyskoczyliśmy do baru. I na to, oczywiście, Bartek przyjechał...

Ożywiona już sensacjami Martusia na nowo sklęsła i błyskawicznie wpadła w przygnębienie. Znów ją musiałam zepchnąć z wądołów uczuciowych.

– Czekaj. W jakim sensie na to? Na co? Nie gziłaś się z nim przecież pod stolikiem w barze! Ani na ladzie!

– No coś ty, zwariowałaś! Ale wszyscy wiedzieli, dokąd idziemy, żeby w razie czego był osiągalny, ktoś powiedział Bartkowi, przyleciał tam i musiał koniecznie trafić na chwilę, kiedy Dominik turlał mi się łbem po gorsie i już nie płakał...

Szybko oceniłam sytuację. Ze zrozumieniem i współczuciem kiwnęłam głową.

– No owszem, gdyby płakał, a nawet się smarkał, wypadłoby lepiej.

– No więc sama widzisz! Bartek tylko spojrzał, nic nie powiedział i poszedł, a Dominika z siebie zepchnąć nie mogłam, trzymał się mnie jak topielec, w dodatku musiałam zapłacić za jego wódkę i moje piwo, bo nie wziął portfela. Nawet gdybym uciekła, musiałabym tam wrócić. Dogoniłam go...

– Bartka?

– Bartka. Tylko dzięki temu, że go ktoś zastawił i nie mógł samochodem wyjechać. Powiedziałam mu parę słów i teraz mi się wydaje, że chyba niewłaściwych...

Co do tego, nie miałam najmniejszych wątpliwości.

– A on?

– A on właśnie podjął postanowienie, że nie będzie mi się narzucał i służył jako element zastępczy, jak nie mam Dominika, i rozumie nawet, że dla Dominika hazard ograniczę, a dla niego nie. W dodatku, skąd ja miałam wiedzieć, że dzisiaj takie klocki wyskoczą, wczoraj mu bez żalu pozwoliłam usiąść do roboty, chociaż dopiero co z Krakowa wrócił, bo mnie korciło. Ten automat w kącie, wiesz...

O tak, wiedziałam bardzo dobrze!

– Że też mężczyźni nie potrafią zrozumieć najprostszych rzeczy – powiedziałam z niesmakiem i niezadowoleniem. – A od kobiet wymagają, żeby rozumiały wszystko, nawet erotomanię i homoseksualizm...

– Prawda! – ożywiła się Martusia gwałtownie. – No i popatrz! Czy oni nie są ograniczeni?

– Być, to są, bez wątpienia. Ale jakieś zalety mają, więc trzeba ich po prostu odpowiednio traktować. Automat w kącie, ostatecznie, nie zając...

– Ale Bartek miał robotę!

– Ale chciał, żebyś go namówiła, żeby do niej troszeczkę później usiadł...

– Ale mnie znów rozdzierało... Ale nie do Dominika przecież! Ten Dominik to był ostatni gwóźdź do trumny!

Zakłopotałam się.

– A zamieszanie u was Bartek w ogóle zauważył? Ktoś mu tam coś powiedział, że jest afera i tak dalej?

– Chyba tak... Mówili, że tak... No oczywiście, że tak, bo po cholerę bym leciała Dominika z otchłani wyciągać!

– Powinien coś myśleć... Ale oni nie myślą. A nawet jeśli, to głupio. I na czym w końcu stanęło?

– Na awanturze. I wcale nie wiem, czy on tu przyjdzie. Nie jestem pewna, czy nie byliśmy jakoś inaczej umówieni, że się spotkamy i przyjdziemy razem...

Zastanowiłam się, czy nie należałoby otworzyć tych śledzi wyłącznie po to, żeby zauroczyć. Jeśli będziemy czekać, Bartek się nie pojawi, jeśli je napoczniemy, powinien przylecieć. I, oczywiście, obrazić się, że nie czekałyśmy na niego... Nie, to nie Bartek, obrazić się mógłby tylko drobiazgowy, przesadnie drażliwy, nadęty własną ważnością debil. Znałam takiego. Bartek tych akurat wad nie posiadał w najmniejszym stopniu, co powinno stanowić pociechę.

Byłabym od razu zwróciła na to Martusi uwagę, ale zadzwonił telefon, na który miałam nadzieję. Odezwał się w nim Witek.

– Wpadnę za jakie dwie godziny, co? Mam takie wiadomości, że chyba się ucieszysz.

– Wpadnij, wpadnij – zachęciłam go gorliwie. – Dostaniesz śledzia...

Oczekiwane informacje wypchnęły mi z głowy turbulencje uczuciowe. Powiadomiłam Martusię, że chyba nam się coś rozwikła i cofnęłam się do wątku pierwotnego. Znaleźli w końcu w tym archiwum jakieś sensowne materiały czy nie?

Tego Martusia nie wiedziała i odniosła wrażenie, że nikt nie wiedział, a Dominik, nawet jeśli się domyślał, do rzeczowej rozmowy nie nadawał się kompletnie. Poza tym, po ostatniej scenie, zapałała do niego żywą niechęcią i zarzekła się na wszystko, że inaczej jak służbowo słowa jednego z nim nie zamieni. Niech się turla łbem, gdzie chce, ale już nie po jej klatce piersiowej.

Czekałam na jeszcze co najmniej dwa telefony, zamierzając wyjawić Martusi wszystko hurtem, jak już się więcej wyklaruje, ale nie wytrzymałam.

– Ty się oderwij na chwilę od tych doznań prywatnych, bo ja też coś wiem – zaczęłam i w tym momencie znów zadzwonił telefon.

– Jest tam u ciebie Marta? – spytał Bartek.

– Jest. A ty gdzie w ogóle jesteś? Też miałeś być!

Jako pani domu, takie pytanie miałam prawo zadać, szczególnie w obliczu śledzi. Mogłam się nawet czuć urażona spóźnieniem przewidzianego gościa. Zdążyłam pomyśleć, że jeśli znajduje się właśnie w drodze do Krakowa, zdenerwuję się poważnie i zrobię mu coś złego. Zerwę umowę na rysunki do książki...

– No więc właśnie, ja się tak waham – powiedział Bartek niepewnie. – Może ona nie chce mnie widzieć...

– Ale ja chcę!

– ...a nie będę z nią rozmawiał, bo zaraz mi zrobi awanturę. No dobrze, to przyjeżdżam...

Martusia patrzyła na mnie wzrokiem, który wyrażał strasznie dużo i nawet nie było szans, że ilość przejdzie tu w jakość, bo zbyt potężne kłębowisko tematów kłóciło się ze sobą nawzajem. W każdym razie nie miała najmniejszych wątpliwości, że dzwonił Bartek.

– I co...?

– Zaraz przyjeżdża. Jak go znam, myślę, że za godzinę już będzie. Jeśli przyjedzie wcześniej, znaczy to, że kocha cię do szaleństwa.

– Cha, cha – odparła Martusia, zamierzając uczynić to drwiąco i sceptycznie, ale głos się jej po drodze załamał.

Bartek przyjechał po kwadransie i każdej z nas przyniósł różę. Znajomość życia kazała mi wysoko ocenić jego talenty dyplomatyczne. Nie mógł jej przepraszać za jej własne winy, jakoś jednakże chciał okazać, że chyba przesadził w reakcjach, zarazem za nic w świecie nie zamierzał jej dyskredytować i obrażać, przynosząc różę tylko mnie. Tylko jej, też niedobrze, zatem pozostawało obdarzyć obie damy, zachowując się jak prawdziwy dżentelmen, co jeszcze do niczego nie zobowiązywało. Prosta grzeczność. Okazałam się szalenie przydatna.

– Jazda, do pokoju! – rozkazałam wytwornie jak prawdziwa dama. – Głupotę zrobiliście obydwoje, tłumaczcie sobie sami. Idę po śledzie.

Spędziłam w kuchni dostatecznie dużo czasu, żeby mogli wyjaśnić sobie, co tylko chcieli, i nawet nie przez uprzejmość to uczyniłam, a przez tłustość śledzi. Oliwa z nich rozmazywała się wszędzie, ponadto nie miałam najmniejszej ochoty zapychać sobie zlewozmywaka monstrualnym zmywaniem, znalazłam zatem styropianowe tacki, przechowywane specjalnie w takich celach, potem musiałam pokroić chleb, potem wygrzebać sztućce, przewidziawszy także i Witka, potem, na wszelki wypadek, znalazłam dwie małpki czystej i kilka kieliszków, potem wyciągnęłam tacę, żeby z tym wszystkim pięć razy nie latać i zrzuciłam nią papierowe ściereczki kuchenne, zawieszone na drążku, potem z powrotem powiesiłam ściereczki, potem pomyślałam o gorącej herbacie, dolałam wody do czajnika i pstryknęłam nim, wreszcie znalazłam masło, którego nijak nie mogłam doszukać się w lodówce, ponieważ stało na wierzchu. Razowy chleb lubi masło.

Kiedy z całym nabojem wkroczyłam do pokoju, Martusia z Bartkiem robili wrażenie pokłóconych na nowo, ale na jakiś inny temat. Wydało mi się, że mniej niebezpieczny. Apetytu im to, w każdym razie, nie odebrało.

– On miał pretekst, żeby tu przyjść, bo inaczej dłużej by dręczył i siebie, i mnie – oznajmiła Martusia nieco kąśliwie, ale jakby z czułością.

– Kto kogo...? – wyrwało się Bartkowi.

– Jaki pretekst? – spytałam równocześnie, dzięki czemu nie zdołali pokłócić się na nowo.

Bartek zastanawiał się przez chwilę.

– Mam wrażenie, że się przypadkiem czegoś dowiedziałem – oznajmił. – Nie, z telewizją to nie ma nic wspólnego. Mój sponsor... no, taki jeden... Zły jest jak diabli, bo chyba przez te zbrodnie jakaś forsa mu przepadła, i zamierza trzymać rękę na pulsie. Ogólnie on uważa, że prokuratura wszystko zatuszuje, żeby przypadkiem nie dotrzeć do źródła, to znaczy do inspiratora czy zleceniodawcy, ponieważ siedzi w tym ktoś z generalnej.

– Masz na myśli: z Prokuratury Generalnej?

– To on ma tak na myśli – sprostował Bartek. – Sądząc z tego, co się dzieje w przestępczości, prawdopodobnie ma rację, w każdym razie osobiście nie zamierza popuścić. Potwierdza wszystko o tym Lipczaku i Kubiaku. On też sroce spod ogona nie wyleciał, więc jakieś zamieszanie w górnych sferach będzie. Nawet już chyba jest, tylko my tego nie widzimy.

– Szkoda, że tyle samo wiesz, ile my się domyślamy – westchnęłam. – Myślałam, że rzucisz jakieś konkretne kalumnie na konkretne osoby, przy czym prokurator generalny albo prezes sądu najwyższego, albo minister spraw wewnętrznych, albo... kto tam jeszcze...? ...bardzo by mi pasowali. Bo niemożliwe, żeby taki prokurator generalny nie wiedział, co się dzieje w tych wszystkich prokuraturach poniższych, żeby nie czytał prasy, nie oglądał telewizji, nie rozmawiał z ludźmi... I co? Jak reaguje?

– Otóż to – przyświadczył Bartek z przekonaniem.

– Mnie się wydawało, że odmówiłaś zajmowania się polityką? – wtrąciła Martusia słodkim głosikiem.

Oburzyłam się.

– A czy ja zamierzam napisać o tym w scenariuszu bodaj jedno słowo? Ale skoro głupi trup włazi mi na głowę...! W naturze. I jeszcze do tego rozmaite dupki żołędne pchają się przed oczy...

W tym momencie w domofonie zabrzęczał Witek, co z niezrozumiałych powodów przestawiło mi umysł na inny temat.

– A ty nie pleć tych bredni – kontynuowałam, idąc ku drzwiom – Bo owszem, pretekst może mu i był potrzebny, ale sama się o to postarałaś. Mnie by też zdenerwowało, gdybym zobaczyła, jak ci Dominik wyje na gorsie!

Otworzyłam drzwi i wróciłam do pokoju, nie przerywając przemówienia, z tym że teraz zwracałam się do Bartka.

– A ty też dobry jesteś, prawdziwy mężczyzna, cholera, spojrzy, nadmie się i zadem do frontu odwróci, zamiast jak człowiek wyjaśnić sprawę. Co to ma znaczyć, kompleks niższości cię znienacka opętał?! Ja wam źle nie życzę, ale niechby tak jaka Dulcynea w twojej pracowni w histeryczną rozpacz wpadła, dom jej się spalił, gach ją rzucił z czworgiem dzieci, wszystko jedno, z litości byś ją po łopatkach klepał i na to by ci Marta wlazła. I co? Też byś chciał, żeby wzięła tyłek w troki i wybiegła, na śmierć obrażona? Jakiś umiar, do diabła, trzeba czasem zachować!

– Popieram – powiedział Witek, stając w progu – chociaż nie mam pojęcia, o czym mówicie. Jak usiądę, to dasz mi kawy?

– Kawy, do śledzia...? – zdziwiła się Martusia.

– Ja to będę jadł oddzielnie, a nie razem...

– A jeszcze kawałek chleba masz? – spytał niepewnie Bartek.

– I piwo...? – podchwyciła Martusia. – Bo ja nie chcę wódki.

Dość szybko udało mi się opanować żywioły spożywcze i można było przystąpić do dalszego ciągu konferencji, nie wiadomo, służbowej czy prywatnej.

Witek nie ukrywał swojej wiedzy, zdobytej bez wątpienia pokątnie, metodą trzeźwego szeptania na ucho, względnie słuchania zwierzeń, mamrotanych po pijanemu. Konfrontacja jednego z drugim dawała najlepsze rezultaty.

Wszystkie trzy sprawy, Słodkiego Kocia, Lipczaka-Trupskiego i pożar na Bluszczańskiej, załatwił Paścik osobiście, o czym wszyscy wiedzą. Policja też. Prokuratura nie wystąpiła z aktem oskarżenia, twierdząc, że akta są niekompletne i brakuje niezbitych dowodów. Paścika owszem, przesłuchano, trzech szacownych obywateli zaświadczyło, że w chwili strzelania do Słodkiego Kocia znajdował się w ręcznej myjni samochodowej na Mokotowie, gdzie najpierw bardzo długo czekał, bo nie był umówiony, potem bardzo długo był myty, bo zażądał podwójnego woskowania, a potem jeszcze bardzo długo rozmawiał z jakimś znajomym, siedząc w lśniąco czystym samochodzie. Razem trwało to około półtorej godziny. W czasie pożaru natomiast przebywał w ogrodzie zoologicznym, czego żadna siła ludzka nie podważy, bo przy małpach odbył rzeczową i pouczającą pogawędkę z jednym takim z Ministerstwa Handlu Zagranicznego, a jeden taki, oczywiście, to potwierdził.

Fakt, że oglądałam go na własne oczy, a także widoczny był, jak byk, na pożarowych kasetach, nie miał żadnego znaczenia. Kto powiedział, że na kasetach plącze się Paścik? Jakiś podobny do niego, z kitką i z wąsami, on zaś ani kitki, ani wąsów nie nosi. Numer samochodu też do niczego, ja jedna go zauważyłam i mogłam się pomylić. Paścik tkwił przy małpach i koniec.

– A Trupski? – spytała Martusia z irytacją i zgrozą. – Sam się udusił?

– Sam – potwierdził Witek ku naszemu śmiertelnemu zdumieniu i dołożył sobie śledzia. – Tak się nieszczęśliwie zaplątał w sznur od zasłony, bo pijany był. Tragiczny wypadek. Przypadkiem akurat dokładnie wiem, że w izbie wytrzeźwień strasznie gwałtownie szukali jakiejś moczymordy z odpowiednią grupą krwi, żeby wynik badania dołączyć do jego akt i ubaw mieli po dziurki w nosie, bo właśnie żadnego takiego nie było. Już myśleli, że po znajomych byłych klientach zaczną latać, ale wreszcie się jeden przytrafił. Tak go pokochali, że policzyli mu pół ceny.

– Państwo prawa! – westchnął filozoficznie Bartek.

– Nie mów takich dziwnych słów, których nikt nie rozumie! – zgromiła go Martusia.

– A w ogóle, to ten cały Ptaszyński wcale nie zginął w hotelu, tylko go zwyczajnie jakieś bandziory rąbnęły w tej piwnicy i cześć – uzupełnił jeszcze Witek.

– No to ja też wam powiem – wtrąciłam szybko swoje, zanim Martusia z Bartkiem zdążyli zareagować na rewelacje Witka. – Młody goryl z Marriotta również jest policji doskonale znany, chociaż oficjalnie nic mu przyczepić nie można. Przeszedł cichutko spod ręki Słodkiego Kocia do nowego przedsiębiorstwa, widząc w nim jaśniejszą przyszłość. Też wiem to poufnie i zwierzono mi się w rozgoryczeniu. Jedyny fakt pocieszający to ten, że doprowadził do wysokiego dostojnika, ale z jakiej instytucji, pojęcia nie mam, który dotychczas był tylko podejrzany. Teraz już wiadomo, że słusznie.

– To jednak ten mój ma rację – wpadł mi w słowo Bartek. – Jest rzeczą zupełnie niemożliwą, żeby takie machloje rozgrywały się na dole, a góra nic o nich nie wiedziała. Komuś na tym bajzlu cholernie zależy.

– To zawodowcy – powiedział Witek pobłażliwie. – Większe mafie czy mniejsze, mają wspólny interes i niech im nikt nie przeszkadza, tak sobie życzą. A kto tam miałby coś do gadania, to proszę bardzo, w jednej rączce kopyto, w drugiej taki grubszy plik zielonych i mogą wybierać.

– Mam wrażenie, że już wybrali? – zauważyła grzecznie Martusia. – I czy w ogóle musimy się nimi zajmować?

Wręcz się zgorszyłam.

– No coś ty...? Zajmujemy się wyłącznie przez zwykłą ludzką ciekawość oraz w celu ustalenia realiów...

– Żeby się na nich opierać...?!!!

– Zwariowałaś! Żeby wiedzieć, co należy ominąć. Na realiach niech się Wójcik opiera, ten od „Ekstradycji", a i tak cała „Ekstradycja" to w chwili obecnej istny raj i z czułym uśmiechem na ustach można ją oglądać. Gdybyś nie chciała trupa...

– Ja chciałam trupa?! To ty chciałaś, nie ja!

– Wszystko jedno. Ja jestem kryminalistka i trup był niezbędny, i sama widzisz, jak dodaje akcji rumieńców. I skąd wiesz, czy seriali wenezuelskich ktoś nie kupuje pod pistoletem?!

– Ja bym nie kupił nawet pod plutonem egzekucyjnym – stwierdził Witek i zreflektował się nagle. – No nie, pod plutonem egzekucyjnym kupiłbym wszystko. Ale potem coś bym jednak próbował zrobić.

– Byli tacy, co próbowali, i wszystkich spotykały nieszczęśliwe wypadki – przypomniał Bartek.

Poszłam do kuchni po nowe piwo, bo konwersacja zjechała nam na ślepe tory. W dodatku Martusia od początku zabroniła mi oczerniać przesadnie telewizję, ja sama zaś uparcie zamierzałam unikać polityki, razem wziąwszy zatem trup Słodkiego Kocia robił się nie do zniesienia uciążliwy. Co gorsza, z informacjami jeszcze nie skończyłam, ale obrzydzenie już mnie do nich brało i musiałam się przemóc.

– No dobrze, poufnie domyślam się jeszcze jednego – powiedziałam niechętnie, stawiając puszki na stole. – Ten sejf Grocholskiego otworzyli, Grocholski, proszę bardzo, udostępnił. I nic w nim nie było.

Tamci troje patrzyli na mnie przez chwilę.

– Jak to, nic? – zdziwił się Bartek. – Miały być kasety...? A, nie, przepraszam, kasety to chyba wasz wymysł?

– Dla nas to dobrze czy źle? – spytała Martusia z troską.

– Dla nas to wszystko jedno, bo możemy mu tam wetknąć nawet żywą kobrę, ale dla niektórych... No, wiesz, dla jednych okropnie, dla drugich doskonale, a dla glin nieprzyjemność.

– Miał sejf i całkiem pusty? – spytał niedowierzająco Witek.

– Skąd tam pusty! Z pieniędzmi, precjozami małżonki, dokumentami i tak dalej, umowy różne, upoważnienia, jak normalny radca prawny, ale nic kompromitującego, wszystko legalne. Byłby zresztą idiotą, gdyby te materiały niebezpieczne dla otoczenia trzymał w sejfie, to już lepiej w szafie pod halkami żony. Każdy włamywacz w pierwszej kolejności leci do sejfu, a Grocholski nie kretyn.

– Ale my możemy zrobić z niego kretyna? – upewniła się niespokojnie Martusia.

– Bez trudu. I zrobimy. Tylko trzeba będzie uzasadnić... A, prawda, ja bez umowy nie piszę!

Rozważania, o ile tak można określić równoczesne krzyki czterech osób na temat słuszności mojego postanowienia, przerwał nam telefon. Domowy, nie komórka. Odezwała się w nim Anita, na którą właśnie miałam jeszcze nadzieję. Czym prędzej przytknęłam w głośnik i rozległa się w całym pokoju, dzięki czemu tamci troje zamilkli w pół słowa.

– To już chyba wszystko wiesz? – powiedziała beztrosko. – Ja się tu trochę postarałam i też wiem. Sprawcy nie znajdą, ale parę osób tam u was poleci. To znaczy, chciałam powiedzieć, zmieni stanowiska. Mam nadzieję, że nie masz obsesji na tle podsłuchu telefonicznego, tak jak niegdyś Alicja?

– Oszalałaś! – zaprotestowałam z rozgoryczeniem. – W tamtych czasach mogło to mieć nawet jakiś sens, ale przecież nie dziś! Wszyscy spokojnie mówią wszystko publicznie!

– No owszem, zauważyłam ostatnio. Zdaje się, że można umieścić w prasie ogłoszenie: „Zabójca na zamówienie poleca swoje usługi, nazwisko, adres, telefon, godziny przyjęć"... I nic mu nie zrobią?

– Nic, zgadza się. Mógł sobie tak zażartować.

– A swoją drogą normalna policja by go obstawiła. Na wszelki wypadek. Wasza chyba też?

– Nie. Nasza nie. Za mało mają ludzi.

– Rozumiem. A ci, których mają, zajęci są łapaniem na prostej szosie kierowców, przekraczających czterdzieści na godzinę. Albo ochroną dostojników państwowych i co bogatszych przestępców. Albo coś w tym rodzaju.

– Albo siedzą gdzieś i płaczą, bo ich zmuszono do utopienia w Wiśle dowodów rzeczowych, względnie zabrano im te dowody rzeczowe i głupkowata sprzątaczka w prokuraturze przez pomyłkę wrzuciła je do kanalizacji.

– Chyba wolę mieszkać w Danii – stwierdziła Anita marginesowo. – Ale ty, oczywiście, pamiętałaś nazwisko Jasia?

– Jasne. I podałam im.

– No więc mogę ci powiedzieć, że to nie on.

– Co nie on?

– To nie on tak się bał Ptaszyńskiego i wcale nie kazał go zabijać. On robi całkiem inne świństwa, a w mokrą robotę nie wdałby się za skarby świata, bo jest tchórzliwy jak... czekaj, skunks! Zgadza się, spłoszony skunks okropnym smrodem pluje, Jasio też. Ściśle: pluł, ale nie sądzę, żeby się zmienił, szczególnie że teraz ma dużo do stracenia. Inspiratorem tych zmian personalnych w legalnym gangu był ktoś inny, taki jeden, ale już ci mówiłam, mam kilka kandydatur i do ostatecznej prawdy nie doszłam. Nie wiem, który to z nich.

– Po prostu cudownie – pochwaliłam sarkastycznie. – A jak się...

– Czekaj, bo ja mam więcej – przerwała mi Anita z wyraźną uciechą. – Coś tam się kluje niezwykłego, podobno był u ciebie fałszywy policjant?

W żaden sposób nie mogłam sobie przypomnieć, czy jej o tym mówiłam. Nie, chyba nie...

– Był. Skąd wiesz?

– Z zakulisowych źródeł. Niektórzy dziennikarze też dosyć dużo wiedzą, ci bardziej operatywni. Mam wrażenie, że Tyrmand się kłania.

– Mów wyraźnie i bez metafor, bo za dużo już tu mam do zgadywania i umysł mi się buntuje.

– Cezary Błoński, podobno ci się przedstawił? Taki on Cezary i taki Błoński jak ja Kleopatra, różnie się nazywa, a jak naprawdę, nikt nie wie. Powstaje nowa antyszajka, tak słyszałam, sama przeciwko światu, boją się jej śmiertelnie wszyscy, a najbardziej wymiar sprawiedliwości. Gliny są naciskane, żeby ich rozszyfrować, bo podobno chcą jednym kopem ujawnić wszystkie świństwa i spowodować generalną rewolucję polityczną, rząd, sejm i cała reszta. Chciałaś wyraźnie, więc mówię wyraźnie, ale za prawdziwość informacji nie gwarantuję, strasznie to wszystko mgliste i niepewne.

– Byłoby w ogóle zbyt piękne, żeby mogło być prawdziwe! – westchnęłam smętnie.

– Młodzież ma w sobie dużo życia – pocieszyła mnie Anita. – To chyba wszystko, więcej nie wiem. Sensacyjne szczegóły, mam nadzieję, usłyszę od ciebie przy okazji...

– Czekaj, zaraz! Czy możesz mi uprzejmie powiedzieć, jak się obecnie nazywa ten twój eks-były-pierwszy?

Anita milczała strasznie długo.

– No? – pogoniłam ją podejrzliwie. – Z ciekawości pytam.

– Właśnie się zastanawiam, czy mam to wiedzieć, czy nie. Kto tam jest u ciebie? Bo przecież słyszę, że rozmawiasz przez głośnik.

– Martusia, Bartek i Witek. Same prywatne osoby. Nie znasz ich osobiście.

– Mogą to być nawet same anioły... pozdrów ich serdecznie... ale wolę, żebyś ten głośnik wyłączyła.

Wyłączyłam. Anita zastanawiała się już krótko.

– No dobrze. Teraz się nazywa tak dość międzynarodowo. Matte. Przez dwa te. Takie nazwisko sobie wybrał.

– A imię? Zostawił?

– Tego nie wiem. Podobno nie. A w ogóle, jakby co, ja nic nie powiedziałam i wcale nie znam jego nazwiska. Szczerze mówiąc, też ci je podaję z ciekawości, co z tego wyniknie. Trzymaj się jakoś!

Odłożyłam słuchawkę i obejrzałam się.

– Słyszeliście wszystko...

– Z wyjątkiem ostatniego zdania – wytknęła żywo Martusia. – I co? Powiedziała ci?

– Powiedziała.

– I co?

– Nie znam takiego. W życiu o nim nie słyszałam. Ale rozumiem, że Jaś Szczepiński miał dosyć komplikacji z nazwiskiem za każdym pobytem w Europie, więc sobie ułatwił. Teraz się nazywa Matte.

Martusia wylała na siebie pół szklanki piwa, a Bartek zastygł z zapaloną zapalniczką przed nosem, wpatrzony we mnie zdumionym spojrzeniem. Witek nie doznał żadnych emocji, przyglądał się im z zainteresowaniem. Zaciekawiłam się również.

– A co? Słyszeliście coś takiego?

– Na litość boską...!!! – wyjęczała Martusia jakimś dziwnym głosem, złapawszy oddech, kiedy Bartek już rzucił zapalniczkę i łupnął ją w plecy. – To niemożliwe...!!!

– Bo co? – zniecierpliwiłam się. – Kto to taki?

– Wredny Zbinio...!!!

* * *

– Przez ciebie złapałem złodziei samochodowych – powiedział do mnie Bartek, przestawiając na mojej ławie w przedpokoju kartony z winem, co było pracą dla mnie samej stanowczo zbyt ciężką. – Tych zawodowców. Ale trochę źle ich złapałem. Już? Tak może stać?

Mogło, oczywiście. Chodziło mi tylko o to, żeby wydostać szampana, który znajdował się na samym spodzie, a na wszelki wypadek wolałam mieć do niego dostęp. Dwie butelki z wierzchu już rano wetknęłam do lodówki, przyszło mi jednakże na myśl, że lepiej postarać się o zapas. Nie wiadomo, ile osób trzeba będzie obsłużyć.

– Może, zostaw, już mam co trzeba – odpowiedziałam Bartkowi dość gwałtownie. – Czego mnie denerwujesz w takim głupim momencie? Jak złapałeś? Dlaczego przeze mnie?!

– Tak ściśle biorąc, przez twoje parówki w sosie.

To już wydało mi się zbyt sensacyjne.

– Mówisz rzeczy nie do zniesienia! Trzecią butelkę...! Dawaj to, z tego pudła z wierzchu, jeszcze się zmieści i będzie z głowy. Weź piwo...! Ja muszę usiąść, żeby tego słuchać!

Sytuacja w ogóle była nader skomplikowana. Do kotłowaniny z szampanem zmusiła mnie Martusia, dzwoniąc o wczesnym poranku i zapowiadając, że nawet ona będzie piła szampana, chociaż go bardzo nie lubi, bo nastąpiły wydarzenia wstrząsające. Wredny Zbinio znikł z horyzontu...!

Tożsamość Wrednego Zbinia uzgodniłyśmy za pomocą dokładnego rysopisu, bo Anita nie podała wszak jego obecnego imienia. Jak wyglądał przed laty Jasio Szczepiński, pamiętałam dosyć dokładnie, mógł się oczywiście zmienić przez blisko czterdzieści lat, pomiędzy dwudziestoletnim chłopakiem, a prawie sześćdziesięcioletnim facetem w sile wieku mogły zaistnieć różnice, ale operacji plastycznej nosa chyba sobie nie zrobił, wzrostu nie dodał ani nie ujął, szczęka, choćby i sztuczna, też mu została, a brodaty i wąsaty, jak się okazało, ciągle nie był. Wredny Zbinio, jak w pysk dał!

Trzęsąc się ze zdenerwowania, Martusia zaraz nazajutrz pojechała do miejsca pracy sprawdzać, co tylko się da, i zasięgać informacji, dzisiejszy komunikat o szampanie zaś pozwalał mniemać, że nie doznała rozczarowania. Nie chciała mówić dokładnie, zresztą miałam wrażenie, że nie była do tego zdolna, ale zapowiedziała sukces niebotyczny, wizytę paru osób i bezwzględną potrzebę szampana. Także Bartka, który przyjedzie do mnie wcześniej i mam pilnować, żeby nigdzie nie poszedł i potem się nie spóźnił. Zarazem miałam w dniu dzisiejszym umówionego mojego plenipotenta i rozmowy służbowe, a może nawet podpisanie jakichś umów, możliwe, że także z Bartkiem. Jeszcze mi do tego brakowało złodziei samochodowych!

– Siadaj jak człowiek i mów! – zażądałam gniewnie, już w pokoju.

Bartek usiadł posłusznie i chyba nawet chętnie, po zajęciu, jakiemu się przez ostatni kwadrans oddawał.

– Ten sos z twoich parówek kapnął mi na spodnie – wyjaśnił smętnie. – Bardzo dobre były, ale ten sos jakiś wydajny. Wcale tego nie zauważyłem. Pojechałem na takie spotkanie, no, bardzo ważne, późno dosyć, w tych spodniach, już byłem w środku, a tam, wiesz, prasa, telewizja... taka to była dosyć ważna rozmowa. Dziesięć minut czekałem i dopiero wtedy zobaczyłem ten sos. Wyniosło mnie stamtąd, musiałem się przebrać i wyobraź sobie, w tym momencie mój samochód na lorę wciągali! Jasne, że zrobiłem wielkie zamieszanie, policja i tak dalej, ale przez te spodnie nie mogłem czekać, w rezultacie policja przyjechała za późno.

– A złodzieje co?

– Nic. Zepchnęli mój wóz z platformy i nie było dowodu. Gliniarze się tam z nimi kotłowali, a ja odjechałem, bo musiałem zmienić te cholerne spodnie i jeszcze zdążyć na rozmowę. Gdybym ich nie musiał zmienić, ukradliby mi samochód, wygodnie stał... Tyle mojego, że zapisałem ich numer rejestracyjny, pewnie fałszywy, niczego nie dopilnowałem, a za to potem taki byłem zdenerwowany, że przyjąłem zlecenie, no owszem, korzystne, ale olbrzymie. Można powiedzieć, że bezwiednie... I pilne. Więc chciałem cię poprosić, żebyście pisały trochę wolniej...

– O Jezu – powiedziałam beznadziejnie, bo żaden inny komentarz nie przyszedł mi do głowy.

– Rozumiesz, wolałbym to odwalić, zanim trzeba będzie brać się za dekoracje...

Mój umysł niechętnie podjął pracę.

– Marta już o tym wie?

– Nie. Jeszcze nie. Nie miałem odwagi do tej pory tego jej powiedzieć.

– A dzisiaj...?

– Dzisiaj, zdaje się, że ona będzie w takiej euforii, że pogodzi się ze wszystkim. Tak mi się wydaje. Zabroniła mówić cokolwiek, żeby nie zauroczyć. Ale jednak wszystko przez ten twój sos...

I pomyśleć, że tak rzadko przyrządzam sosy...!

Zakłopotana trochę, niepewna i pełna nieufności zawodowej, nie bardzo wiedziałam, co robić. No, oczywiście, robić nic, to znaczy nic nie robić, uporządkować to coś tam pod ciemieniem, żeby mi chociaż gramatyka nie nawalała, ale nic poza tym, bo przecież przyjęcia nie urządzam. Szampan, proszę bardzo, serek pokroiłam, krakersiki stoją, zagrycha gotowa. Śledzie, chwalić Boga, wyszły...

– Czy ty byś nie mogła jakoś jej wytłumaczyć, że mi na niej cholernie zależy? – spytał nagle Bartek złym głosem. – Mnie się wydaje, że ona w to nie wierzy? Obsesję ma jakąś czy jak?

– Nie obsesję, tylko osobowość – wystrzeliło ze mnie, zanim zdążyłam pomyśleć. – Też na o, ale co innego. I ja akurat rozumiem to doskonale, człowiek chciałby... dobrze, dobrze, kobieta. Szafy nie przyniesie, ale mimo wszystko też człowiek...

– Co tu ma do rzeczy szafa? – zdumiał się podejrzliwie Bartek.

– O mój Boże, ta młodzież teraz taka niedouczona... To jeszcze przedwojenne. Sam się zastanów, ktoś mówi: przyjdzie człowiek i przyniesie szafę. I co, możesz się spodziewać kobiety?

Po bardzo krótkim namyśle Bartek przyznał mi rację. Nie, kobieta i szafa nie kojarzyły się ze sobą w najmniejszym stopniu. W każdym razie w kwestii noszenia, bo jeśli idzie o zawartość...

– No więc dobrze, kobieta – podjęłam niecierpliwie – chciałaby pozostać przy własnych cechach, o ile je posiada. Własnych upodobaniach, własnej pracy, własnych planach życiowych, własnym charakterze i tak dalej, bez konieczności udeptywania samej siebie dla faceta. Kochać faceta z wzajemnością i pozostać sobą. Nie wszystkie są takie, ale ona owszem. Jeśli ci to pomoże, to ja też. I ona się panicznie boi, że będziesz chciał ją przerabiać na swoje kopyto...

– Jak Dominik?

– Dominika wyrzuć z pamięci. Odczep się od Dominika. Każdy ma prawo do chwilowego błędu życiowego, ty co, tobie się pomyłka nie przytrafiła? Dominik się nie liczy, ale owszem, mógł umocnić ten lęk. Od razu ci zresztą powiem, że ona nawet o tym nie wie, to ja jestem taka upiornie mądra, bo mam doświadczenie i patrzę z boku. A powiedzmy sobie szczerze, nie każdy i nie wszystko zniesie.

– Ja nie mam nic przeciwko jej szmerglom! – zaprotestował Bartek energicznie. – Niech sobie gra w kasynie, ile jej się podoba! Na wyścigach też. Sam z przyjemnością zagram czasem w pokera albo w brydża! Ale tu ma pracę, a tu hazard, nie widzę miejsca dla siebie pomiędzy jednym a drugim! Od czasu do czasu chciałbym się poczuć ważniejszy od czegokolwiek, nie mówię ciągle, ale czasem, w końcu nie zawsze nam się zbiega, zajęci bywamy na zmianę, może ona by też mogła... No, nie wiem co, jakoś się przystosować...?

Bardzo dobrze wiedziałam, w czym leży sedno rzeczy. Z szalonym wysiłkiem spróbowałam przypomnieć sobie siebie, kiedy byłam w wieku Martusi. Też chciałam mieć dzieci... nic podobnego, już je miałam. Ale ten ukochany facet... Aż mi ścierpła skóra na plecach, kiedy zamajaczyło mi nagle wspomnienie, dla niego straciłam wystrzałowe Derby na wyścigach...

– Otóż to – powiedziałam stanowczo, nie wyjawiając genezy poglądu. – Tak normalnie to owszem, masz rację, ona cię chce. Rzetelnie. Boi się. Też rzetelnie. Są takie chwile... takie nastroje... takie okoliczności... kiedy namiętność trzeba uszanować i jedna osoba dzięki temu drugą osobę kocha podwójnie. Poczwórnie. Stokrotnie! Weź chociażby wędkarza, szału dostał z tymi cholernymi rybami, żonę i dzieci zostawił w środku na przykład przeprowadzki, złapał co czy nic, bez znaczenia, ona nie ma pretensji, nie przestał jej przez to kochać, a wręcz przeciwnie, zaczął wielbić jak bóstwo. Z drugiej strony, skoro już musi na te ryby, niechby jej chociaż wynalazł jakiego silnego do noszenia...

– Nie chodzę na ryby – powiedział Bartek ponuro.

– Ale może potrafisz takiego zrozumieć? A w ogóle jest to kwestia organizacji, a jeżeli dla siebie wzajemnie ma się więcej czasu, a ogólnie toleruje się namiętności nieszkodliwe, a zasadniczo wzajemnie siebie się chce...

– Wcale nie wiem, czy ona mnie chce.

– Głupi jesteś! – wrzasnęłam okropnie, w pełni świadoma własnych poglądów, żaden chłop nie jest wart rezygnacji z namiętności życiowych, ale tego mu przecież nie powiem i broń Boże, nie przypiszę czegoś podobnego Martusi, więc co właściwie mam z nim zrobić... – Ona chce mieć dzieci! Z tobą!!!

Bartek jakoś drgnął gwałtownie.

– Dużo...?

– Co dużo?

– Tych dzieci.

Ochłonęłam i znów się zakłopotałam. Przesadziłam może...?

– Ja uważam, że dwoje to minimum. Ona może uważać inaczej. Ale zwracam ci uwagę, jeśli jej powiesz, że ja ci to powiedziałam, będę musiała cię zabić. Ją chyba też, bo stanie się ostatnim świadkiem mojej nielojalności. A i tak do końca życia nie opuszczą mnie wyrzuty sumienia.

Bartek milczał i widać było, jak w środku lęgnie mu się coś interesującego.

– Jesteś pewna?

– Czego?

– Tych dzieci.

Ryzyk-fizyk...

– Jestem. Bo co? Nie lubisz dzieci?

– Nie, nic. Lubię. Podtrzymałaś mnie na duchu...

Zaterkotał domofon, nasza pogawędka od serca skończyła się definitywnie.

Jako pierwszy zdążył mój plenipotent, którego pogoniłam informacją, że zaraz tu się zacznie większe piekło, okazało się, że właśnie z Bartkiem należało uzgodnić jakieś prawa autorskie do rysunków, zgodziłam się na wszystko, bo i tak się na tym nie znałam, w ostatniej chwili podpisaliśmy brudnopis umowy, po czym znów zaterkotało.

Martusia w drzwiach padła mi na szyję.

– Pisz! Pisz natychmiast! Mamy podpisany kosztorys! Wrednego Zbinia autentycznie diabli wzięli! Zrezygnował ze stanowiska! Zaakceptowane! Robimy! Robimy! Gdzie masz tego szampana...?!!!

Mój plenipotent do sprawy był przygotowany. Nie zamierzałam się wtrącać w kwestie, powiedzmy, urzędowe, z osób, towarzyszących Martusi, jedna miała blisko dwa metry wzrostu, kazałam osobie wyjąć z szafki kieliszki, bo sama musiałabym włazić na schodki. Butelkę wetknęłam w ręce Bartkowi, po krótkim namyśle wetknęłam mu i drugą. Powolutku zaczynało mi być wszystko jedno, do mnie należała treść serialu, a nie okoliczności towarzyszące.

Upić w Polsce siedem osób trzema butelkami szampana jest rzeczą zwyczajnie niemożliwą, wszyscy byli trzeźwi jak świnie i w pełni potwierdzili szał szczęścia Martusi. Wstępna umowa ze mną nie została wprawdzie podpisana, ale pojawiła się szansa na realizację naszych zamierzeń, teraz już naprawdę tylko nakręcić pierwsze trzy odcinki... Rzuciłam okiem na Bartka, trochę wydał mi się blady, bo pierwsze trzy odcinki dawno miałyśmy napisane, scenografia niezbędna była już. Natychmiast. Udało mi się pomyśleć, że Martusi na kasyno zostanie cały wolny czas...

Jednak, mimo wszystko, Słodki Kocio chyba się przydał...?

* * *

– Słuchaj, co się dzieje? – spytała Martusia bardzo nerwowo zaraz nazajutrz przez telefon. – Z Bartkiem nie mogę się dogadać, on wziął jakieś zlecenie, mówi, że ty wszystko wiesz, co to ma znaczyć?

– Ma znaczyć, że ja wszystko wiem. Ponadto porządkuję jedenasty odcinek, więc tak czy inaczej musisz tu przyjechać. Proszę bardzo, wszystko ci powiem.

– To ja teraz nie mogę, mam nagranie, będę wolna dopiero o czwartej.

– Mnie nie szkodzi, możesz być o czwartej.

– Piwo masz, czy kupić?

– Mam, ale dokupić trochę możesz...

Przyjechała punktualnie, w chwili kiedy jeszcze nie byłam pewna, jak jej zaprezentować swoją przyjacielską działalność. Ukryć treść pogawędki z Bartkiem czy też przeciwnie, wyeksponować. Ma być na mnie czy na niego? Z dwojga złego może lepiej na mnie, bo on by może wypadł jakoś gorzej w jej oczach...? A może lepiej...?

Zgłupiałam trochę i opadły mnie lekkie wyrzuty sumienia.

– Wepchnij ciepłe, wyjmij zimne – powiedziałam do Martusi, kucającej przed lodówką. – Zimne jest tam niżej.

– Dwa mam też zimne. To te wepchnę wyżej. Masz szklanki...? No to mów! O co tu chodzi?

– O sos chrzanowy z parówek – westchnęłam, siadając przy stole.

– O co...?!

– Sos chrzanowy. Jest to źródło obecnego, chwilowego konfliktu.

– Joanna, Jezus Mario...! Komu tu coś zaszkodziło...?!

– Nic nikomu. To znaczy owszem, sos Bartkowi. Nakapało mu się nim na spodnie.

Martusia przez chwilę po odrobinie popijała piwo, najwidoczniej usiłując ochłonąć i zrozumieć moje niezwykłe słowa. Odstawiła szklankę.

– Nie. Sama w sobie tego w żaden sposób nie rozwikłam. Musisz mi powiedzieć porządnie. Co mają spodnie i sos chrzanowy sprzed paru tygodni do jego dziwnego stanu obecnie? Przecież nie rzucałam w niego parówkami! Nie, co ja mówię, nawet gdyby... Zgubił te spodnie?!!!

– Nie, ale chyba jednak zagrały główną rolę...

Zmobilizowałam się i opisałam jej kolejne przeżycia Bartka. O próbie kradzieży samochodu Martusia wiedziała, więc dość łatwo pojęła całą resztę opowieści. Słuchała w milczeniu, kiwając potakująco głową.

Zbliżyłam się do końca, starannie ominąwszy kwestię dzieci.

– I on teraz boi się przyznać ci się do tego zlecenia, żebyś sobie nie pomyślała, że cię lekceważy i cokolwiek innego uważa za ważniejsze...

– Naprawdę ma mnie za taką idiotkę? – przerwała mi z niedowierzaniem.

– No, między nami mówiąc, postarałaś się nieźle...

– No wiesz...!

– ...ale nie, za idiotkę nie. Tylko możesz być nieco drażliwa. I on cię utenteguje...

– Co on mnie...?!!!

– Oj, nie bądź taka drobiazgowa! Ogólnie, no, urazi, rozdrażni, zrazi do siebie, potraktuje drugorzędnie, to znaczy on cię nie potraktuje, tylko ty możesz tak to odczuć, wziąć go za nieodpowiedzialnego kretyna...

– A, rozumiem! To to wszystko razem nazywa się utentegować?

– A dlaczego nie? Przynajmniej w skrócie, mniej gadania.

– To znaczy on się boi, że ja pomyślę, że on mnie utenteguje?

– Coś w tym rodzaju.

– I nie boi się, że ja go utenteguję?

– O to powinnaś się bać ty. Ale nie musisz. Ja akurat wiem na pewno, że mu na tobie zależy niebotycznie...

– Skąd to wiesz? Powiedział ci?

– Powiedział, ale nie musiał. Sama widzę. I teraz się gryzie, że pomyślisz, że mu brakuje entuzjazmu do scenografii dla ciebie...

– A może byście tak obydwoje przestali myśleć, co ja myślę? Może ja bym mogła myśleć sama? A może ja nawet potrafię powiedzieć, co myślę?

– Potrafisz, owszem, dlaczego nie? – rzekłam niemiłosiernie. – Najlepiej ci to wychodzi, kiedy głupio myślisz...

– Joanna, zabiję cię! Zabiję was oboje! Nie, nie teraz, później, po serialu...

– Po serialu, bardzo dobrze. Więc on teraz będzie zajęty dwadzieścia pięć godzin na dobę, z własnej winy, i sam nie wie, jak ci to powiedzieć, ponieważ bardzo dobrze zgaduje... on nie głupi, naprawdę bardzo dobrze... że ci powie w idiotyczny sposób, jak bywa zawsze, kiedy komuś na czymś cholernie zależy. A on ma w sobie teraz wszystko razem: poczucie winy, że się wrąbał, uczucia do ciebie, którym to wrąbanie przeczy, niepewność w kwestii twoich uczuć, którym się naraził, robotę dla ciebie, której sam nastawiał przeszkód i coś tam jeszcze, nie chce mi się wszystkiego wymieniać. I jak ci się zdaje, czy istnieje na świecie normalny mężczyzna, który by potrafił wyjaśnić kobiecie takie subtelności?!

– Nie – odparła Martusia bez namysłu. – Stanowczo nie! Gdyby potrafił, musiałby być nienormalny. Tu masz rację.

Pozastanawiała się jeszcze trochę, otworzyła drugą puszkę piwa nie wiadomo po co, bo każda z nas miała jeszcze po pół szklanki z pierwszej, spróbowała to piwo gdzieś wlać, ale zrezygnowała, stwierdziwszy brak miejsca, wreszcie potrząsnęła głową jak koń, który spędza z siebie muchy.

– Jemu naprawdę do tego stopnia na mnie zależy...?

Czułam się na siłach odpowiedzieć twierdząco.

– I on się nie czepia mojego hazardu...?

Z energią zaświadczyłam, że się nie czepia. A jeśli nawet, to bez przesady.

– I ten cały dziwny konflikt między nami to z tego... utentegowania...?

– Otóż to! – powiedziałam z triumfem.

No i teraz wreszcie mogłyśmy zabrać się do pracy.

* * *

Po, mniej więcej, dwóch tygodniach Bartek wyrobił się na tyle, że udało mu się zyskać kawałek wolnego wieczoru. Miał przybyć do mnie razem z Martusią.

Akurat tego dnia miałam od rana kilka interesujących wizyt i telefonów. Zdołałam z nich wywnioskować, że nasze przewidywania były słuszne, podejrzany o zabójstwo i podpalenie Paścik okazał się całkowicie niewinny, Grocholski czysty jak łza, kontakty z prokuraturą utrzymuje najzupełniej legalnie, Lipczak-Trupski padł ofiarą własnej nieostrożności, w archiwach telewizji nie znaleziono żadnych interesujących materiałów, a zmiana na stanowisku jednego z bossów spowodowana została wyłącznie złym stanem zdrowia poprzedniego dostojnika. Tajemniczy Płucek owszem, istniał, ale właśnie definitywnie przeszedł na emeryturę, a komu doradzał przedtem, dokładnie nie wiadomo, bo miał strasznie dużo znajomych.

Telewizja, jako taka, pozostała nietknięta, z ordynarnymi rozgrywkami wewnętrznymi jakichś tam mafii nie miała nic wspólnego i jedynym indywiduum, które z niej dyplomatycznie wyleciało, był Wredny Zbinio.

Ponadto, gdybym jeszcze kiedykolwiek spotkała rzekomego majora Błońskiego, stanowczo nie powinnam z nim rozmawiać, a jeśli już, to tak, żeby nikt tego nie widział i nie słyszał.

Prawdę mówiąc, ta ostatnia informacja wydała mi się najbardziej ekscytująca. Stwarzała jakby cień nadziei.

W godzinę po umówionej porze pojawił się Bartek. Sam.

– Marta jest? – spytał niespokojnie. – Długo czeka?

Pocieszyłam go od razu, że wcale nie czeka, bo jeszcze jej nie ma. Jakoś równocześnie odetchnął z ulgą i zdenerwował się. Bardzo sprzeczne doznania.

Na stole stały słone paluszki z barku na Kruczej, niesłychanie trudne do zdobycia. Przywiózł je Witek, któremu udało się dopaść ekskluzywnego produktu, po czym już został u mnie z najzwyczajniejszej w świecie ciekawości. Liczył na to, że od Marty i Bartka dowiemy się czegoś jeszcze o aferze i jej skutkach.

Dzięki obecności Witka Bartek zachował umiar uczuciowy i wydawał się tylko trochę zmartwiony nieobecnością Marty, która powinna już dawno być. Wyłączyła komórkę, więc nie wiadomo, gdzie jest, i można tylko mieć nadzieję, że jej się nic nie stało.

Osobiście, co do miejsca jej pobytu, miałam bardzo silne podejrzenia, ale nie musiałam ich tak od razu wyjawiać.

Obaj przystąpili od razu do dzielenia się wiedzą, w czym wzięłam żywy udział. Bartek powiadomił nas, że jeden prokurator się chwieje, co nie wstrząsnęło mną zbytnio, bo primo, jeden to raczej niedużo, a secundo, i tak nie wiedziałam, który. Witek z nieskrywaną satysfakcją przekazał nam wieść, jakoby w łonie różnych mafii nastąpiło pewne zamieszanie, wynikłe z zejścia Słodkiego Kocia, który zdumiewająco szeroki wachlarz spraw trzymał w ręku. Niewinny Paścik bardzo się boi.

– Tam jeszcze dwóch padło, ale tego już chyba nawet gliny nie wiedzą. Utopił się facet po pijanemu, wielkie rzeczy, kogo to obchodzi. A że ma w środku dwie kulki, to może tak sam do siebie strzelał. Tego całego Paścika przeciwna strona chce kropnąć, ale wygląda na to, że się pogodzą. I tyle.

Pokiwaliśmy sobie głowami z wielkim zrozumieniem, Bartek z Witkiem jeszcze parę zdań wymienili, kiedy wreszcie pojawiła się Martusia.

Wpadła, można powiedzieć, znienacka, na dole bowiem akurat ktoś wychodził, więc domofonu nie musiała używać, na górze zaś po przyjściu Bartka drzwi zostawiłam otwarte. Dała się słyszeć w przedpokoju i w sekundę później stanęła w progu. Rozpłomieniona, nieco zdyszana, skruszona i promienna.

– No już jestem, już jestem...

– No i masz! – powiedział do mnie Bartek z wielkim rozgoryczeniem.

Nie zdążyłam się odezwać, bo Martusia płonęła euforią.

– Co masz, co masz, Joanna mówiła, że się spóźniasz dwie godziny! Taką masz normę! Mówiłaś czy nie...? No i proszę akurat jest dwie godziny, a ty już tu siedzisz bezprawnie...!

– Jestem pewien, że była w kasynie – powiedział Bartek, wciąż do mnie.

Znowu mi wielkie odkrycie...

– No nawet jeśli, ale godziny pilnowałam...! Och, dajcie piwa, nic nie piłam przez rozum...

– A tyle mamy dla siebie czasu co kot napłakał!

Witek przezornie milczał i nawet cofnął się trochę z fotelem. Uznałam za słuszne się wtrącić.

– Gorzej byłoby, gdyby przyszła wcześniej i w nerwach na ciebie czekała... – zaczęłam łagodząco.

– W nerwach...! – prychnął wzgardliwie Bartek.

Martusia zdążyła chwycić szklankę, napić się trochę i odstawić ją.

– A może ja się o posag dla siebie postarałam...?! Proszę...! Proszę...! Masz! Nie potrzebuję wychodzić za mąż w jednej koszuli! Proszę...! Masz...!

Zarazem dumnie, triumfalnie i z furią ciskała po moim stole paczkami pieniędzy, wyrywanymi z torby. Sumę oceniłam błyskawicznie, też mi się czasem zdarzało w kasynie wygrywać.

– Pięćdziesiąt patoli! I co...?! W życiu nie będziesz mi wymawiał, że nic nie miałam...!

Bartek patrzył na to, nieco zbaraniały. Gdzieś tam mignęło mi przypomnienie, że podobno jest bogaty, co mogłoby rzutować negatywnie na ewentualny związek. Chwyciłam jedną paczkę setek, która leciała prosto w słone paluszki.

– Nie rzucaj w piwo, bo się wyleje!

– No i co? Może i jestem narkomanka, ale chociaż z pożytkiem! Skąd bym to wzięła...?! Bez posagu bym za ciebie nie wyszła...!

– Czy to znaczy, że teraz za mnie wyjdziesz...?

Martusia nie odpowiedziała słowami. Znów chwyciła szklankę z piwem i piła je, gwałtownie kiwając głową. Musiało to być bardzo niewygodne i zdziwiłam się, że zdołała przełykać.

Bartek ciągle patrzył na nią, ale zwrócił się do mnie z wyraźną troską.

– Joanna, czy to przechodzi na dzieci...?

– Różnie – odparłam pośpiesznie. – Może przejść, może nie. Pozbierajcie ten posag ze stołu, Martusia... Cholera, nie wyrzucaj forsy luzem! Pod fotelem leży!

– Bo mam jeszcze końcówkę!

Udało nam się wreszcie opanować jakoś to szczęśliwe wydarzenie. Pomogłam Martusi wepchnąć pieniądze z powrotem do torby.

– Jeśli coś tu się jeszcze jutro spod kanapy wymiecie, będę wiedziała, że to twoje – powiedziałam uspokajająco. – Usiądź jak człowiek i opamiętaj się.

– Nie, niech postoi! – zawołał Bartek. – Na wesele podobno trzeba zapraszać gości na stojąco. Jesteście świadkami, że ona zgodziła się wyjść za mnie za mąż, jeśli teraz zacznie stroić grymasy, wytoczę jej sprawę sądową o niedotrzymanie obietnicy małżeństwa!

– A kiedy ten ślub bierzecie? – odezwał się wreszcie Witek.

Martusia najwyraźniej w świecie podjęła już decyzję i była w pełni pogodzona z sytuacją. Przestała już kiwać głową gwałtownie i kiwała tylko chwilami, malutko i spokojnie.

– Po pierwszych trzech odcinkach...

– Zwariowałaś! – krzyknęłam ze zgrozą. – Bartek, nie zgadzaj się na to! Martusia, ty masz źle w głowie, przecież to telewizja! I co z tego, że mamy podpisaną umowę wstępną czy tam ten cały kosztorys, czy co to tam jest, co z tego, że nawet zaczniesz, to jest instytucja nieobliczalna! Cholera wie, kto przyjdzie na miejsce Wrednego Zbinia, ty się puknij, mogą nas zastopować w połowie, w każdym miejscu! Ze mną jeszcze umowy nie podpisali! Weźcie ten ślub kiedykolwiek, byle nie w zależności od telewizji!

– No? – powiedział Bartek. – Ona ma rację. Ja bym wołał od razu.

Martusia zawahała się.

– Ale mnie zależy na serialu...

– Toteż właśnie – powiedziałam ostrzegawczo. – Jeśli uzależnisz od niego cokolwiek, a już w najgorszym razie ślub, zauroczysz, mur-beton. W życiu nam ten scenariusz nie wyjdzie, choćby się pół miasta wymordowało nawzajem! Nie wygłupiaj się, w końcu mnie też zależy. Bartek, żeń się z nią natychmiast, choćby i jutro!

– Jutro nie zdążę – zmartwił się Bartek.

– No to za tydzień!

– No dobrze, za trzy – zadecydowała Martusia. – Albo nie, bez serialu. Jak skończysz robotę, to zlecenie. Ile ci to zajmie?

– Góra dwa miesiące.

– No to sami widzicie. Dobrze, wyjdę za niego. Za dwa miesiące, niech będzie!

Na tym stanęło i przynajmniej jedno zostało rozstrzygnięte. Scenariusz piszemy, Martusia z Bartkiem biorą ślub...

A co do trupa, to jeszcze nie jest pewne, jak go zużyjemy...

Koniec

Uprzejmie i z naciskiem informuję, że cała treść niniejszego utworu została wyssana z palca, a występujące w telewizji osoby sama wymyśliłam. Jakakolwiek zbieżność z rzeczywistością...

I tak dalej.

KOLEJNOŚĆ I TERMINY UKAZYWANIA SIĘ POSZCZEGÓLNYCH TYTUŁÓW

1	LESIO	6.10.2014
2	WSZYSCY JESTEŚMY PODEJRZANI	21.10.2014
3	KROKODYL Z KRAJU KAROLINY	4.11.2014
4	CAŁE ZDANIE NIEBOSZCZYKA	18.11.2014
5	TRUDNY TRUP	2.12.2014
6	STUDNIE PRZODKÓW	16.12.2014
7	DUŻA POLKA	30.12.2014
8	ROMANS WCZECH CZASÓW	13.01.2015
9	DWIE GŁOWY I JEDNA NOGA	27.01.2015
10	BOCZNE DROGI	10.02.2015
11	NAWIEDZONY DOM	24.02.2015
12	WSZYSTKO CZERWONE	10.03.2015
13	HARPIE	24.03.2015
14	WIELKI DIAMENT, T. I	7.04.2015
15	WIELKI DIAMENT, T. II	21.04.2015
16	(NIE)BOSZCZYK MĄŻ	5.05.2015
17	ZŁOTA MUCHA	19.05.2015
18	DZIKIE BIAŁKO	2.06.2015
19	NAJSTARSZA PRAWNUCZKA	16.06.2015
20	PECH	30.06.2015
21	KROWA NIEBIAŃSKA	14.07.2015
22	DEPOZYT	28.07.2015
23	PRZEKLĘTA BARIERA	11.08.2015
24	ZBIEG OKOLICZNOŚCI	25.08.2015
25	TAJEMNICA	8.09.2015
26	SZAJKA BEZ KOŃCA	22.09.2015
27	FLORENCJA, CÓRKA DIABŁA	6.10.2015
28	WYŚCIGI	20.10.2015
29	BABSKI MOTYW	3.11.2015
30	DRUGI WĄTEK	17.11.2015
31	LĄDOWANIE W GARWOLINIE	1.12.2015
32	UPIORNY LEGAT	15.12.2015
33	KLIN	29.12.2015
34	BUŁGARSKI BLOCZEK	12.01.2016
35	KOCIE WORKI	26.01.2016
36	RZEŹ BEZKRĘGOWCÓW	9.02.2016
37	KRĘTKA BLADA	23.02.2016
38	JEDEN KIERUNEK RUCHU	8.03.2016
39	MNIE ZABIĆ	22.03.2016
40	HAZARD	5.04.2016
41	ZAPALNICZKA	19.04.2016
42	PORWANIE	2.05.2016
43	BYCZKI W POMIDORACH	17.05.2016
44	GWAŁT	31.05.2016
45	KRWAWA ZEMSTA	14.06.2016
46	ZBRODNIA W EFEKCIE	28.06.2016
47	2/3 SUKCESU	12.07.2016
48	WIĘKSZY KAWAŁEK ŚWIATA	26.07.2016
49	WIELKIE ZASŁUGI	9.08.2016
50	ŻYCIE (NIE) CAŁKIEM SPOKOJNE	23.08.2016